6ヶ月で構築する

個人情報保護
マネジメントシステム
実施ハンドブック

第3版

Personal information protection
Management
Systems

認定NPO法人 **日本システム監査人協会**【監修】

同文舘出版

監修に寄せて

認定NPO法人日本システム監査人協会（Systems Auditors Association of Japan, 以下、SAAJ）は、1987年12月に任意団体として発足し、システム監査技術者試験の合格者など、システムの監査について一定の有効な実務経験を積んだ者を「公認システム監査人」とする認定制度を創設し、現在も官公庁、民間企業からの要請でシステム監査人を推薦するなどの活動を行っています。

2003年5月に「個人情報の保護に関する法律」（以下、個人情報保護法）が民間事業者を対象に制定され、2015年、2020年の改正を経て、2021年にはデジタル社会形成整備法を受けて、行政機関個人情報保護法等と統合されました。また、1999年3月に「JIS Q 15001:1999　個人情報保護に関するコンプライアンス・プログラムの要求事項」によりプライバシーマーク制度が発足してから25年が経過し、1999年度に86事業者であった認定事業者は、2024年4月10日時点で、17,623 社となりました。

SAAJ個人情報保護監査研究会では、次の書籍を刊行しています。
・2006年9月：『個人情報保護マネジメントシステム実践マニュアル』
・2014年12月：『6ケ月で構築する個人情報保護マネジメントシステム実施
　　　　　　　ハンドブック』
・2019年6月：『6ケ月で構築する個人情報保護マネジメントシステム実施
　　　　　　　ハンドブック（第2版)』

このたび発刊の『6ケ月で構築する個人情報保護マネジメントシステム実施ハンドブック（第3版)』は、最新の個人情報保護法の改正及び、「JIS Q 15001個人情報保護マネジメントシステム－要求事項」並びに「プライバシーマークにおける個人情報保護マネジメントシステム構築・運用指針」に対応できるよう、標準的な規程や様式をお届けします。

i

■事業者の方へ

本書は、すべての事業者の方に、個人情報保護法を遵守していただけるよう、できる限り専門用語を使わず説明しています。

以下、個人情報保護マネジメントシステム＝PMSと呼び、『6ケ月で構築する個人情報保護マネジメントシステム実施ハンドブック（第3版）』＝PMSハンドブックV3と呼びます。

■様式の充実

PMSの構造すべてを理解してから始めるのではなく、標準的なR01000個人情報取扱規程とRA1000安全管理規程を核とし、マイナンバーの取扱いのためのR01050個人番号関係事務規程を用意しました。また、匿名加工情報を取り扱う事業者のためにRA2800匿名加工情報取扱規程（ご参考）も用意しました。これら規程類を含めて必要な80様式余りをあらかじめ用意し、自社に合わせて必要最小限の変更を加えればすぐ運用できるようになっています。

■規程、様式のダウンロード

規程や様式はすべて読者サイト「SAAJPMS様式集V3」からダウンロードできます。詳しくは、目次のあとに記載する、「ひな型のダウンロードについて」をご覧ください。

本書が、新規にプライバシーマークを取得する事業者だけでなく、更新事業者にとっても、自社のPMSを再確認していただける内容となっていれば幸いです。

認定NPO法人　日本システム監査人協会
個人情報保護監査研究会　主査　斎藤由紀子
https://www.saaj.or.jp/shibu/Kojin/kojin.html

6ヶ月で構築する
個人情報保護マネジメントシステム実施ハンドブック（第3版）
◉目次

ひな型のダウンロードについて　*x*

序章　個人情報保護マネジメントシステムとは　*1*

1 個人情報保護の歴史 ………………………………………………………… *2*

2 OECD/GDPR/2021個人情報保護法との関係 …………………………… *6*

3 個人情報保護マネジメントシステム（PMS）とは ……………………… *12*

3.1　適用範囲（R.1）　*13*

3.2　法令、国が定める指針その他の規範（R.4.1）　*13*

3.3　認識（R.7.3）　*13*

3.4　個人情報の特定（R.6.1）　*14*

3.5　個人情報保護リスク対応（R.6.2.3）　*15*

3.6　内部規程（R.7.5.1.1）　*15*

3.7　運用の計画及び管理（R.8.1）　*16*

3.8　内部監査（R.9.2）　*16*

3.9　マネジメントレビュー（R.9.3）　*17*

3.10　改善（R.10）　*17*

4 個人情報保護マネジメントシステム―要求事項
　　(Personal Information Protection Management Systems―Requirements) …………… *18*

4.1　JIS Q 15001とは　*18*

4.2　プライバシーマーク制度について　*18*

4.3　個人情報保護法との関係　*18*

iii

4.4 JIS Q 15001:2023 *19*

4.5 関連する他のマネジメントシステム *23*

4.6 用語の変遷 *24*

5 最近の情報漏えい事故 *25*

6 本書での用語の定義 *27*

7 Pマーク取得計画 *36*

7.1 事業者の特性に合わせたPMSの確立 *36*

7.2 Pマーク取得計画 *37*

7.3 認証申請 *45*

7.4 文書審査 *48*

7.5 現地審査 *48*

7.6 指摘対応 *49*

7.7 審査会 *50*

7.8 Pマーク取得 *50*

7.9 Pマーク付与契約 *50*

8 本書の見かた *51*

8.1 サンプル文書 *51*

8.2 項番の付け方 *51*

8.3 PMS文書体系 *52*

第1章 JIS Q 15001:2023 規格本文 *57*

R.1 個人情報取扱規程の目的 *58*

R.2 引用規格 *59*

R.3 用語及び定義 *60*

R.4 組織の状況 ·· 61

R.4.1 法令、国が定める指針その他の規範 *61*

R.4.2 利害関係者のニーズ及び期待の理解 *64*

R.4.3 個人情報保護マネジメントシステムの適用範囲の決定 *64*

R.4.4 個人情報保護マネジメントシステム *65*

R.5 リーダーシップ ·· 66

R.5.1 リーダーシップ及びコミットメント *66*

R.5.2 方針 *67*

R.5.3 役割、責任及び権限 *68*

R.6 計画策定 ··· 72

R.6.1 個人情報の特定 *74*

R.6.2 リスク及び機会への取組 *80*

R.7 支援 ·· 93

R.7.1 資源 *93*

R.7.2 力量 *93*

R.7.3 認識 *94*

R.7.4 コミュニケーション *98*

R.7.5 文書化した情報 *105*

R.8 運用 ·· 112

R.8.1 運用の計画及び管理 *112*

R.9 パフォーマンス評価 ··· 113

R.9.1 監視、測定、分析及び評価（J.6.1） *113*

R.9.2 内部監査 *115*

R.9.3 マネジメントレビュー *124*

v

R.10	改善	127
R.10.1	継続的改善 *127*	
R.10.2	不適合及び是正処置 *127*	

第2章 個人情報保護に関する管理策 *129*

R.A.1	利用目的の特定(法第17条)	*130*
R.A.2	利用目的による制限(法第18条)	*131*
R.A.3	不適正な利用の禁止(法第19条)	*134*
R.A.4	適正な取得(法第20条1項)	*136*
R.A.5	要配慮個人情報などの取得(法第20条2項)	*137*
R.A.6	個人情報を取得した場合の措置(法第21条1項)	*140*

6.1 「個人情報の取扱いについて」の公表 *142*

6.2 受託業務で個人情報を取得する場合 *143*

6.3 取得の状況からみて利用目的が明らかであると認められる場合 *143*

R.A.7	本人から直接書面によって取得する場合の措置(法第21条2項)	*144*

7.1 個人情報の取扱いについての明示と同意 *145*

7.2 本人からの同意を得ることが困難な場合 *147*

R.A.8	本人に連絡又は接触する場合の措置	*148*

8.1 特定電子メールを送信する場合 *149*

8.2 受託業務で本人に連絡又は接触する場合 *150*

8.3 第三者提供を受けた個人情報を元に、本人に連絡する場合 *150*

8.4 合併など事業の承継に伴って個人情報を取得した場合 *151*

8.5 共同利用によって取得した個人情報の場合 *151*

R.A.9	データ内容の正確性の確保等(法第22条)	*153*

R.A.10 安全管理措置（法第23条） ····· 155

10.1 「RA1000安全管理規程」の目的　155

10.2 個人情報の安全管理体制　156

10.3 執務室の整理整頓、取扱区域　157

10.4 入退館、入退室管理　159

10.5 個人情報の取得　162

10.6 個人情報の利用　163

10.7 個人情報の管理　163

10.8 情報機器の安全管理　167

10.9 ネットワーク管理　171

10.10 個人情報の移送、送受信時の管理　177

10.11 「RA1000安全管理規程」の見直し　179

R.A.11 従業者の監督（法第24条） ····· 180

11.1 機密保持誓約書　180

11.2 罰則　180

R.A.12 委託先の監督（法第25条） ····· 181

12.1 委託先管理台帳　181

12.2 委託先の選定　182

12.3 委託先との契約締結　183

12.4 委託先の定期的な再評価　184

12.5 委託先との個人情報の授受記録　185

R.A.13 漏えい等の報告等（法第26条） ····· 186

R.A.13.1 漏えい等発生時の措置　186

R.A.13.2 事故報告書の作成　187

vii

R.A.13.3 本人への連絡　*188*

R.A.13.4 個人情報保護委員会及び審査機関への「速報」の報告　*189*

R.A.13.5 「確報」の報告　*191*

R.A.13.6 「速報」対象事故でなかった場合の報告　*191*

R.A.13.7 再発防止措置　*191*

R.A.13.8 従業者への教育　*192*

R.A.13.9 緊急事態に関するマネジメントレビュー　*192*

R.A.14 第三者提供の制限 (法第27条) ·· *193*

R.A.15 外国にある第三者への提供の制限 (法第28条) ·············· *196*

R.A.16 第三者提供に係る記録の作成等 (法第29条) ·················· *200*

R.A.17 第三者提供を受ける際の確認等 (法第30条) ·················· *202*

R.A.18 個人関連情報の第三者提供の制限等 (法第31条) ·········· *204*

R.A.19 保有個人データ等に関する事項の公表等 (法第32条) ···· *207*

R.A.20 開示 (法第33条) ··· *211*

R.A.21 訂正等 (法第34条) ··· *212*

R.A.22 利用停止等 (法第35条) ·· *213*

R.A.23 理由の説明 (法第36条) ·· *214*

R.A.24 開示等の請求等に応じる手続 (法第37条) ····················· *215*

R.A.25 手数料 (法第38条) ··· *218*

R.A.26 個人情報取扱事業者による苦情の処理 (法第40条) ········ *219*

R.A.27 仮名加工情報 (法第41条) ··· *223*

R.A.28 匿名加工情報 (法第43条) ··· *226*

R.A.28.1 「RA2800匿名加工情報取扱規程」の策定　*227*

R.A.28.2 匿名加工情報関連用語の定義　*228*

R.A.28.3 匿名加工情報取扱方針　*228*

R.A.28.4　匿名加工情報作成業務の責任体制　*229*

R.A.28.5　匿名加工情報データベース等の作成　*230*

R.A.28.6　匿名加工情報等の提供を受ける場合の義務　*235*

R.A.28.7　匿名加工情報に関する苦情対応　*237*

R.A.29 例外的な処理手順··*238*

補章 *241*

1 番号利用法対応···*242*

1.1　「R01050個人番号関係事務規程」　*242*

1.2　番号利用法関連用語の定義　*243*

1.3　個人番号関係事務の範囲　*244*

1.4　個人番号関係事務に係る組織体制　*245*

1.5　個人番号の適正取得　*246*

1.6　特定個人情報の取扱いに関する記録　*247*

1.7　個人番号関係事務に関する教育及び監督　*248*

1.8　個人番号関係事務の委託　*249*

1.9　特定個人情報の安全管理措置　*249*

1.10　特定個人情報の緊急事態への対応　*250*

2 Pマーク認定後の維持・運用のポイント······························*251*

2.1　PMSの維持・運用　*251*

2.2　付与機関、指定機関による更新審査等　*252*

装丁＝渡辺美知子

印刷＝萩原印刷

索引　*253*

ひな型のダウンロードについて

◆本書の読者の方に向けて、規程類及び様式のひな型の無料ダウンロードサービスを提供します。本書内で、**丸ゴシックのフォント**で記載されている各規程・様式は、ひな型のWordもしくはExcelデータのダウンロードが可能です。各規程・様式のひな型を自社に合わせて修正し、自社のPMSの構築にお役立てください。

【ダウンロードサイトへのアクセス】
■Step 1
ダウンロードをご希望の方は、以下を明記の上、
pms2023jis@saaj.jp 宛にメールをお送りください。
1. 氏名（漢字、登録は個人に限ります）：
2. 氏名（カナ）：
3. メールアドレス：
4. お知らせの受信許諾：OKまたはNG
※いただいた個人情報は、ID管理、ダウンロードサイトの更新及び、個人情報保護に関するお知らせ配信の目的以外に利用いたしません。

■Step 2
2週間以内に、ご連絡いただいたメールアドレス宛に、ダウンロードサイトのURL及びアクセス情報をお送りします。
- ダウンロードサイトの画面にて、お送りしたID及びパスワードによってログインしてください。
- 複数のzipファイル（自動解凍形式）でダウンロードできます。

■Step 3
ダウンロードサイトでは、本書に関するサポート情報を掲載し、お知らせの受信許諾：OKの方に、更新内容をメールでお知らせします。
- 法律や政令・規範の改正に合わせて、ひな型を更新します。
- SAAJが主催する個人情報保護関連セミナーに、購読者割引で参加できます。
- お知らせの発信は、月1回〜3ヶ月に1回程度です。

なお、ダウンロードサイトのサポートは、JIS Q 15001:2023が改定されるまでとし、規格が改定された後はサポートを終了します。

個人情報保護マネジメントシステムとは

序　個人情報保護マネジメントシステムとは

1 個人情報保護の歴史

　1980年9月23日に採択された「OECD理事会勧告―EUデータ保護指令」では、個人情報を「データ主体＝本人」に属するものであることを明確にしました。OECDが示した8原則は全世界に広まり、2003年5月30日制定の「個人情報の保護に関する法律」（以下、個人情報保護法）でも、その主旨が条文に反映されました。

　その後、2018年5月25日から、欧州委員会は、EUデータ保護指令に代わる立法として「EU一般データ保護規則」（General Data Protection Regulation：GDPR）について適用開始しました。指令（directive）から、罰則を伴う規則（regulation）となり、欧州経済領域（European Economic Area：EEA）から個人データを移転する法的要件が規定され、「忘れられる権利」（自分の個人情報の消去権）や、GDPRを侵す企業に対して罰金を科す権限についても強化されています。

　個人情報保護法は、2015年、2020年の改正を経て、2021年5月19日「デジタル社会形成整備法」に基づき、行政機関、独立行政機関個人情報保護法を吸収して、一本の法律となりました。

図表序1-1　個人情報保護の歴史

月　日	内　　　容
1980年 9月23日	経済開発協力機構「プライバシー保護と個人データの国際流通についてのガイドラインに関するOECD理事会勧告」採択
1988年 12月16日	「行政機関の保有する電子計算機処理に係る個人情報の保護に関する法律」法律第95号公布
1989年4月	通産省（当時）「民間部門における電子計算機処理に係る個人情報の保護について（指針）」
1995年 10月24日	欧州連合「EUデータ保護指令」EU諸国と同等の十分なレベルの保護措置を講じない第三国への個人データ移転禁止

個人情報保護の歴史 1

1997年 3月4日	通産省（当時）「民間部門における電子計算機処理に係る個人情報の保護に関するガイドライン」告示第98号
1998年4月	財団法人日本情報処理開発協会（当時）「プライバシーマーク制度」
1999年 3月20日	財団法人日本規格協会「JIS Q 15001:1999　個人情報保護に関するコンプライアンス・プログラム要求事項」
2003年 5月30日	「個人情報の保護に関する法律」法律第57号、2005年4月1日全面施行 「行政機関の保有する個人情報の保護に関する法律」法律第58号 「独立行政法人等の保有する個人情報の保護に関する法律」法律第59号
2003年 12月10日	「個人情報の保護に関する法律施行令」政令第507号
2004年 4月2日	「個人情報の保護に関する基本方針」閣議決定
2004年 7月1日	厚生労働省「雇用管理に関する個人情報の適正な取扱いを確保するために事業者が講ずべき措置に関する指針」告示第259号
2004年 10月22日	経済産業省「個人情報の保護に関する法律についての経済産業分野を対象とするガイドライン（告示）」
2004年 10月29日	「雇用管理に関する個人情報のうち健康情報を取り扱うに当たっての留意事項について（局長通達）」
2006年 1月31日	情報処理推進機構「安全なWebサイトの作り方」
2006年 2月20日	経済産業省「安全管理措置の徹底に係る注意喚起」
2006年 5月20日	「情報技術―セキュリティ技術―情報セキュリティマネジメントシステム―要求事項（JIS Q 27001:2006）」 財団法人日本規格協会「JIS Q 15001:2006　個人情報保護マネジメントシステム―要求事項」
2006年 9月1日	JIPDEC「JIS Q 15001:2006をベースにした個人情報保護マネジメントシステム　実施のためのガイドライン」第1版
2008年 7月24日	経済産業省「医療情報を受託管理する情報処理事業者向けガイドライン」告示第167号
2011年 9月15日	財団法人日本規格協会「JIS Q 15001:2006　個人情報保護マネジメントシステム―要求事項」解説改定
2012年 1月25日	欧州委員会「EUデータ保護指令」改定。「EU一般データ保護規則」提案
2013年 5月31日	「行政手続における特定の個人を識別するための番号の利用等に関する法律」

3

2013年7月11日	OECD「プライバシー保護と個人データの国際流通についてのガイドラインに関する理事会勧告」改正
2014年1月14日	JIPDEC「JIS Q 15001:2006をベースにした 個人情報保護マネジメントシステム実施のためのガイドライン」第2版
2014年12月11日	「特定個人情報の適正な取扱いに関するガイドライン（事業者編）」
2015年9月9日	「個人情報の保護に関する法律」改定、2017年5月30日全面施行
2015年11月25日	「雇用管理分野における個人情報保護に関するガイドライン」制定
2016年7月5日	「IoTセキュリティガイドライン」
2016年5月24日	「EU一般データ保護規則」（GDPR：General Data Protection Regulation）発効
2016年10月5日	「個人情報の保護に関する法律施行規則」（個人識別符号、第三者提供、匿名加工情報、他）
2016年11月30日	個人情報保護委員会「個人情報の保護に関する法律についてのガイドライン（通則編、外国にある第三者への提供編、第三者提供時の確認・記録義務編、匿名加工情報編）」
2017年3月31日	JIPDEC「我が国におけるデータ駆動型社会に関わる基盤整備（JIS改定等調査研究）報告書」
2017年12月20日	財団法人日本規格協会「JIS Q 15001:2017 個人情報保護マネジメントシステム－要求事項」
2018年1月12日	JIPDECプライバシーマーク推進センター「プライバシーマーク付与適格性審査基準」
2018年5月25日	「EU一般データ保護規則」（GDPR）適用開始
2018年6月12日	「個人情報の保護に関する基本方針」改正、閣議決定
2018年7月17日	個人情報保護法第24条に基づいてEUを指定する方向で、当該指定のための手続開始
2018年9月14日	JIPDEC「JIS Q 15001:2017対応 個人情報保護マネジメントシステム導入・実践ガイドブック」
2020年6月12日	「個人情報の保護に関する法律」改正：JIS規格要求事項等を吸収
2021年5月19日	「個人情報の保護に関する法律」改正：行政機関、独立行政法人等の3本の法律を統合

個人情報保護の歴史 **1**

2021年 10月29日	「個人情報の保護に関する法律についてのガイドライン（通則編、外国第三者提供編、確認・記録義務編、仮名加工情報・匿名加工情報編、認定個人情報保護団体編）」
2022年 2月14日	「プライバシーマークにおける個人情報保護マネジメントシステム構築・運用指針」Ver.1.0.3
2023年 9月20日	財団法人日本規格協会「JIS Q 15001:2023　個人情報保護マネジメントシステムー要求事項」
2023年 12月25日	「プライバシーマークにおける個人情報保護マネジメントシステム構築・運用指針」Ver.1.0

2 OECD/GDPR/2021 個人情報保護法との関係

　OECD8原則の理念は、GDPRに引き継がれ、「JIS Q 15001個人情報保護マネジメントシステム―要求事項」2017年版（以下、「2017版JIS」）では、GDPRの法的要件を可能な限り吸収し、企業が順守すべき最も厳しい個人情報保護の基準となりました。

　2021年個人情報保護法では、情報の国際流通の観点からGDPRに準拠して改正されたことから、結果的に「2017版JIS」と近接性を保ったものとなり、プライバシーマーク取得事業者にとっては、比較的理解しやすい改正となりました。行政機関、独立行政機関個人情報保護法を吸収したことで、官民一体の法律となり、個人情報保護の理念が統一されることとなりました。

　2021年改正では、第5章　行政機関等の義務等（第60条－第129条）が新設され、行政機関が順守すべき基本手順が盛り込まれたため、膨大な法律となっています。民間の個人情報取扱事業者等の義務等については、外国との個人情報の移転、個人関連情報の第三者提供、仮名加工情報の取扱いなど、特殊な事業を営む事業者にとっては、注意が必要です。

OECD/GDPR/2021個人情報保護法との関係 **2**

図表序2-1　OECD8原則、GDPR、個人情報保護法との関連

		OECD（2013）8原則	GDPR（2016）概要	個人情報保護法(2021改正)概要
1	収集制限の原則	個人データの収集には制限を設け、いかなる個人データも、適法かつ公正な手段によって、及び必要に応じてデータ主体に通知、または同意を得た上で収集するべきである。	**第5条　個人データの取扱いと関連する基本原則** 1(a)　適法性、公正性及び透明性の原則： **第6条　取扱いの適法性** **第8条　情報社会サービスとの関係において子どもの同意に適用される要件** **第12条　データ主体の権利行使のための透明性のある情報提供、連絡及び書式**	**第20条（適正な取得）** 偽りその他不正の手段により取得してはならない。 あらかじめ本人の同意を得ないで、要配慮個人情報を取得してはならない。 <行政類似：第64条（行政機関に関連する類似条項以下同じ）> **第21条（取得に際しての利用目的の通知等）** 取得した場合は利用目的を通知、又は公表しなければならない。<行政類似：第62条>
2	データ内容の原則	個人データは、利用される目的において適切であり、かつ利用目的の達成に必要な範囲で適切であり、正確、完全及び最新の内容を保つべきである。	**第5条　個人データの取扱いと関連する基本原則** 1(c)　データの最小化の原則 その個人データが取扱われる目的との関係において、十分であり、関連性があり、かつ、必要のあるものに限定されなければならない。 1(d)　正確性の原則 正確であり、かつ、それが必要な場合、最新の状態に維持されなければならない。その個人データが取扱われる目的を考慮した上で、遅滞なく、不正確な個人データが消去又は訂正されることを確保するための全ての手立てが講じられなければならない。	**第22条（データ内容の正確性の確保等）** 正確かつ最新の内容に保つとともに、利用する必要がなくなったときは、当該個人データを遅滞なく消去するよう努めなければならない。<行政類似：第65条>
3	目的明確化の原則	個人データの収集目的は、データが収集された時点よりも前に特定し、当該利用目的の達成に必要な範囲内における事後的な利用またはその他の目的での利用は、その利用目的に矛盾しない方法で行い、利用目的を変更するに当たっては毎回その利用目的を特定するべきである。	**第5条　個人データの取扱いと関連する基本原則** 1(b)　目的の限定の原則 特定され、明確であり、かつ、正当な目的のために収集されるものとし、かつ、その目的に適合しない態様で追加的取扱いをしてはならない。 **第7条　同意の条件** 1．同意が証明可能なこと 2．書面同意の場合、同意の要件が明示され、他の要件と明確に区別できること 3．同意を撤回できることとその旨を通知すること	**第17条（利用目的の特定）** 個人情報を取り扱うに当たっては、その利用目的をできる限り特定しなければならない。 2　利用目的を変更する場合には、変更前の利用目的と関連性を有すると合理的に認められる範囲を超えて行ってはならない。<行政類似：第61条> **第18条（利用目的による制限）** あらかじめ本人の同意を得ないで、前条の規定により特定された利用目的の達成に必要な範囲を超えて、個人情報を取り扱ってはならない。<行政類似：第69条>

7

				4．同意が自由に与えられたか否か、サービスの提供を含め、当該契約の履行に必要のない個人データの取扱いの同意を契約の履行の条件としないよう最大限の考慮を払うこと	第19条（不適正な利用の禁止）違法又は不当な行為を助長し、又は誘発するおそれがある方法により個人情報を利用してはならない。<行政類似：第63条>
4	利用制限の原則	個人データは目的明確化の原則により特定された目的以外のために、開示、利用または利用されるべきでない。 ただし、次を除く。 a）データ主体の同意がある場合 b）法令に基づく場合		**第5条 個人データの取扱いと関連する基本原則** 1（e） 記録保存の制限の原則 その個人データが取扱われる目的のために必要な期間だけ、データ主体の識別を許容する方式が維持されるべきである。データ主体の権利及び自由の安全性を確保するために本規則によって求められる適切な技術上及び組織上の措置の実装の下で、第89条1項に従い、公共の利益における保管の目的、科学的研究若しくは歴史的研究の目的又は統計の目的のみのために取扱われる個人データである限り、その個人データをより長い期間記録保存できる。 **第9条 特別な種類の個人データの取扱い** **第10条 有罪判決及び犯罪と関連する個人データの取扱い** **第11条 識別を要しない取扱い** **第23条 制限**	**第27条**（第三者提供の制限） 次に掲げる場合を除くほか、あらかじめ本人の同意を得ないで、個人データを第三者に提供してはならない。<行政類似：第69条> **第27条2**（※オプトアウト事項） 本人の求めに応じて当該本人が識別される個人データの第三者への提供を停止することとしている場合であって、次に掲げる事項について、あらかじめ、本人に通知し、又は本人が容易に知り得る状態に置くとともに、個人情報保護委員会に届け出たときは、前項の規定にかかわらず、当該個人データを第三者に提供することができる。 一 第三者への提供を行う個人情報取扱事業者の名称及び住所並びにその代表者の氏名 二 第三者への提供を利用目的とすること 三 第三者に提供される個人データの項目 四 第三者に提供される個人データの取得の方法 五 第三者への提供の方法 六 本人の求めに応じて当該本人が識別される個人データの第三者への提供を停止すること 七 本人の求めを受け付ける方法 八 その他個人の権利利益を保護するために必要なものとして、以下の事項 　一 第三者に提供される個人データの更新の方法 　二 当該個人データの第三者への提供を開始する予定日 **第28条**（外国にある第三者への提供の制限） 外国にある第三者に個人データを提供する場合には、（ただしがき省略）あらかじめ外国にある第三者への提供を認める旨の本人の同意を得なければならない。<行政類似：第71条>

4	利用制限の原則		第29条（第三者提供に係る記録の作成等） 個人データを第三者に提供したときは、記録を作成しなければならない。 ・オプトアウトの場合： 　イ）提供した年月日 　ロ）当該第三者の名称、代表者の氏名 　ハ）当該個人データによって識別される本人の氏名を特定するに足りる事項 　ニ）当該個人データの項目 ・上記以外の場合： 　イ）本人の同意を得ている旨及び、上記ロからニに掲げる事項 第30条（第三者提供を受ける際の確認等） 第三者から個人データの提供を受けるに際しては、次に掲げる事項の確認を行わなければならない。 一　当該第三者の名称及び住所並びに代表者の氏名 二　当該第三者による当該個人データの取得の経緯 第31条（個人関連情報の第三者提供の制限等） 第三者が個人関連情報を個人データとして取得することが想定されるときは、次に掲げる事項について、第三者から申告を受ける方法その他の適切な方法で確認することをしないで、当該個人関連情報を当該第三者に提供してはならない。 一　当該第三者が、事業者から個人関連情報の提供を受けて本人が識別される個人データとして取得することを認める旨の当該本人の同意が得られていること。 二　外国にある第三者への提供にあっては、前号の本人の同意を得ようとする場合において、あらかじめ、当該外国における個人情報の保護に関する制度、当該第三者が講ずる個人情報の保護のための措置その他当該本人に参考となるべき情報が当該本人に提供されていること。＜行政類似：第72条＞

5	安全保護措置の原則	個人データは、滅失もしくは不正アクセス、毀損、不正利用、改ざんまたは漏えい等のリスクに対し、合理的な安全保護措置を講ずるべきである。	第5条　個人データの取扱いと関連する基本原則 1(f)　完全性及び機密性の原則 無権限による取扱い若しくは違法な取扱いに対して、並びに、偶発的な喪失、破壊又は損傷に対して、適切な技術上又は組織上の措置を用いて行われる保護を含め、個人データの適切な安全性を確保する態様により、取扱われる。 第25条　データ保護バイデザイン及びデータ保護バイデフォルト 第32条　取扱いの安全性 第35条　データ保護影響評価	第23条（安全管理措置） 個人データの漏えい、滅失、毀損防止等、安全管理のために必要な措置を講じなければならない。＜行政類似：第66条＞ 第24条（従業者の監督） 従業者に対する必要かつ適切な監督を行わなければならない。＜行政類似：第67条＞ 第25条（委託先の監督） 委託を受けた者に対する必要かつ適切な監督を行わなければならない。＜行政類似：第66条2号＞
6	公開の原則	個人データの利活用と方針について公開するため全般方針を定めるべきである。それには、個人データのありさまと性質に応じ、主な利用目的と、管理者の識別と所在地を公開しなければならない。	第13条　データ主体から個人データが取得される場合において提供される情報 第14条　個人データがデータ主体から取得されたものでない場合において提供される情報	基本方針6（1） 事業者は個人情報保護を推進する上での考え方や方針を対外的に明確化する。 第32条（保有個人データに関する事項の公表等） 保有個人データに関し、次に掲げる事項について、本人の知り得る状態に置かなければならない。 一　事業者の名称及び住所並びに代表者の氏名 二　全ての保有個人データの利用目的 三　請求に応じる手続 四　政令（第十条）で定めるもの 　・安全管理のために講じた措置 　・苦情の申出先 　・認定個人情報保護団体の名称等 ＜行政類似：第75条＞

7	個人参加の原則	個人の有する権利 a）個人に関するデータの保有について確認すること b）個人に関するデータについて知らせること 　ⅰ．合理的な期間内に 　ⅱ．費用、過剰でなく 　ⅲ．合理的な方法で 　ⅳ．読みやすい書き方で c）上記が拒否された場合の理由の説明、及び異議申立て d）異議が認められた場合のデータの消去、訂正、完全化又は改良	第15条　データ主体によるアクセスの権利 第16条　訂正の権利 第17条　消去の権利（「忘れられる権利」） 第18条　取扱いの制限の権利 第19条　個人データの訂正若しくは消去又は取扱いの制限に関する通知義務 第20条　データポータビリティの権利 第21条　異議を述べる権利 第22条　プロファイリングを含む個人に対する自動化された意思決定	第33条（開示） 当該本人が識別される保有個人データの開示を請求することができる。<行政類似：第76条> 第34条（訂正等） 保有個人データの内容が事実でないときは、当該保有個人データの内容の訂正、追加又は削除を請求することができる。<行政類似：第90条> 第35条（利用停止等） 規定に違反して取り扱われているとき又は第18条（利用目的による制限）若しくは第19条（不適正な利用の禁止）の規定に違反して取得されたものであるときは、当該保有個人データの利用の停止又は消去を請求することができる。<行政類似：第98条>
8	責任の原則	データ管理者は、上記の諸原則を順守ならしめる措置を順守する責任を有する。	第5条　個人データの取扱いと関連する基本原則 2　アカウンタビリティの原則 管理者は、1項について責任を負い、かつ、同項遵守を証明できるようにしなければならないものとする。 第26条　共同管理者 第27条　EU域内に拠点のない管理者又は処理者の代理人 第30条　取扱活動の記録 第31条　監督機関との協力 第37条　データ保護オフィサーの指名 第38条　データ保護オフィサーの地位	第40条（個人情報取扱事業者による苦情の処理） 苦情の適切かつ迅速な処理に努めなければならない。<行政類似：第128条> 第146条（報告及び立入検査） 第147条（指導及び助言） 第148条（勧告及び命令） 第176条（提供違反）：2年以下の懲役又は100万円以下の罰金 第177条（秘密保持義務違反）：2年以下の懲役又は100万円以下の罰金 第178条（指導及び助言違反）：1年以下の懲役又は100万円以下の罰金 第179条（DB提供・盗用）：1年以下の懲役又は50万円以下の罰金 第180条（保有個人情報を提供）：1年以下の懲役又は50万円以下の罰金 第181条（文書図画電磁的記録を収集） 第182条（報告違反）：50万円以下の罰金 第183条（日本国外において罪を犯した者にも適用） 第184条（第178条及び第179条違反企業：一億円以下の罰金刑） 第185条（第三者提供を受ける際の確認違反等）：10万円以下の過料

出典：1．THE OECD PRIVACY FRAMEWORK
　　　2．GDPR（個人情報保護委員会ホームページ＞GDPR域外適用に関する影響＞一般データ保護規則に関する条文［日本語仮訳］）

序 個人情報保護マネジメントシステムとは

3 個人情報保護マネジメントシステム(PMS)とは

「マネジメントシステム」とは、組織の行動規範やルールを定め、それに従って実施し、問題がないかを検証し、見直しを行う(PDCA = Plan→Do→Check→Act)のサイクルを繰り返す一連の承認された手順のことです。

図表序3-1　マネジメントシステムとは

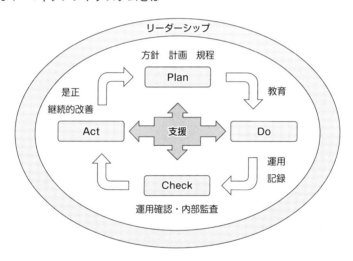

事業者は、自らの事業において取り扱う個人情報について、本人の権利を尊重し、個人情報保護法を遵守するため、組織の戦略的決定に基づき、PMS(Personal information protection Management Systems)を構築します。

これからの説明において、例えば個人情報の特定(R.6.1)とは、規格本文の項番6.1を表しています。先頭の"R"は、本書において、2023年版JISであることを示すため、R:令和からイメージして便宜上付加しています。

一方、2023年12月25日に公表された「プライバシーマークにおける個人情報保護マネジメントシステム構築・運用指針」Ver.1.0（以下、構築運用指針）では、項目番号が、"J"から始まっており、2023年版JISと異なっているため、本書で使用する**R01000個人情報取扱規程**では、項目の末尾に（J.x.xx）を付加しています。。

3.1　適用範囲（R.1）

PMSの適用範囲は、事業において取り扱うすべての個人情報であり、従業者の個人情報も含まれます。

3.2　法令、国が定める指針その他の規範（R.4.1）

すべての事業者は、個人情報保護法、個人情報保護法施行令、個人情報保護法施行規則、個人情報の保護に関する法律についてのガイドライン（通則編、外国にある第三者への提供編、第三者提供時の確認・記録義務編、仮名加工情報・匿名加工情報編、認定個人情報保護団体編）、及び番号利用法、労働安全衛生法などを参照し、事業内容と関わりがあれば特定し理解する必要があります。

その他、事業に関連する法令、業界のガイドラインや自治体の条例などの制定・改廃状況に注意し、必要に応じて速やかにPMSに反映できる手順を確立する必要があります。

3.3　認識（R.7.3）

事業者は、個人情報保護の理念を個人情報保護方針に明らかにして、自社のホームページ等に公表するとともに、従業者に周知します。また、PMSについて、従業者が自ら認識することができるよう、毎年継続的に教育を実施します。

業務にたずさわる従業者は、日々の個人情報の取扱いにおいてリスクが顕在化していないかどうか、見守る役割を担っています。

個人情報保護マネジメントシステムとは

3.4 個人情報の特定（R.6.1）

a）すべての個人情報を特定しなければならない。

　事業者は取り扱うすべての個人情報を洗い出し、R06101個人情報管理台帳に特定する必要があります。

　個人情報とは、文書、図画、電磁的記録、音声、映像、動作その他を用いて表され、特定の個人を識別することができるものです。1件でも短時間でも事業者の手に渡ったものはすべて対象となり、外国人に関する情報、外国において取り扱う情報も含まれます。

b）個人情報の取得から、消去・廃棄に至るまで特定する。

　特定した個人情報について、取得から、入力・利用・保管・移送・委託などを経て、廃棄（返却・消去）に至るライフサイクルにおいて、どんな内容の個人情報を、どの部門が、どのように利用するのかをR06105業務フロー（簡易形式）などで明確に記述します。業務フローは、最初は手書きでかまいませんが、修正や追加が発生しますので、できる限りExcelやWord等デジタルで作成することをお勧めします。

・採用面接業務の事例

　履歴書を取り扱う人が、業務フローを作成します。不採用者の応募書類の返却もしくは廃棄、採用者の応募書類の人事部への授受などを記載します。

・給与処理業務の事例

　タイムカード、給与システムのPC内のデータ、賃金台帳、給与明細、銀行振込データ（銀行に個人情報が渡るため提供となります）、法定保管期限後の廃棄など一連の業務フローを作成します。

・個人番号取扱業務の事例

　個人番号（マイナンバー）を取得する業務については、従業者とその家族の個人番号の取得、源泉徴収票作成、雇用保険届出、健康保険・厚生年金保険届出などの業務の流れとともに、保管（常時施錠）、税務署や年金事務所への届出の記録、廃棄の記録が義務付けられています。

個人情報保護マネジメントシステム（PMS）とは **3**

・通信販売事業者の事例

　Webサイトから、暗号化した通信回線を経由して個人情報をダウンロードし、配送伝票の作成、商品の発送、発送から一定期間後のデータ消去、発送伝票の廃棄までの業務フローを作成します。

3.5　個人情報保護リスク対応（R.6.2.3）

　個人情報保護法には、個人情報取扱事業者の義務などが定められています。リスクの認識として、漏えい、滅失又は毀損の脅威を洗い出すほかにも、法第17条（利用目的の特定）、法第18条（利用目的による制限）、法第19条（不適正な利用の禁止）、法第20条（適正な取得）など、法令違反とならないよう注意する必要があります。

　また、リスクは、事業の外部環境の変化や技術の進展などにより、常に変動するものであり、一度だけリスクアセスメント及びリスク対策を検討すればよいというものではなく、事業者は、講じた対策が十分であるか検証し、定期的に見直しをすることが望まれます。

a) リスクアセスメント

　業務フローを見ながら、そのライフサイクルにおいて、どんなリスクがあるのかを考えて、リスク分析表を作成します。リスクが発生した時に本人に与える影響を考慮し、1件でも漏れてはならないという意識でリスクアセスメントすることが大切です。

b) 安全管理措置（対策）の検討

　リスクを軽減するために、経済的、組織的に導入可能な対策を検討します。"人間はミスをする"ということを前提に検討することが、効果的な対策のポイントです。

　リスク対策は「リスク分析表」に記載します。R.6.2で詳細に説明します。

3.6　内部規程（R.7.5.1.1）

　リスクアセスメントの結果講じるとした対策については、必ず規定する必

15

個人情報保護マネジメントシステムとは

要があります。規程には対策だけでなく、個人情報保護に関する理念の表明や、通知、運用すべき文書を規定します。

　本書では、事例として以下の4つの規程を策定しました。内容については各章で説明します。

図表序3-2　PMS規程

1.	R05210個人情報保護方針	個人情報保護基本方針に基づき、個人情報保護の目的など理念を表明する。
2.	R01000個人情報取扱規程	個人情報保護法に基づき、PMS体制や権限、個人情報の取扱に係る承認手順などを規定する。
3.	R01050個人番号関係事務規程	番号利用法に基づき、個人番号関係事務に関する運用ルールを規定する。
4.	RA1000安全管理規程	法第22条（データ内容の正確性の確保等）、法第23条（安全管理措置）等に基づき、適正管理及び、漏えい、滅失、毀損の防止のためのルールを規定する。

※なお、上記に加えて「RA2800匿名加工情報取扱規程」のサンプルも用意しています。

3.7　運用の計画及び管理（R.8.1）

　組織は、自社が取り扱う個人情報について、個人情報保護要求事項を満たすため、必要なプロセスを計画し、実施し、管理する必要があります。その基準に従い、プロセスが計画どおりに実施された確信をもつために、個人情報を取り扱う部門について、リスクが顕在化していないかを点検します。例えば「最初と最後の入退室者記録簿」、「退出時の個人情報の施錠保管」などを点検し、記録し、また情報システム管理業務では、「不正ソフトウェアがインストールされていないこと」、「アクセスログ」、「不要なIDは直ちに削除されていること」など、毎月もしくは時期を定めて点検し、個人情報保護管理者が最終確認して、トップマネジメントに報告します。

3.8　内部監査（R.9.2）

　内部監査は毎年1度、もしくはトップマネジメントや個人情報保護管理者

が必要と判断した時期に監査責任者の主導により第三者的な視点で実施します。リスクアセスメントの結果など、規程に定めた安全管理対策を監査項目とし、個人情報の取扱いの有無にかかわらずすべての部門を対象とします。

監査報告書には、適合・不適合の結果が記載されてトップマネジメントに報告されます。トップマネジメントは、不適合を承認して、個人情報保護管理者に是正処置を講じるよう指示を出します。

3.9　マネジメントレビュー（R.9.3）

個人情報保護管理者は、1年間のPMSの運用の確認、内部監査、苦情、前回の見直しのフォローアップ、法令・規範などの改正状況、社会状況・技術の進歩などの変化、自社の事業領域の変化、及び内外から寄せられた改善のための提案などについてトップマネジメントに報告し、次年度に向けての総合的なPMSの運用計画を提案します。

トップマネジメントはPMSの継続的改善のため、次年度に向けての是正処置を指示します。

3.10　改善（R.10）

PMSのすべての段階において、発見された不適合については、個々の不適合について直ちに「是正処置」を講じる必要があります。トップマネジメントは、不適合を認識し、立案された是正策及び再発防止策を承認し、一定期間経過後に、処置が有効であるかどうかを点検し、効果が無ければ処置を繰り返し指示します。

また、マネジメントレビューにおいては継続的改善の観点から、1年間のPMS運用状況について不適合を発見し、是正し、次年度のPDCAサイクルに繋げることが重要です。

17

序 個人情報保護マネジメントシステムとは

 個人情報保護マネジメントシステム - 要求事項
(Personal Information Protection Management Systems — Requirements)

4.1 JIS Q 15001とは

「JIS Q 15001:2023 個人情報保護マネジメントシステム—要求事項」(以下、JIS Q 15001:2023、もしくは規格)は、事業者がPMSを構築するための日本産業規格で、一般財団法人日本規格協会のWebサイトからダウンロード(4,800円＋税)、もしくは冊子(4,800円＋税＋送付手数料)を購入することができます。

・2023年9月20日発行　JIS Q 15001:2023規格購入サイト
・https://webdesk.jsa.or.jp/books/W11M0090/index/?bunsyo_id=JIS+Q+15001%3A2023
・もしくは、http://webdesk.jsa.or.jp/ から　規格番号："Q15001"で検索

4.2 プライバシーマーク制度について

プライバシーマーク制度とは、JIS Q 15001規格に適合していると認められた事業者に対し、プライバシーマーク(以下、Pマーク)の使用を認める制度です。認定機関の一般財団法人日本情報経済社会推進協会(JIPDEC)は、全国19の指定審査機関とともに、事業者へのPマーク付与適格性審査を行っています。PMSの構築にPマークの取得は必須ではありませんが、第三者から評価され、また、2年に1度の更新審査により、Pマークを維持することで社会的信用を得られる結果となっています。

4.3 個人情報保護法との関係

2021年5月19日改正個人情報保護法は、2023年4月1日に全面施行されました。法第5章(行政機関等の義務等)に、公的部門(国の行政機関、独立行政法人等、地方公共団体、地方独立行政法人)の義務について新たに規定

18

されています。

　また、規律移行法人（国公立の病院、大学等で、法別表第二に規定）については、第4章（個人情報取扱事業者等の義務等）の規律を適用することとしつつ、開示請求等一部の措置については、公立部門の規律が適用されることになりました。

　そのため、JIS Q 15001:2023では、法令との重複を無くすとともに、規律移行法人についてカバーし、またEU及び英国との補完的ルール対応を整理する構成となりました。

4.4　JIS Q 15001:2023

　JIS Q 15001:2023規格の構成は、以下の通りです。

・規格本体：1〜25（25頁）
・附属書A（規定）個人情報保護に関する管理策：26〜33（8頁）
・附属書B（参考）34〜45（12頁）
・附属書C（参考）46〜62（17頁）
・附属書D（参考）63〜73（11頁）
・附属書E（参考）74〜79（6頁）
・参考文献：80（1頁）
・解説：81〜95（15頁）

　「規格本体」には、他マネジメントシステムとの近接性を確保するための構造（共通テキストと呼ぶ）に準じて記述されており、事業者がしなければならないPMS（＝PDCA）についての管理策は、「附属書A（規定）管理目的及び管理策」に規定されています。

　なお、「構築・運用指針」Ver.1.0、及び2017年版JIS規格との項目番号の比較を以下に示します。

序 個人情報保護マネジメントシステムとは

図表序4-1　2023年版JIS規格/構築運用指針Ver1.0/2017年版JIS規格　項番比較表

頁	JIS Q 15001:2023規格	JIS項番	構築運用指針Ver.1.0		2017JIS
1	序文	0	※ JIS Q 15001:2023規格の0～3.3までの項目は、構築運用指針Ver.1.0には存在しない。 ※項目名称は、JISと異なった場合のみ表示する。		0
1	一般	0.1			—
1	概要	0.2			0.1
1	他のマネジメントシステム規格との近接性	0.3			0.2
2	適用範囲	1			1
2	引用規格	2			2
2	用語及び定義	3			3
2	マネジメントシステムに関する用語	3.1			—
6	個人情報保護リスクアセスメント及び対応に関する用語	3.2			—
9	個人情報保護に関する用語	3.3			—
11	組織の状況	4	J.1	組織の状況（表題）	2017JIS
11	組織及びその状況の理解	4.1	J.1.1		4.1
11	法令、国が定める指針その他の規範	4.1a)	J.1.3		A.3.3.2
11	利害関係者のニーズ及び期待の理解	4.2	J.1.2		4.2
11	個人情報保護マネジメントシステムの適用範囲の決定	4.3	J.1.4		4.3
11	個人情報保護マネジメントシステム	4.4	J.1.5		4.4
12	リーダーシップ	5	J.2	リーダーシップ（表題）	5
12	リーダーシップ及びコミットメント	5.1	J.2.1		5.1
12	方針	5.2	—	—	5.2
12	個人情報保護方針	5.2.1	J.2.2	個人情報保護方針	A.3.2.1
13	個人情報保護方針の記載事項	5.2.2			A.3.2.2
13	役割、責任及び権限	5.3	J.2.3.1	組織の役割、責任及び権限	A.3.3.4
13	役割、責任及び権限の割当て	5.3.2	J.2.3.2	個人情報保護管理者と個人情報保護監査責任者	A.3.3.4
—	—	—	J.2.4	管理目的及び管理策（一般）	A.3.1.1
14	計画策定	6	J.3	計画（表題）	6
14	個人情報の特定	6.1	J.3.1.1		A.3.3.1
14	リスク及び機会への取組	6.2	J.3.1.2	リスク及び機会に対処する活動	A.3.3.3
14	一般	6.2.1			
14	個人情報保護リスクアセスメント	6.2.2	J.3.1.3		A.3.3.3
16	個人情報保護リスク対策	6.2.3	J.3.1.4		A.3.3.3
16	個人情報保護目的及びそれを達成するための計画策定	6.3	J.3.2		A.3.3.6
—	—	—	J.3.3	計画策定	A.3.3.6
17	変更の計画策定	6.4	J.3.4		—
17	支援	7	J.4	支援（表題）	7
17	資源	7.1	J.4.1		7.1

20

個人情報保護マネジメントシステム-要求事項 4

17	力量	7.2	J.4.2		7.2
18	認識	7.3	J.4.3		A.3.4.5
18	コミュニケーション	7.4	J.4.4.1		7.4
18	苦情及び相談への対応	7.4.2	—	—	—
19	緊急事態への準備	7.4.3	J.4.4.2		A.3.3.7
19	文書化した情報	7.5	J.4.5.1	文書化した情報（一般）	A.3.5.1
19	一般	7.5.1			
19	内部規程	7.5.1.1	J.4.5.4		A.3.3.5
20	この規格が要求する記録	7.5.1.2	J.4.5.5	文書化した情報のうち、記録の管理	A.3.5.3
20	文書化した情報の作成及び更新	7.5.2	J.4.5.3	文書化した情報(記録を除く。)の管理	A.3.5.2
21	文書化した情報の管理	7.5.3	J.4.5.2		—
21	運用	8	J.5	運用（表題）	8
21	運用の計画及び管理	8.1	J.5.1	運用	A.3.4.1
22	個人情報保護リスクアセスメント	8.2	—	—	8.2
22	個人情報保護リスク対応	8.3	—	—	8.3
22	パフォーマンス評価	9	J.6	パフォーマンス評価（表題）	9
22	監視、測定、分析及び評価	9.1	J.6.1		A.3.7.1
23	内部監査	9.2	J.6.2		A.3.7.2
23	一般	9.2.1	—	—	—
23	内部監査プログラム	9.2.2	—	—	—
23	マネジメントレビュー	9.3	J.6.3		A.3.7.3
23	一般	9.3.1	—	—	—
23	マネジメントレビューへのインプット	9.3.2	—	—	—
24	マネジメントレビューの結果	9.3.3	—	—	—
24	改善	10	J.7	改善（表題）	10
24	継続的改善	10.1	J.7.2		10.2
24	不適合及び是正処置	10.2	J.7.1		A.3.8
26	附属書A（規定）		J.8	取得、利用及び提供に関する原則（表題）	付属書A
26	利用目的の特定	A.1	J.8.1		A.3.4.2.1
26	利用目的による制限	A.2	J.8.6	利用に関する措置	A.3.4.2.6
27	不適正な利用の禁止	A.3			
27	適正な取得	A.4	J.8.2		A.3.4.2.2
27	要配慮個人情報などの取得	A.5	J.8.3		A.3.4.2.3
27	個人情報を取得した場合の措置	A.6	J.8.4		A.3.4.2.4
27	A.6のうち本人から直接書面によって取得する場合の措置	A.7	J.8.5	J.8.4のうち本人から直接書面によって取得する場合の措置	A.3.4.2.5
27	本人に連絡又は接触する場合の措置	A.8	J.8.7		A.3.4.2.7
—	—	—	J.9	適正管理（表題）	A.3.4.3
28	データ内容の正確性の確保等	A.9	J.9.1	正確性の確保	A.3.4.3.1

21

28	安全管理措置	A.10	J.9.2		A.3.4.3.2
28	従業者の監督	A.11	J.9.3		A.3.4.3.3
29	委託先の監督	A.12	J.9.4		A.3.4.3.4
29	漏えい等の報告等	A.13	—	—	—
29	第三者提供の制限	A.14	J.8.8	個人データの提供に関する措置	A.3.4.2.8
30	外国にある第三者への提供の制限	A.15	J.8.8.1		A.3.4.2.8.1
30	第三者提供に係る記録の作成等	A.16	J.8.8.2		A.3.4.2.8.2
30	第三者提供を受ける際の確認等	A.17	J.8.8.3		A.3.4.2.8.3
30	個人関連情報の第三者提供の制限等	A.18	J.8.8.4		—
—	—	—	J.10	個人情報に関する本人の権利（表題）	A.3.4.4.1
—	—	—	J.10.1	個人情報に関する権利	A.3.4.4.1
31	保有個人データに関する事項の公表等	A.19	J.10.3	保有個人データ又は当該第三者提供記録に関する事項の周知など	A.3.4.4.3
31	開示	A.20	J.10.4	保有個人データの利用目的の通知	A.3.4.4.4
			J.10.5	保有個人データ又は第三者提供記録の開示	A.3.4.4.5
31	訂正等	A.21	J.10.6	保有個人データの訂正、追加又は削除	A.3.4.4.6
32	利用停止等	A.22	J.10.7	保有個人データの利用又は提供の拒否権	A.3.4.4.7
32	理由の説明	A.23	—	—	—
32	開示等の請求等に応じる手続	A.24	J.10.2	開示等の請求等に応じる手続	A.3.4.4.2
33	手数料	A.25			
33	個人情報取扱事業者による苦情の処理	A.26	J.11	苦情及び相談への対応（表題）	A.3.6
			J.11.1	苦情及び相談への対応	A.3.6
33	仮名加工情報	A.27	J.8.10		—
33	匿名加工情報	A.28	J.8.9		A.3.4.2.9

4.5 関連する他のマネジメントシステム

参考となる他のマネジメントシステムを図表序4-2に示します。

図表序4-2　参考となる他のマネジメントシステム

参考文献	
JIS Q 0073	リスクマネジメント－用語
JIS Q 10002	品質マネジメント－顧客満足－組織における苦情対応のための指針
JIS Q 19011	マネジメントシステム監査のための指針
JIS Q 27000	情報技術－セキュリティ技術－情報セキュリティマネジメントシステム－用語
JIS Q 27001	情報技術－セキュリティ技術－情報セキュリティマネジメントシステム－要求事項
JIS Q 27002	情報技術－セキュリティ技術－情報セキュリティ管理策の実践のための規範
JIS Q 27017	情報技術－セキュリティ技術－JIS Q 27002に基づくクラウドサービスのための情報セキュリティ管理策の実践のための規範
JIS Q 31000	リスクマネジメント－原則及び指針
ISO/IEC27005	情報技術－セキュリティ技術－情報セキュリティリスクマネジメント
ISO/IEC 専門業務用指針 （AnnexSL）	第一部 統合版ISO補足指針の付属書SLに規定する上位構造（HLS）

個人情報保護マネジメントシステムとは

4.6 用語の変遷

JIS規格で用いる主な用語について、旧JISからの変遷を、図表序4-3に示します。

図表序4-3　用語の変遷

(JIS Q 15001:2023)	(JIS Q 15001:2017)	(JIS Q 15001:2006)
組織	組織	事業者
トップマネジメント	トップマネジメント	代表者、事業者の代表者
個人情報保護リスク	個人情報保護リスク	リスク
個人情報保護リスクアセスメント	個人情報保護リスクアセスメント	リスクの認識、分析
個人情報保護リスク対応	個人情報保護リスク対応	（リスクの）対策
残留リスク	残留リスク	残存リスク（解説だけに記載）
認識	認識、教育など	教育
文書化した情報（一般） ⇐	文書化した情報 ⇐	個人情報保護マネジメントシステム文書
文書化した情報の作成及び更新	文書化した情報（記録を除く。）	文書
この規格が要求する記録	文書化した情報のうち記録	記録
運用	運用	実施及び運用
本人に連絡又は接触する	本人に連絡又は接触する	本人にアクセスする
パフォーマンス評価	パフォーマンス評価	点検、代表者による見直し
内部監査	内部監査	監査
マネジメントレビュー	マネジメントレビュー	代表者による見直し
不適合及び是正処置	是正処置	是正処置及び予防処置

24

5 最近の情報漏えい事故

　独立行政法人情報処理推進機構（IPA）からは、2024年1月24日に、「情報セキュリティ10大脅威 2024」が発表されました。
　2024年から、「個人の10大脅威」の順位は掲載されず、50音順となりました。順位が下位の脅威への対策がおろそかになることが懸念されてのことです。順位にかかわらず自身に関係のある脅威に対して対策を行うことが期待されています。
　「組織」の10大脅威として、「ランサムウェアによる被害」と「サプライチェーンの弱点を悪用した攻撃」が1位、2位と常連化しています。

図表序5-1 「情報セキュリティ10大脅威 2024」（IPA）

「個人」の10大脅威	初選出年	過去9年間の取扱い
インターネット上のサービスからの個人情報の窃取	2016年	5年連続8回目
インターネット上のサービスへの不正ログイン	2016年	9年連続9回目
クレジットカード情報の不正利用	2016年	9年連続9回目
スマホ決済の不正利用	2020年	5年連続5回目
偽警告によるインターネット詐欺	2020年	5年連続5回目
ネット上の誹謗・中傷・デマ	2016年	5年連続5回目
フィッシングによる個人情報等の詐取	2019年	9年連続9回目
不正アプリによるスマートフォン利用者への被害	2016年	9年連続9回目
メールやSMS等を使った脅迫・詐欺の手口による金銭要求	2019年	6年連続6回目
ワンクリック請求等の不正請求による金銭被害	2016年	2年連続4回目

2024年	「組織」の10大脅威	初選出年	過去9年間の取扱い
1位	ランサムウェアによる被害	2016年	9年連続9回目
2位	サプライチェーンの弱点を悪用した攻撃	2019年	6年連続6回目
3位	内部不正による情報漏えいの被害	2016年	9年連続9回目
4位	標的型攻撃による機密情報の窃取	2016年	9年連続9回目
5位	修正プログラムの公開前を狙う攻撃（ゼロデイ攻撃）	2022年	3年連続3回目

個人情報保護マネジメントシステムとは

6位	不注意による情報漏えい等の被害	2016年	6年連続7回目
7位	脆弱性対策の公開に伴う悪用増加	2016年	4年連続7回目
8位	ビジネスメール詐欺による金銭被害	2018年	7年連続7回目
9位	テレワーク等のニューノーマルな働き方を狙った攻撃	2021年	4年連続4回目
10位	犯罪のビジネス化（アンダーグラウンドサービス）	2017年	2年連続4回目

※出典：独立行政法人情報処理推進機構（IPA）https://www.ipa.go.jp/security/10threats/10threats2024.html
※ランサムウェア（Ransomware）：PCをロックするなど使用不能にしたのちに、解除のための「身代金」を要求する手法の不正プログラム。

　ランサムウェアから組織を守るためには、サイバーセキュリティ対策を検討することが重要です。
　2020年3月より、内閣サイバーセキュリティセンター（NICS）のサイトが開設されました。ここには、ランサムウェアの感染を防止するための対応策から、攻撃を受けた場合の相談窓口まで、多様な情報が掲載されています。
・サイバーセキュリティ・ポータルサイト
　https://security-portal.nisc.go.jp
・ランサムウェア特設ページ
　https://www.nisc.go.jp/tokusetsu/stopransomware/

本書での用語の定義 **6**

6 本書での用語の定義

　JIS Q 15001:2023規格では、主な用語及び定義は、個人情報保護法に基づいています（図表序4-3）。本書においても、法第2条、第16条の用語の定義、及びJIS Q 15001の3（用語及び定義）に従っています。

図表序6-1　本書で使用する法令等の略称

略称	通称	引用する法令及び規範
法[※1]	個人情報保護法	「個人情報の保護に関する法律」2021年5月19日改正（微訂正を除く）
基本方針	個人情報保護基本方針	「個人情報の保護に関する基本方針」（閣議決定）2022年4月1日改正
政令[※2]	個人情報保護法施行令	「個人情報保護に関する法律施行令」2022年4月20日改正
規則[※3]	個人情報保護委員会規則	「個人情報の保護に関する法律施行規則」2022年4月20日改正
規格	JIS Q 15001規格	「JIS Q 15001個人情報保護マネジメントシステム―要求事項」
ＧＬ	個人情報保護法ガイドライン	「個人情報の保護に関する法律についてのガイドライン」2022年9月8日改正 　　通則編：　GL通（1～10-7） 　　外国第三者提供編：GL外（1～6-2-3） 　　確認・記録義務編：GL記（1～5） 　　仮名加工情報・匿名加工情報編：GL仮（1～2-2-4-2）、 　　　GL匿（3～3-2-6） 　　認定個人情報保護団体編：GL認（1～別紙5） 　　行政機関編:GL行（1～11）2023年4月1日改正
番号利用法	番号利用法	「行政手続における特定の個人を識別するための番号の利用等に関する法律」2023年3月7日改正

〈記述方法〉
※1　法第27条（第三者提供の制限）など、アラビア数字で表示
※2　政令第十五条など、漢数字で表示
※3　規則第三十七条など、漢数字で表示

27

個人情報保護マネジメントシステムとは

図表序6-2　JIS Q 15001:2023で使用する用語と法令用語の比較

用語	法、基本方針、政令、規則、保護法ＧＬ ※要約のため、法令等の本文を必ずご確認願います。
個人情報	**法第2条（定義）1項** 生存する個人に関する情報で、次のいずれかに該当するもの。 1．氏名、生年月日その他の記述等（文書、図画、電磁的記録、音声、動作その他、特定の個人を識別することができるもの（他の情報と容易に照合することができ、特定の個人を識別することができるものを含む。） 2．個人識別符号が含まれるもの **GL通2-1（個人情報）** ・評価情報、公にされている情報、映像、音声による情報も含まれ、暗号化等によって秘匿化されているかどうかを問わない。 ・死者に関する情報が、遺族等の生存する個人に関する情報でもある場合には、当該生存する個人に関する情報に該当する。 ・取得後、新たな情報が付加され、又は照合された結果、生存する特定の個人を識別できる場合は、その時点で個人情報に該当する。 ・官報、電話帳、職員録、法定開示書類（有価証券報告書等）、新聞、ホームページ、SNS（ソーシャル・ネットワーク・サービス）等で公にされている特定の個人を識別できる情報 ・「個人」は日本国民に限らず、外国人も含まれる。 **2023JIS規格** ・件数や期間の制限はない。1件でも短時間でも個人情報として取り扱う。
個人識別符号	**法第2条（定義）2項** 次の各号のいずれかに該当する文字、番号、記号その他の符号のうち、政令で定めるもの。（当該特定の個人を識別することができるもの） 1．身体の一部の特徴を変換した文字、番号、記号その他の符号。 2．役務の利用、商品の購入に関し発行されるカード等に記載され、若しくは記録された文字、番号、記号その他の符号で、発行を受ける者ごとに異なるものとなるように割り当てられ、記載・記録されることにより、特定の利用者若しくは購入者又は発行を受ける者を識別することができるもの **政令第一条（個人識別符号）** 1．身体の特徴のいずれかを電子計算機の用に供するために変換した文字、番号、記号その他の符号 　○　イ　デオキシリボ核酸（別名DNA）を構成する塩基の配列 　○　ロ　顔の骨格及び皮膚の色並びに目、鼻、口その他の顔の部位の位置及び形状によって定まる容貌 　○　ハ　虹彩の表面の起伏により形成される線状の模様 　○　ニ　発声の際の声帯の振動、声門の開閉並びに声道の形状及びその変化 　○　ホ　歩行の際の姿勢及び両腕の動作、歩幅その他の歩行の態様 　○　ヘ　手のひら又は手の甲若しくは指の皮下の静脈の分岐及び端点によって定まるその静脈の形状 　○　ト　指紋又は掌紋 2．旅券の番号 3．基礎年金番号 4．免許証の番号 5．住民票コード 6．個人番号 7．国民健康保険被保険者証、後期高齢者被保険者証、介護保険被保険者証

本書での用語の定義 **6**

要配慮個人情報	**法第2条（定義）3項** 本人の人種、信条、社会的身分、病歴、犯罪の経歴、犯罪により害を被った事実、その他本人に対する不当な差別、偏見その他の不利益が生じないようにその取扱いに特に配慮を要するものとして政令で定める記述等が含まれる個人情報。 **政令第二条（要配慮個人情報）** 1．身体障害、知的障害、精神障害その他の障害 2．健康診断その他の検査の結果 3．健康診断結果に基づく指導・診療・調剤情報 4．被疑者又は被告人の逮捕、捜索、差押え、勾留、公訴等の手続情報 5．少年への調査、観護の措置、審判、保護処分手続等 **政令第五条（要配慮個人情報を本人の同意なく取得することができる場合）** 1．本人を目視し、又は撮影することにより、その外形上明らかな要配慮個人情報を取得する場合 2．法27条（第三者提供の制限）5項の以下各号の場合 　1．委託 　2．合併その他承継 　3．共同利用の場合であって、以下を通知もしくは公表している場合 　　1．共同利用する旨 　　2．共同して利用される個人データの項目 　　3．共同して利用する者の範囲 　　4．共同利用する者の利用目的 　　5．個人データの管理について責任を有する者の、氏名又は名称、住所、代表者の氏名 **GL通2-3（要配慮個人情報）**

	要配慮個人情報	要配慮個人情報に含まない事例
1）	人種	国籍、肌の色だけでは含まない
2）	信条	宗教関連書籍の購買・貸出情報は含まない
3）	社会的身分	単なる職業的地位、学歴は含まない
4）	病歴	
5）	犯罪の経歴	
6）	犯罪により害を被った事実	
7）	心身の機能の障害	
8）	健康診断等結果	診断、診療以外で知り得た、体温等
9）	指導又は診療若しくは調剤内容	
10）	本人を被疑者又は被告人とした手続	
11）	少年法に基づく保護の手続	

仮名加工情報	**法第2条（定義）5項** 他の情報と照合しない限り特定の個人を識別することができないように個人情報を加工して得られる個人に関する情報。 1．記述等の一部を削除（他の記述等に置き換えることを含む） 2．個人識別符号の全部を削除（他の記述等に置き換えることを含む）
匿名加工情報	**法第2条（定義）6項** 特定の個人を識別することができないように個人情報を加工し、復元することができないようにした個人に関する情報。 1．記述等の一部を削除（他の記述等に置き換えることを含む） 2．個人識別符号の全部を削除（他の記述等に置き換えることを含む）
個人関連情報	**法第2条（定義）7項** 生存する個人に関する情報であって、個人情報、仮名加工情報、匿名加工情報のいずれにも該当しないもの。

29

個人情報保護マネジメントシステムとは

行政機関	**法第2条（定義）8項** 1．法律の規定に基づき内閣に置かれる機関（内閣府を除く。）及び内閣の所轄の下に置かれる機関 2．内閣府、宮内庁、内閣府設置法に規定する機関 3．国家行政組織法に規定する機関 4．内閣府設置法並びに宮内庁法に規定する機関、並びに警察庁 5．国家行政組織法に規定する施設等機関、並びに検察庁 6．会計検査院
個人情報データベース等	**法第16条（定義）1項** 個人情報を含む情報の集合物であって、次に掲げるものをいう。（利用方法からみて個人の権利利益を害するおそれが少ないものとして政令で定めるものを除く。） 1．電子計算機を用いて検索することができるように体系的に構成したもの 2．特定の個人情報を容易に検索することができるように体系的に構成したものとして政令で定めるもの **政令四条（個人情報データベース等）1項** 個人情報データベース等から除外されるものとは、次の各号のいずれにも該当するもの。 1．不特定かつ多数の者に販売することを目的として発行されたもので、法又は法に基づく命令の規定に違反して行われたものでないこと。 2．不特定かつ多数の者により随時に購入することができ、又はできたものであること。 3．生存する個人に関する他の情報を加えることなくその本来の用途に供しているものであること。
個人情報取扱事業者	**法第16条（定義）2項** 個人情報取扱事業者：個人情報データベース等を事業の用に供している者をいう。ただし、次に掲げる者を除く。 1．国の機関 2．地方公共団体 3．独立行政法人等 4．地方独立行政法人 **2023JIS規格　1.適用範囲** ・組織の種類又は規模を問わず、全ての組織に適用可能となることを意図している。 ・"個人情報取扱事業者に準じる者"は、個人情報保護法に定められた（中略）個人情報取扱事業者、仮名加工情報取扱事業者又は個人関連情報取扱事業者による個人情報、仮名加工情報又は個人関連情報の取扱いとみなされる業務を行う範囲の者を含んでいる。 ・国の機関である国立大学法人、医療事業を行う独立行政法人など（以下、"規律移行法人"という。）における個人情報の取扱いについては、原則として民間部門の規律が適用されるが、開示等の請求等の制度については、公的部門の規律が適用されるなどの例外が存在する。
個人データ	**法第16条（定義）3項** 個人情報データベース等を構成する個人情報をいう。GL通2-6（個人データに該当しない事例） ・市販の電話帳・住宅地図等 ・個人情報データベース等を構成する前の入力用の帳票等に記載されている個人情報
保有個人データ	**法第16条（定義）4項** 個人情報取扱事業者が、開示、内容の訂正、追加又は削除、利用の停止、消去及び第三者への提供の停止を行うことのできる権限を有する個人データであって、その存否が明らかになることにより公益その他の利益が害されるものとして政令第五条で定めるもの以外のものをいう。 **政令第五条（保有個人データから除外されるもの）2項** 当該個人データの存否が明らかになることにより、 1．本人又は第三者の生命、身体又は財産に危害が及ぶおそれがあるもの 2．違法又は不当な行為を助長し、又は誘発するおそれがあるもの 3．国の安全が害されるおそれ、他国若しくは国際機関との信頼関係が損なわれるおそれ又は他国若しくは国際機関との交渉上不利益を被るおそれがあるもの 4．犯罪の予防、鎮圧又は捜査その他の公共の安全と秩序の維持に支障が及ぶおそれがあるもの
仮名加工情報取扱事業者	**法第16条（定義）5項** 仮名加工情報データベース等を事業の用に供している者をいう。ただし、2項各号に掲げる者を除く。 **法第41条（仮名加工情報の作成等）** ・6項（仮名加工情報の第三者提供禁止）法令に基づく場合以外に、仮名加工情報を第三者に提供してはならない。 ・7項（識別行為の禁止）

仮名加工情報取扱事業者	・8項（仮名加工情報の利用禁止）仮名加工情報を取り扱うに当たっては、電話をかけ、郵便若しくは信書便送付、電報送達、ファクシミリ装置若しくは電磁的方法を用いて送信、住居を訪問するために、当該仮名加工情報に含まれる連絡先その他の情報を利用してはならない。 ・9項（仮名加工情報の緩和要件） 　◦利用目的変更については、本人の同意は不要 　◦漏えい等の報告は不要 　◦保有個人データの公表、開示等の対応は不要 **規則第三十二条（削除情報等に係る安全管理措置の基準）** １．削除情報等を取り扱う者の権限及び責任の明確化 ２．削除情報等の取扱いに関する規程類の整備と運用 ３．正当な権限を有しない者による削除情報等の取扱いを防止するために必要かつ適切な措置の実施
匿名加工情報取扱事業者	**法第16条（定義）6項** 匿名加工情報データベース等を事業の用に供している者をいう。ただし、2項各号に掲げる者を除く。 **法第43条（匿名加工情報の作成等）3項** 匿名加工情報を作成したときは、当該匿名加工情報に含まれる個人に関する情報の項目を公表しなければならない。 **法第44条（匿名加工情報の提供）** 匿名加工情報取扱事業者は、匿名加工情報を第三者に提供するときは、あらかじめ、第三者に提供される匿名加工情報に含まれる個人に関する情報の項目及びその提供の方法について公表するとともに、当該第三者に対して、当該提供に係る情報が匿名加工情報である旨を明示しなければならない。 **法第45条（識別行為の禁止）** 匿名加工情報取扱事業者は、加工の方法に関する情報を取得し、又は当該匿名加工情報を他の情報と照合してはならない。
個人関連情報取扱事業者	**法第16条（定義）7項** 個人関連情報データベース等を事業の用に供している者をいう。ただし、2項各号に掲げる者を除く。 **法第31条（個人関連情報の第三者提供の制限等）** 第三者が個人関連情報データベースを取得することが想定されるときは、次に掲げる事項について、確認すること。 １．当該第三者が個人関連情報の提供を受ける旨の当該本人の同意が得られていること。 ２．外国にある第三者への提供にあっては、本人の同意を得ようとする場合、あらかじめ当該外国における個人情報の保護に関する制度、講ずる措置参考となるべき情報が当該本人に提供されていること； **規則第二十六条（個人関連情報の第三者提供先に確認する方法）** １．提供を受ける第三者から申告を受ける方法 ２．書面の提示を受ける方法その他の適切な方法
学術研究機関等	**法第16条（定義）8項** 大学その他の学術研究を目的とする機関若しくは団体又はそれらに属する者をいう。
利用目的の特定	**法第17条（利用目的の特定）1項** 個人情報を取り扱うに当たっては、その利用の目的をできる限り特定しなければならない。 **法第18条（利用目的による制限）1項** あらかじめ本人の同意を得ないで、前条の規定により特定された利用目的の達成に必要な範囲を超えて、個人情報を取り扱ってはならない。 **GL通3-1-1（具体的に利用目的を特定していない事例）** ・事業活動に用いるため ・マーケティング活動に用いるため ・お客様のサービスの向上のため **2023JIS規格：付属書A.7** 本人から、書面に記載された個人情報を直接取得する場合には、書面によって本人の同意を得なければならない。 　１）組織の名称又は氏名 　２）個人情報保護管理者の氏名又は職名、所属及び連絡先 　３）利用目的 　４）個人情報を第三者に提供することが予定される場合には次の事項（詳細省略） 　５）個人情報の取り扱いの委託を行うことが予定される場合には、その旨 　６）開示等の請求等に該当する場合には、その請求等に応じる旨及び問合せ窓口

個人情報保護マネジメントシステムとは

適正取得	**法第20条（適正な取得）** 偽りその他不正の手段により個人情報を取得してはならない。 **GL通3-3-1（不正の手段の取得事例）** ・子供や障害者から、家族の個人情報を、家族の同意なく取得する場合 ・第三者提供制限違反（本人同意なし等）をするよう強要して取得する場合 ・利用目的等について、意図的に虚偽の情報を示して、取得する場合 ・他の事業者に指示して不正の手段で取得する場合 ・第三者提供制限違反（本人同意なし等）を知りながらも取得する場合 ・不正の手段で個人情報が取得されたことを知りながらも取得する場合	
通知	**法第21条（取得に際しての利用目的の通知等） 1項** 個人情報を取得した場合は、あらかじめその利用目的を公表している場合を除き、速やかに、その利用目的を、本人に通知し、又は公表しなければならない。 **GL通2-14（本人に通知）** ・ちらし等の文書を直接渡す ・口頭又は自動応答装置等で知らせる ・電子メール、FAX等により送信し、又は文書を郵便等で送付する	
公表	**GL通2-15（公表）** ・HPのトップページから1回程度の操作で到達できる場所への掲載 ・ポスター等の掲示、パンフレット等の備置き ・通信販売用パンフレット等への掲載	
明示	**法第21条（取得に際しての利用目的の通知等） 2項** 契約書その他の書面に記載された当該本人の個人情報を取得する場合その他本人から直接書面に記載された当該本人の個人情報を取得する場合は、あらかじめ、本人に対し、その利用目的を明示しなければならない。 **GL通3-3-4（利用目的の明示に該当する事例）** ・契約書その他の書面を相手方である本人に手渡し、又は送付する。 ・利用目的を、本人がアクセスした自社のホームページ上に明示する。	
本人の同意	**GL通2-16（本人の同意の事例）** ・口頭による意思表示 ・書面の受領 ・同意する旨のメールの受信 ・確認欄へのチェック ・ホームページ上のボタンクリック ・音声入力、パネルへのタッチ、ボタンやスイッチ等による入力	
正確性の確保	**法第22条（データ内容の正確性の確保等）** 利用目的の達成に必要な範囲内において、個人データを正確かつ最新の内容に保つとともに、利用する必要がなくなったときは、当該個人データを遅滞なく消去するよう努めなければならない。 **GL通3-4-1（個人データを消去しなくても良い事例）** ・法令の定めにより保存期間等が定められている場合 ・消去とは、個人データとして使えなくすることであり、当該データから特定の個人を識別できないようにすること等を含む。 **2023JIS規格：付属書A.9** 個人情報保護リスクアセスメントの結果を考慮して、当該個人情報を個人データと同様に取り扱うことが適切であると判断した場合には、個人データと同様にデータ内容の正確性の確保等を行わなければならない。	
安全管理措置	**法第23条（安全管理措置）** 取り扱う個人データの漏えい、滅失又は毀損の防止その他の個人データの安全管理のために必要かつ適切な措置を講じなければならない。	
個人情報保護リスクアセスメント	法には、個人情報保護リスクアセスメントの概念は無い。 **2023JIS規格：6.2.2** a）（略）次の観点において、リスクの優先順位付けを行うためのリスクの大きさ及び種類を決定するための基準を確立することが可能である。	

32

個人情報保護リスクアセスメント	・本人の権利利益の侵害 ・関連する法令等に対する違反 c)（略）次の観点において、個人情報保護リスクの特定を行うことが可能である。 ・個人情報ライフサイクル ・個人情報の性質 ・個人情報に関わる情報処理施設及び個人情報に係る情報システム ・組織が、既に講じている安全管理措置
従業者の監督	**法第24条（従業者の監督）** 従業者に個人データを取り扱わせるに当たっては、当該個人データの安全管理が図られるよう、当該従業者に対する必要かつ適切な監督を行わなければならない。 **GL通3-4-3（必要かつ適切な監督を行っていない事例）** ・従業者が、安全管理措置を定める規程等に従って業務を行っていることを確認しなかった結果、個人データが漏えいした場合 ・内部規程等に違反して外部記録媒体等が繰り返し持ち出されていたにもかかわらず、その行為を放置した結果、当該記録媒体が紛失し、個人データが漏えいした場合。
委託先の監督	**法第25条（委託先の監督）** 個人データの取扱いの全部又は一部を委託する場合は、その取扱いを委託された個人データの安全管理が図られるよう、委託を受けた者に対する必要かつ適切な監督を行わなければならない。 **GL通3-4-4（適切な監督を行っていなかった事例）** ・安全管理措置の状況を適宜把握せず委託した結果、委託先が個人データを漏えいした場合 ・必要な安全管理措置の内容を委託先に指示しなかった結果、委託先が個人データを漏えいした場合 ・再委託の条件に関する指示を委託先に行わず、かつ取扱状況の確認を怠り再委託先が個人データを漏えいした場合 ・委託先に対して再委託に関する必要な措置を行わず、委託元の認知しない再委託が行われた結果、当該再委託先が個人データを漏えいした場合
第三者提供	**法第27条（第三者提供の制限）1項** あらかじめ本人の同意を得ないで、個人データを第三者に提供してはならない。 **GL通2-17（提供）** 「提供」とは、個人データ、保有個人データ、個人関連情報、仮名加工情報又は匿名加工情報を、自己以外の者が利用可能な状態に置くことをいう。個人データ等が、物理的に提供されていない場合であっても、ネットワーク等を利用することにより、個人データ等を利用できる状態にあれば「提供」に当たる。 **法第27条5項（第三者提供に該当しない事例）** 1．個人データの取扱いの全部又は一部を委託 2．合併その他の事業の承継に伴って提供される場合 3．特定の者との間で共同して利用される場合、以下を本人に通知、又は本人が容易に知り得る状態に置いているとき 　◦共同して利用される旨 　◦共同して利用される個人データの項目 　◦共同して利用する者の範囲 　◦利用する者の利用目的 　◦個人データの管理責任を有する者の氏名又は名称及び住所、代表者の氏名
オプトアウト	**法第27条（第三者提供の制限）2項** あらかじめ、本人に通知し、又は本人が容易に知り得る状態に置くとともに、個人情報保護委員会に届け出たときは、前項の規定にかかわらず、当該個人データを第三者に提供することができる。（要配慮個人情報を除く） 1．第三者への提供を行う個人情報取扱事業者の氏名又は名称及び住所、代表者の氏名 2．第三者への提供を利用目的とすること 3．第三者に提供される個人データの項目 4．第三者への提供の方法 5．本人の求めに応じ第三者への提供を停止すること 6．本人の求めを受け付ける方法

オプトアウト	7．その他個人の権利利益を保護するために必要なものとして規則十一条四項、規則十二条で定める事項 **規則第十一条（オプトアウトの本人への通知・公表事項）** 1．本人が提供の停止を求めるのに必要な期間をおくこと 2．本人が通知・公表事項を確実に認識できる適切かつ合理的な方法によること
外国にある第三者への提供	**法第28条（外国にある第三者への提供の制限）** 外国にある第三者に個人データを提供する場合には、あらかじめ外国にある第三者への提供を認める旨の本人の同意を得なければならない。同条2項の規定（オプトアウト等）は、適用しない。 **規則第十五条（個人の権利利益を保護する上で我が国と同等の水準にあると認められる個人情報の保護に関する制度を有している外国）** 1．個人情報保護に関する法令その他の定めがあり、その履行が確保されていると認められる状況にあること 2．個人情報保護委員会に相当する執行当局が存在し、必要かつ適切な監督を行うための体制が確保されていること 3．我が国との間において、個人情報保護と個人の権利利益の保護に関する相互理解に基づく連携及び協力が可能であると認められること 4．我が国との間において、個人情報の保護を図りつつ、相互に円滑な個人データの移転を図ることが可能であると認められるものであること 5．当該外国を個人情報の保護に関する制度を有している外国として定めることが、我が国における新たな産業の創出並びに活力ある経済社会及び豊かな国民生活の実現に資すると認められるものであること **規則第十六条（個人情報取扱事業者が講ずべきこととされている措置に相当する措置を継続的に講ずるために必要な体制の基準）** 1．個人データの提供を受ける者において、個人情報取扱事業者の順守すべき法規定の趣旨に沿った措置の実施が確保されていること。 2．個人データの提供を受ける者が、個人情報の取扱いに係る国際的な枠組みに基づく認定を受けていること。 **規則第十七条（外国にある第三者への提供に係る同意取得時の情報提供）** 1．当該外国の名称 2．当該外国における個人情報の保護に関する制度に関する情報 3．当該第三者が講ずる個人情報の保護のための措置に関する情報 **規則第十八条（外国にある第三者による相当措置の継続的な実施を確保するために必要な措置等）** 1．当該第三者による相当措置の実施状況、当該外国の制度の有無等について、定期的に確認すること。 2．当該第三者による相当措置の実施に支障が生じたときは、個人データ（個人関連情報）の提供を停止すること。
第三者提供記録	**法第29条（第三者提供に係る記録の作成等）** 個人データを第三者に提供したときは、記録を作成しなければならない。 **法第27条（第三者提供の制限）1項（提供する時に記録を作成しなくてよいケース）** 1．法令に基づく場合 2．人の生命、身体又は財産の保護のために必要 3．公衆衛生の向上又は児童の健全な育成の推進のために特に必要 4．国の機関等の法令の定める事務遂行に協力する必要がある場合 5．学術研究機関等が、学術研究成果公表又は教授のため 6．学術研究機関等が、学術研究目的で提供する必要があるとき 7．当該第三者が学術研究目的で取り扱う必要があるとき **法第27条（第三者提供の制限）5項（提供を受ける際に記録を作成しなくてよいケース）** 1．個人データの取扱いの全部又は一部を委託 2．合併その他の事業の承継に伴って提供される場合 3．特定の者との間で共同して利用される場合、以下を本人に通知、又は本人が容易に知り得る状態に置いているとき 　◦共同して利用される旨 　◦共同して利用される個人データの項目 　◦共同して利用する者の範囲 　◦利用する者の利用目的 　◦個人データの管理責任を有する者の氏名又は名称及び住所、代表者の氏名

第三者提供記録	**規則第十九条（第三者提供に係る記録の作成）** １．文書、電磁的記録、マイクロフィルムを用いて作成する方法とする。 ２．第三者に提供した都度、速やかに作成しなければならない。ただし、継続的に若しくは反復して提供する、若しく提供することが確実であると見込まれるときの記録は、一括して作成することができる。 ３．物品又は役務の提供に関連して契約書その他の書面に次条に定める事項が記載されているときは、記録に代えることができる。 **規則第二十条（第三者提供に係る記録事項）** イ　提供した年月日 ロ　第三者提供先の氏名及び住所、代表者の氏名（不特定かつ多数の者に対して提供したときは、その旨） ハ　第三者提供した個人データによって識別される本人の氏名等 ニ　第三者提供した当該個人データの項目 **規則第二十一条（第三者提供に係る記録の保存期間）** １．契約書等に必要記録事項が記載されているとき：一年を経過する日まで ２．上記以外の場合：三年もしくは三年を経過する日まで
保有個人データに関する事項の周知など	**法第32条（保有個人データに関する事項の公表等）1項** １．個人情報取扱事業者の氏名又は名称、住所、代表者の氏名 ２．全ての保有個人データの利用目的 ３．開示等の求め、請求に応じる手続（手数料の額等） ４．政令第10条で定めるもの **政令第十条（保有個人データの適正な取扱いの確保に関し必要な事項）** １．保有個人データの安全管理のために講じた措置 ２．苦情の申出先 ３．認定個人情報保護団体の名称及び苦情の解決の申出先 **法第32条（保有個人データに関する事項の公表等）2項：利用目的の通知** **法第33条（開示）** **法第34条（訂正等）** **法第35条（利用停止等）** **法第36条（理由の説明）** **法第37条（開示等の請求等に応じる手続）** **法第38条（手数料）：利用目的の通知、開示請求のみ** **法第39条（事前請求）** 本人が、開示等の請求について、裁判上の訴えを提起しようとするときは、あらかじめ、当該請求を行い、かつ、その到達した日から2週間を経過した後でなければ、その訴えを提起することができない。
苦情	**法第53条（苦情の処理）** １．個人情報の取扱いに関する苦情の適切かつ迅速な処理に努めなければならない。 ２．個人情報取扱事業者は、前項の目的を達成するために必要な体制の整備に努めなければならない。
特定個人情報	**番号利用法　第二条8項** 個人番号をその内容に含む個人情報をいう。

序 個人情報保護マネジメントシステムとは

7 Pマーク取得計画

7.1 事業者の特性に合わせたPMSの確立

PMSを構築するには、自社と組織をよく認識し、次のa）～c）の3要素をPMSに含めます。
a) Pマーク取得体制への組織的支援
b) PMS取得計画や規程の明確化
c) PMS実施とパフォーマンス評価

a) Pマーク取得体制への組織的支援
　Pマークを取得するためには、トップマネジメントのリーダーシップの下で、PMS体制を構築し、ヒト、モノ、カネの資源投入だけでなく、本人の権利利益を尊重する理念を明確にして、個人情報保護方針を公表します。

b) 計画や規程の明確化
　PMSの成功は、明確な計画とルール（規程類）が決め手です。規程類は読みやすく整備され、個人情報管理台帳やリスク分析表などの提出日、教育実施日、内部監査実施日など、計画は具体的に示されなければなりません。また、授受記録や廃棄記録、入退管理記録などは、必要以上に記入の手間がかからないように工夫する必要があります。

c) PMS実施とパフォーマンス評価
　PMSの構築は、決められた計画に従い、ルールを守って確実に実施されて初めて効果をあげることができます。そのため毎月または決められた周期ごとの運用の確認と、定期的または臨時の監査が必要です。

　個人情報保護管理者は、計画に従って実施した運用の確認、内部監査、苦情など外部からの意見、事故またはヒヤリ・ハットの発生状況などを取りま

Pマーク取得計画　7

とめたマネジメントの改善点について、1年に1度マネジメントレビューし、PMSの次年度計画を立案してPDCAのスパイラルアップを図って行きます。

7.2　Pマーク取得計画

　Pマーク取得計画も、PDCAサイクルで行い、各段階で、規程類や記録様式を策定します。
・P（Plan）：計画、体制、方針の公表、内部規程の制定
・D（Do）：個人情報の特定、リスクアセスメント、対策の規定化、委託先選定、教育実施
・C（Check）：パフォーマンス評価：監視、測定、分析及び評価、内部監査
・A（Act）：マネジメントレビュー、是正処置

■Plan：計画、体制、方針の公表、内部規程の制定

a）Pマーク取得計画表

　Pマーク付与適格性審査の申請時には、PMSの一連のPDCAを1回以上実施した記録を提出する必要があります。そのため計画と進捗管理用に**R06001Pマーク取得スケジュール/実績表**を策定し、方針の公表や規程類承認日、個人情報特定とリスクアセスメントの運用開始日、教育実施日、監査実施日及びマネジメントレビューの予定も加え、申請書提出の予定日を具体的に特定します。

　現地審査日は概ね申請から2ヶ月〜3ヶ月後となり、現地審査において不適合があった場合は、3ヶ月間の改善対応期間が設けられています。また提出した改善報告が再指摘を受けた場合は、1ヶ月を期限として再改善報告の提出が認められます。

b）個人情報保護体制

　トップマネジメントは、個人情報保護管理者、個人情報保護監査責任者を指名します。かつPMS運用の各段階において、役割と責任を明確にするため**R05310個人情報保護体制**及び、**R05320PMS役割責任一覧表**を策定し、

図表序7-1　R06001Pマーク取得スケジュール/実績表

★実施予定　★最終期日　□実施日

20★年度（PMARK新規取得計画）／20★年度（新年度）のPMS開始

月：6月／7月／8月／9月／10月／11月／12月／1月／2月／3月／4月／5月／6月／7月（各週 1〜5）

準備
- R05210個人情報保護方針/公表
- R01000個人情報取扱規程
- R05310個人情報保護体制
- R06000PMS年間計画書ほか
- R04100法令指針+規範集
- RA0702改善者から同意取得（同意取得）

認識
- 教育訓練実施 予定日／実施日（様式）
- R06101個人情報管理台帳
- R06221リスク分析表

構築
- 対策（資源の確保）（契約）
- RA1201委託先管理台帳 評価
- RA1000安全管理規程
- 安全管理対策運用開始
- R09101運用確認報告書（適合性監査／運用監査／運用監査通知／審査の指摘対応／審査の指摘対応／審査の指摘対応／審査の指摘対応）

- 内部監査 予定日／実施日
- R10200是正処置報告書
- マネジメントレビュー（新年度の最高責任者承認）

申請
- Pマーク取得申請
- 文書審査/現地審査（文書審査／文書審査（最短）／現地審査（最短））
- Pマーク取得（予定）

★外部コンサルタント
★役員会付議（承認）

◇教育、監査については、予定を枠内に記入する。
上段：予定、下段：実績
◇保管：個人情報保護管理者　保管期間：5年後の期末

☆現地審査日は、申請日から2〜3ヶ月後
☆現地審査後改善対応期限3ヶ月
☆改善1回でOKの場合、現地審査後1〜2ヶ月。
（上記は最短で想定）

作成日：2023年10月1日
保管期限：2028年10月31日

代表者	保護管理者	作成者
承認	承認	作成
20　/　/	20　/　/	20　/　/

社内に周知し、かつ教育等によって全社員に認識させます。なお、個人情報保護管理者の作業量は非常に多くなるため、PMS事務局を設置し、文書作成や改定の管理、社内各部門への伝達、保管、廃棄等の事務処理を行わせることで、安定的で持続可能なPMS運用の効果が期待できます。

c）個人情報保護方針の公表

R05210個人情報保護方針は、トップマネジメントが組織理念として定めて公表する最上位の規程です。

トップマネジメントが承認した原本のR05210個人情報保護方針と同一の、R05210個人情報保護方針（Web版）を作成して、ホームページのトップページからリンクできるようにし、また、来客や従業者がいつでも確認できるよう、印刷物を受付や執務室の壁などに掲示します。

d）個人情報の取扱いについての公表

自社が取得する個人情報については、その利用目的などを公表します。そのためRA0601個人情報の取扱いについてを規定し、承認を得てホームページに公表します。

e）保有個人データ等に関する事項の公表

自社が本人から取得した個人情報（保有個人データ等という）について、その利用目的、及び開示等の請求等に応じる手続などを公表します。RA0601個人情報の取扱いについての下段に公表するケースがよく見られます。

f）個人情報取扱規程の策定

JIS Q 15001に従ってPMSを構築することを明確にするために、R01000個人情報取扱規程を策定します。

39

個人情報保護マネジメントシステムとは

図表序7-2　R05310個人情報保護体制

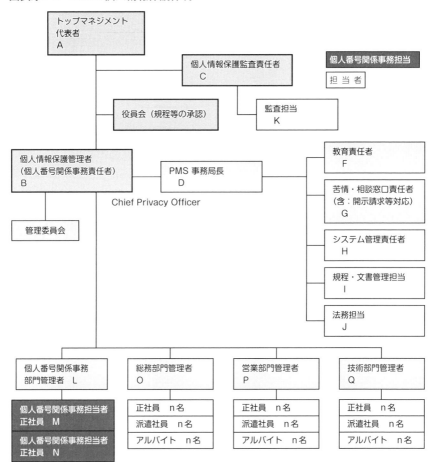

※A〜Qには、実際の氏名を入力する

Pマーク取得計画 **7**

図表序7-3　R06103業務フロー（採用業務）

No	6	業務名	スキルシート管理	部門名	システム開発部長

個人情報の名称	職務経歴書

個人情報の項目	現住所（市区町村まで）、学歴、職歴、資格

個人情報の利用目的	常駐先企業からの要請による技術者情報提供

●個人情報のライフサイクルにおける取扱い

取得	システム開発部長が、協力会社の技術者本人から「職務経歴書」、及び本人がサインした「RA0705個人情報の取扱いに関する明示・同意書（技術者）」（PDF）を、共有ドライブ経由で取得。「RA0705個人情報の取扱いに関する明示・同意書（技術者）」は、常駐先企業への提供について通知している。
入力	―
保管	システム開発部長が、共有ファイルサーバー/システム開発部長専用フォルダ/○○社に保存。
利用	常駐先に紹介する際には、Wordファイルの氏名をイニシャル化して、PDF（パスワード付）を作成し、顧客提出用フォルダに保存する。
移送・送信	システム開発部長が、常駐先顧客担当者宛に共有ドライブ経由でPDFファイルを送信する。パスワードは、あらかじめ伝えたものを使用する。Cc:営業部長
委託第三者提供共同利用	第三者提供先：常駐先企業の担当者
消去・廃棄返却	メール添付ファイルを使用する場合は、サーバー格納後に、都度メーラーから削除する。顧客提出用フォルダのPDFファイルは、毎月月初に削除する。協力会社との契約終了の翌日に、共有ファイルサーバーから削除し、「RA0901個人情報取得返却廃棄消去管理表」に記述する。

保護管理者	部門長	作成者
20　/　/	20　/　/	20　/　/

41

個人情報保護マネジメントシステムとは

■Do：個人情報の特定、リスクアセスメント、対策の規定化、委託先選定、教育実施

a）業務フロー

部門単位または業務単位で、個人情報の取得から、他部門や委託先への受け渡し、利用、バックアップ、保管、廃棄・消去に至るライフサイクルをR06103業務フローに書き出します。

b）個人情報の特定

業務フローで洗い出されたそれぞれの個人情報について、利用目的、保管方法、件数、アクセス権限を有する者、開示区分、保管場所、委託先、利用期間、保管期間、消去・廃棄方法など、取扱いを明確にするために、漏れなくR06101個人情報管理台帳に記載します。

R06101個人情報管理台帳には、作成者、作成日付、承認者、承認日付が必要です。

c）リスクアセスメント

個人情報の取扱い時に発生する、不正アクセス、漏えい、滅失または毀損などが一般的なリスクとなります。また個人情報の移送時には、リスク発生の危険度が最も大きくなります。さらに、個人情報の利用目的などを通知せずに取得することは不正取得となり、重大なリスクの1つです。業務フローで把握した個人情報のライフサイクルの場面・局面に番号などを振り、R06221リスク分析表（兼監査CL）に転記して、具体的で実行可能な対策を検討します。

R06221リスク分析表（兼監査CL）には、作成者、作成日付、承認者、承認日付が必要です。

d）詳細規程、様式の整備

リスク分析表で検討した具体的な対策を、R01000個人情報取扱規程、R01050個人番号関係事務規程、RA1000安全管理規程に規定します。例えば顧客管理システムのログインパスワードの桁数、バックアップの頻度、世代の数、媒体の保管場所など、誰かに確認しなくても迷うことなく実施でき

Pマーク取得計画 7

図表序7-4　R06101個人情報管理台帳（採用業務）

業務名	採用業務サンプル	1

部門名：　　　　　　　人事部

保護管理者	部門長	作成者
20　／	20　／	20　／

※ ②保管方法ごとにこちらを作成し、取扱いの違いを明記する。
　⑦件数は、1年または当年度末を明記する。
　⑬データ削除・機器廃棄時にはリスク削除シールで完全削除。
　（一）利用期限と保管期限は同じ

No	①データ名・種類	②保管方法	③個人情報の項目	④利用目的	⑤取得区分	⑥取得手段	⑦件数	⑧社内引渡し先	⑨開示	⑩アクセス権	⑪保管場所（保管期限）	⑫利用期限（保管期限）	⑬廃棄・消去・返却	⑭リスク分析表の対応項
1	履歴書	紙	氏名、年齢、性別、住所、電話番号、職歴、メールアドレス	採用可否の検討	本人から直接	面接時	50件／年	採用者のみ人事課	開示	役員 人事課長 採用担当	採用場所 常時施錠CAB	採用者分を人事課に渡す定（一）	不採用者分を簡易書留で返却	
2	職務経歴書	紙	氏名、年齢、性別、住所、生年月日、職務経歴、資格、免許	採用可否の検討	本人から直接	面接時	50件／年	採用者のみ人事課	開示	役員 人事課長 採用担当	採用担当 常時施錠CAB	採用者分を人事課に渡す定（一）	不採用者分を簡易書留で返却	
3	成績証明書	紙	学籍番号、入学年月日、氏名、学科、単位数、時間、評価	採用可否の検討	本人から直接	面接時	50件／年	採用者のみ人事課	開示	役員 人事課長 採用担当	採用担当 常時施錠CAB	採用者分を人事課に渡す定（一）	不採用者分を簡易書留で返却	
4	同意書	紙	氏名	個人情報取扱の同意	本人から直接	面接時	50件／年	採用者のみ人事課	開示	役員 人事課長 採用担当	採用担当 常時施錠CAB	採用者分を人事課に渡す定（一）	日本郵便（簡易書留部））	
5①	応募者リスト	EXCEL	氏名、年齢、性別、出身学校	採用可否の進捗管理	人事担当者が入力	電話面接のメモから入力	50件／年	—	開示	役員 人事課長 採用担当	共有Fileサーバ→人事部ﾌ採用担当	採用可否決定まで（年度末）	データ削除※	
5②		紙				印刷		—					シュレッダー	
6	アンケート	紙	氏名	採用活動の実績管理→統合	本人から直接	入社試験時	50件／年	—	開示	役員 人事課長 採用担当	採用担当 常時施錠CAB	統計・報告等（2年後年度末）	シュレッダー	
7	適性試験	紙	氏名、回答	採用可否の検討	本人から直接	入社試験時	50件／年	—	非開示	役員 人事課長 採用担当	採用担当 常時施錠CAB	統計・報告等（2年後年度末）	シュレッダー	
8	採否シート	WORD	氏名、面接員名、SPI試験結果、採否コメント	採用可否、承認	面接員、承認者が記入	入社試験時	50件／年	採用者のみ人事課	非開示	役員 人事課長 採用担当	採用担当 常時施錠CAB	統計・報告等（2年後年度末）	シュレッダー	
9①	採用稟議書	紙	氏名、面接結果、採否コメント	採用可否、承認	面接員、承認者が記入	入社試験終了後2週間以内	100件／年	採用者のみ人事課	非開示	共有Fileサーバ→人事部ﾌ採用担当	採用可否決定まで（年度末）	データ削除※	
9②		紙								役員 人事課長 採用担当	採用担当 常時施錠CAB	人事課に渡す定（一）	シュレッダー	
10①	授受記録簿	紙	氏名	応募書類管理	人事担当者が記入	面接時、入社試験時	100件／年		開示	人事課長 採用担当	採用担当 常時施錠CAB	結果通知発送迄（2年後年度末）	シュレッダー	
10②	簡易書留発送簿	紙	氏名、住所、電話番号	不採用者への返却確認	採用担当者が記入、郵便局が明記	不採用決定の翌日	70件／年		開示	人事課長 採用担当	採用担当 常時施錠CAB	結果通知発送迄（2年後年度末）	シュレッダー	
10③	削除記録簿	紙	氏名、面接日	応募書類管理	人事担当者記入	保存期間終了後の廃棄時	100件／業績		開示	人事課、採用担当	採用担当 常時施錠CAB	削除月末迄（2年後年度末）	シュレッダー	
10④	引渡受渡記録簿	紙	氏名、面接日	応募書類管理	人事担当者記入	人事課長に、応募書類を引き渡す時	50件／年		開示	人事課長 採用担当	採用担当 常時施錠CAB	引渡後1月末迄（引渡後5月内）	シュレッダー	

43

個人情報保護マネジメントシステムとは

るレベルまで具体的に規定することが「コツ」です。また、個人情報の取扱いに関する「通知文書」や、新たに個人情報を取得する業務を開始するとき、または取扱いを変更する場合に、個人情報保護管理者から承認を得るRA0101個人情報取得・変更申請書も整備しておきます。

e) 委託先管理台帳、委託先調査票

個人情報の取扱いを外部に委託する場合は、自社と同等以上の安全管理措置を講じることができるかどうかをRA1202委託先調査表A等で評価・選定し、RA1207業務委託契約書（標準）等により機密保持契約を締結します。委託先の安全性については、定期的に及び適宜に再評価し、必要に応じて現地調査をすることもあります。

委託先はRA1201委託先管理台帳で、評価日、契約締結日、再評価の予定日を管理します。

f) 認識（教育実施）

PMSは全社を挙げて実施するため、役員、正社員、派遣社員、アルバイト、パート社員まで、社内で働く人すべてが教育対象となります。毎年年度初めにR06000PMS年間計画書（兼運用確認記録）によって教育実施時期を定め、計画に従って教育を実施します。初年度は個人情報保護とは何か、Pマークとは何かを説明することになりますが、次年度以降も、毎年繰り返し認識させる項目として、以下の4点が示されています。

a) R05210個人情報保護方針
b) PMSに適合することの重要性及び利点
c) PMSに適合するための役割及び責任
d) PMSに違反した際に予想される結果

また、R07303PMS理解度チェックシート等で理解度を確認しながら、次年度の教育テキストへの反映を図って行きます。

■Check：パフォーマンス評価：監視、測定、分析及び評価、内部監査

パフォーマンス評価には、監視、測定、分析及び評価（以下、運用の確認）

図表序7-5　運用の確認と内部監査の違い

運用の確認		個人情報保護管理者が、各部門に命じて、毎月もしくは時期を定めて自己チェックを行う点検。
	a)	最終退出時のキャビネット施錠、入退出記録、アクセスログ、不正ソフトウェアの有無などの確認、及び残留リスクの顕在化の点検を定期的に実施。「R09101運用確認報告書」「R09102PMS安全管理点検表」「R06000PMS年間計画書（兼運用確認記録）」を用います。
内部監査		個人情報保護監査責任者が、被監査部門から独立して第三者的な視点で行う監査。
	b) 適合性監査	規程類を対象に、法令や規格との適合状況について監査を実施。「R09202適合性監査CL」を用います。
	c) 運用監査	リスク分析の結果、講じるとした対策などを対象に、PMS運用状況についての監査を実施。「R06221リスク分析表（兼監査CL）」などを用います。

と、内部監査があります。

■Act：マネジメントレビュー、是正処置

a）マネジメントレビュー

　マネジメントレビューは、トップマネジメントが、個人情報保護管理者から1年間のPMSの運用状況（Do）についての報告と、パフォーマンス評価（Check）の結果を受けて、必要に応じてトップマネジメントが是正処置の指示（Act）を出し、次年度に向けての計画の立案（Plan）を行う場となります。R09321マネジメントレビュー議事録を用います。

b）是正処置

　PMS運用中に発見したすべての不適合について、R10201是正処置報告書を用いて是正処置を実施します。不適合を発見した関係者は、誰でも、いつでもR10201是正処置報告書を個人情報保護管理者に報告することができます。

7.3　認証申請

　申請書類（指定書式）一式を、指定審査機関のサイトからダウンロードし

45

個人情報保護マネジメントシステムとは

て、書類を作成し提出します。

指定審査機関は、JIPDECの他、地域、業種ごとに19機関あります（2024年3月1日現在）。事業者はどの審査機関に申請するかは自由に選択することができます（指定審査機関一覧　https://privacymark.jp/system/about/agency/member_list.html）。

新規申請にかかる費用は図表序7-6のとおりです。

申請後、申請書類に不備がなければ2～3週間で受理され、現地審査日が通知されます。なお、本書では「JIPDEC Pマーク申請書類」の記入サンプルをダウンロードできます。

図表序7-6　Pマーク審査関連料金（2024年3月1日現在、消費税込料金）

新規申請時		小規模	中規模	大規模
申請時	申請料	52,382円		
現地審査後	審査料（新規）	209,524円	471,429円	995,238円
付与承認後	付与登録料	52,382円	104,762円	209,524円
合計		314,288円	628,573円	1,257,144円

更新申請時		小規模	中規模	大規模
申請時	申請料	52,382円		
現地審査後	審査料（更新）	125,714円	314,286円	680,952円
付与承認後	付与登録料	52,382円	104,762円	209,524円
合計		230,478円	471,430円	942,858円

図表序7-7　Pマーク付与適格性審査申請書類（新規審査において提出する指定書式）一式

様式名	内容（新規）	備考　CL：チェックリスト
様式1新規	Pマーク付与適格性審査申請書①	
	Pマーク付与適格性審査申請書②	1．必須で提出する書類（1～13） 2．任意で提出する書類（14～17）
	Pマーク付与適格性審査申請書③	Pマーク付与適格審査申請にあたっての誓約事項 代表者印として印鑑登録されている印を押印

様式2 新規	個人情報保護体制	個人情報保護管理者の氏名、所属及び役職 個人情報保護監査責任者の氏名、所属及び役職
様式3 新規	事業者概要	事業内容、従業者数、事業者のURL
様式4 新規	個人情報を取扱う業務の概要	個人情報の種類（受託か、直接取得か） 件数の単位：月、年、累積
様式5 新規	すべての事業所の所在地及び業務内容	所在地 個人情報を取扱う業務 所属している従業者数（重複を除く概数）
様式6 新規	PMS文書（内部規程・様式）の一覧	「R07511PMS文書体系」には就業規則を含めること
様式7 新規	教育実施サマリー （全ての従業者に実施した教育実施状況）	※提出することが望ましい実物の書類： 「R07300PMS教育計画書（兼報告書）」 「R07302教育テキスト」 「R07303PMS理解度チェックシート」 の様式
様式8 新規	内部監査・マネジメントレビュー実施サマリー （全ての部門に実施した内部監査実施状況）	※提出することが望ましい実物の書類： 「R09200PMS内部監査計画書（兼報告書）」 「R09202適合性監査CL」 「R06221リスク分析表（兼監査CL）」 「R09321マネジメントレビュー議事録」
アンケート	・共同利用に関する個人情報の取扱い ・外国にある第三者への提供の制限 ・匿名加工情報の取り扱い ・個人関連情報の第三者提供の制限 ・仮名加工情報の取り扱い	該当する/該当しない、に○を付けること。 回答することで、現地審査におけるヒアリングが省略されることがある。
	・グループ会社 ・コンサルタント会社	有無を記入すること
	・EU及び英国域内からの提供を受けているか ・EU及び英国域内からの提供を受けた、国内の他の事業者から提供を受けているか	有無を記入すること

※詳細は、JIPDECのサイトをご確認ください。
　https://privacymark.jp/p-application/（2024年3月1日現在）
　申請後、申請書類に不備がなければ2～3週間で受理され、現地審査日が通知されます。
　なお、本書では、「JIPDEC Pマーク申請書類」の記入サンプルをダウンロードできます。

個人情報保護マネジメントシステムとは

7.4 文書審査

申請時に提出したPMS文書(規程類、様式)の審査結果が、現地審査前に郵送で到着します。

審査結果が「×」の項目について、現地審査までに規程を見直します。「現地」とある項目についても、規程の見直しが必要な場合もあります。

7.5 現地審査

現地審査の所要時間は、事業者の規模によって異なります(図表序7-8)。

現地審査では、例えば図表序7-9に示す項目について確認されます。

現地審査後に現地審査日を起算日として、審査料請求書が到着します(金額は図表序7-6参照)。

図表序7-8 Pマーク現地審査時間

現地審査時間		5時間	6時間	8時間
業種分類	規模	小規模	中規模	大規模
製造業・その他	資本金or出資総額	2～20人	3億円以下、または従業者数21人～300人	3億円超かつ301人～
	従業者数			
卸売業	資本金or出資総額	2～5人	1億円以下、または従業者数6人～100人	1億円超かつ101人～
	従業者数			
小売業	資本金or出資総額	2～5人	5,000万円以下、または従業者数6人～50人	5000万円超かつ51人～
	従業者数			
サービス業	資本金or出資総額	2～5人	5,000万円以下、または従業者数6人～100人	5000万円超かつ101人～
	従業者数			

Pマーク取得計画 **7**

図表序7-9　Pマーク現地審査のポイント

	項目	記録の確認
1	特定、リスクアセスメントが継続して行われていること。	業務フロー、個人情報管理台帳、リスク分析表
2	直接書面で取得する場合に、適切に明示し同意が得られていること。	従業者、応募者、顧客、問合せフォーム、会員登録フォーム
3	適切に公表されていること。	個人情報保護方針、利用目的の通知、開示等対応手順、苦情・相談窓口の表示
4	情報セキュリティ対策、入退制限機構、漏えい、滅失、毀損の防止措置、正確性の確保など。	ネットワーク図、入退館記録、授受記録、廃棄記録、誤入力防止ルール
5	個人情報の委託先の評価、定期的な再評価が行われ、契約を締結していること。	委託先管理台帳、委託先調査票、委託契約書
6	緊急事態発生、開示等請求対応、苦情対応が適切に実施されていること。	緊急事態発生報告書、苦情処理報告書
7	全従業者に対し、毎年教育が実施される仕組みがあり、教育の成果が確認されていること。	教育計画書、教育報告書、受講者リスト、教育テキスト、理解度テスト結果
8	全部門に対し、毎年内部監査が実施される仕組みがあり、不適合について指摘されていること。	運用確認表、内部監査計画書、JIS規格との適合性監査チェックリスト、運用監査チェックリスト
9	PMS運用確認、緊急事態発生、苦情、内部監査などで発見された不適合について、是正処置がとられる仕組みがあり、もしくは是正処置がとられたこと。	是正処置報告書、運用確認表
10	トップマネジメントによる見直しが毎年実施される仕組みがあり、PMSの継続が維持されていること。	マネジメントレビュー議事録

7.6　指摘対応

　現地審査から約1週間後に、審査結果が郵送で到着し、改善すべき事項があれば指摘事項文書が到着します。

　指摘事項の項目ごとに、**R10201是正処置報告書**によって、不適合となった真の原因を追求し、3ヶ月以内に改善報告書と改善証憑（エビデンス）を提出します。

49

7.7　審査会

すべての指摘事項が改善された後、約1ヶ月後の審査会で、Pマーク付与適格性認証の最終判定がなされます。状況によっては、再度改善が必要と指示されることもあります。

7.8　Pマーク取得

審査会の付与適格決定日から1～2週間後に、事務局より付与適格認証通知、Pマークの使用注意、及び付与登録料の請求書が到着します（金額は、図表序7-6参照）。

Pマークは、初回の付与適格決定日を起算日として有効期間は2年間で、以後2年ごとに更新期日が到来します。

7.9　Pマーク付与契約

付与機関と「Pマーク付与契約書」を締結します。

Pマークは、初回の付与適格決定日を起算日として有効期間は2年間で、以後2年ごとに更新期日が到来します。

なお、2024年4月1日以降は、電子契約となります。詳しくは、「付与適格決定後の手続き」https://privacymark.jp/p-application/decision/ をご確認ください。

本書の見かた

8.1 サンプル文書

　本書には、サンプル文書及び標準的な様式を収録しています。これらの規程類には、一般的な組織に共通する個人情報保護のための標準的なルールを規定しています。

　第1章以降では、規程類に定めた条文や様式をサンプルとして、補足事項や該当しない時はどう考えたらよいのかなどについて説明をしていきます。

　本文では、**R01000個人情報取扱規程**の内容を、四角罫線で次のように記載します。

R01000個人情報取扱規程　R.5.2.1個人情報保護方針（J.2.2）

　トップマネジメントは、次の事項を考慮して「R05210個人情報保護方針」を定める。

a)	事業の目的に対して適切であること。
b)	「R05210個人情報保護方針」には、R.5.2.2で定めた個人情報保護目的を含め、個人情報保護目的の設定のための枠組みを示す。
c)	個人情報に関連する適用される要求事項を満たすことへのコミットメントを含む。
d)	PMSの継続的改善へのコミットメントを含む。

　本書で解説する規程及び様式は、すべてひな型をダウンロードできます（詳細は「ひな型のダウンロードについて」参照）。

8.2 項番の付け方

　項目番号は、2023年版JISの規格番号に、先頭文字"R"をつけています。

　従って、個人情報保護方針は、**R01000個人情報取扱規程**のR.5.2.1に規定し、文書番号についても**R05210個人情報保護方針**とすることで、体系を認

個人情報保護マネジメントシステムとは

識しやすくしています。

つまり、規程及び様式のファイルを文書番号順に並べていくと、規格の要求事項順にPMS文書体系が容易にでき上がることになります。

なお、R01000個人情報取扱規程では、構築運用指針Ver.1.0版の項目番号（J.x.x）を項目名の末尾に記載します。

8.3 PMS文書体系

図表序8-1に本書で使用する文書体系をご紹介します。

図表序8-1　PMS文書体系

文書	a)		「R05210個人情報保護方針」：最上位規程
	b)	内部規程	「R01000個人情報取扱規程」
			「R01050個人番号関係事務規程」：個人番号利用法の特殊な規制について規定化
			「RA1000安全管理規程」：個人情報の取扱いのリスクに応じ、適宜改定
	c)	様式	内部規程に定める手順で使用する様式
	d)	計画書	「R06000PMS年間計画書（兼運用確認記録）」
			「R07300PMS教育計画書(兼報告書)」
			「R09200PMS内部監査計画書（兼報告書）」
記録	e)	記録	この規格が要求する記録
その他	f)	個人情報保護管理者が、PMSを実施する上で必要と決定し文書化した情報：内部規程に準じて取り扱う	「RA0601個人情報の取扱いについて」
			「R04100法令指針規範集」
			「R05310個人情報保護体制」
			「R05320PMS役割責任一覧表」
			「R07431緊急連絡網」
			「R07511PMS文書体系」
			「R07512PMS記録台帳」
			「RA1032フロアマップ（セキュリティ区画）」

図表序8-2　PMS文書一覧

		PMS文書一覧　★：個人番号関連
R.1	1	R01000個人情報取扱規程
R.1	2	R01050個人番号関係事務規程　★
R.4.1	3	R04100法令指針規範集
R.5.2.1	4	R05210個人情報保護方針
R.5.3.1	5	R05310個人情報保護体制
R.5.3.2	6	R05320PMS役割責任一覧表
R.6	7	R06000PMS年間計画書（兼運用確認記録）
R.6	8	R06001Pマーク取得スケジュール／実績表
R.6.1	9	R06101個人情報管理台帳
R.6.1	10	R06103業務フロー（標準形式）
R.6.1	11	R06104業務フロー（フローチャート形式）
R.6.1	12	R06105業務フロー（簡易形式）
R.6.2	13	R06221リスク分析表（兼監査CL）
R.7.3	14	R07300PMS教育計画書（兼報告書）
R.7.3	15	R07302教育テキスト
R.7.3	16	R07303PMS理解度チェックシート
R.7.4.3	17	R07431緊急連絡網
R.7.4.3	18	R07432事故報告書
R.7.5.1.1	19	R07511PMS文書体系
R.7.5.1.2	20	R07512PMS記録台帳
R.9.1	21	R09101運用確認報告書
R.9.1	22	R09102PMS安全管理点検表
R.9.2	23	R09200PMS内部監査計画書（兼報告書）
R.9.2	24	R09201PMS監査実施通知（メール文）
R.9.2	25	R09202適合性監査CL
R.9.2	26	R09203予備調査CL
R.9.2	27	R09204PMS体制の運用監査CL
R.9.2	28	R09205施設設備の安全性CL
R.9.2	29	R09206情報システム運用の安全性CL
R.9.2	30	R09207情報システム開発の安全性監査CL
R.9.2	31	R09208部門コンプライアンス監査CL
R.9.3.2	32	R09321マネジメントレビュー議事録
R.10.2	33	R10201是正処置報告書
R.A.1	34	RA0101個人情報取得変更申請書

53

序 個人情報保護マネジメントシステムとは

R.A.4	35	RA0401適正な取得チェックリスト
R.A.4	36	RA0402人事関連提出書類
R.A.4	37	RA0405個人番号取扱記録簿　★
R.A.4	38	RA0406個人番号マスター　★
R.A.4	39	RA0411退職連絡票
R.A.6	40	RA0601個人情報の取扱いについて
R.A.6	41	RA0602マイナンバーの取扱いについて（通達）
R.A.6	42	RA0603電話メモ（通知事項）
R.A.7	43	RA0701個人情報取扱明示・同意書（応募者）
R.A.7	44	RA0702個人情報取扱明示・同意書（従業者）
R.A.7	45	RA0703個人情報取扱明示・同意書（店舗用）
R.A.7	46	RA0704お問い合わせについて（Web）
R.A.7	47	RA0705個人情報取扱明示・同意書（技術者）
R.A.7	48	RA0706個人情報の取扱明示・同意書（その他）
R.A.7	49	RA0755講師料お支払に関する件　★
R.A.10	50	RA1000安全管理規程
R.A.10	51	RA1010システムID管理台帳
R.A.10	52	RA1032フロアマップ（セキュリティ区域）
R.A.10	53	RA1041鍵・IDカード管理簿
R.A.10	54	RA1042入退館安全確認記録簿
R.A.10	55	RA1043来訪者カード貸出簿
R.A.10	56	RA1044サーバー室入退室記録簿
R.A.10	57	RA1045機密書庫入退室記録
R.A.10	58	RA1051個人情報取得返却廃棄消去管理表
R.A.10	59	RA1084情報機器「持出」許可申請書（OUT）
R.A.10	60	RA1085情報機器「持込」許可申請書（IN）
R.A.10	61	RA1086携帯端末使用申請書
R.A.10	62	RA1087テレワーク作業許可申請書
R.A.10	63	RA1091サーバー利用申請書
R.A.10	64	RA1092情報ネットワーク構成図
R.A.10	65	RA1094アクセスログ・Web点検記録
R.A.11	66	RA1101機密保持誓約書
R.A.12	67	RA1201委託先管理台帳
R.A.12	68	RA1202委託先調査票A（シンプル）
R.A.12	69	RA1203委託先調査票B（詳細）
R.A.12	70	RA1204委託先調査票C（個人番号）　★

本書の見かた **8**

R.A.12	71	RA1205委託先調査票D（自己評価）
R.A.12	72	RA1207業務委託契約書（標準）
R.A.12	73	RA1208業務委託契約書（個人番号）　★
R.A.12	74	RA1211委託業務指示書
R.A.12	75	RA1212委託業務指示書管理台帳
R.A.16	76	RA1601第三者提供先（共同利用先）検証記録
R.A.24	77	RA2401個人情報開示等請求書兼回答書
R.A.26	78	RA2600苦情相談報告書
R.A.28	79	RA2800匿名加工情報取扱規程（ご参考）
R.A.28	80	RA2801匿名加工情報取扱責任体制表
R.A.28	81	RA2802PMSに関する責任と権限一覧表（匿名版）
R.A.28	82	RA2803匿名加工情報取扱申請書
R.A.28	83	RA2804匿名加工情報取扱記録簿
－	84	RA2901PMS例外処理申請書
－	＊	就業規則（Pマーク申請時には、要提出）
－	＊	JIPDEC Pマーク申請書類サンプル

55

JIS Q 15001:2023
規格本文

JIS Q 15001:2023 規格本文

R.1 個人情報取扱規程の目的

> R01000個人情報取扱規程　R.1本規程の目的
> 当社は、個人情報保護マネジメントシステム（以下、PMS）を確立し、実施し、維持し、継続的に改善するため、当社の戦略的決定に基づいて、この規程を定める。

　PMSは、頭で理解するだけでなく、文書化しておく必要があります。文書化されていないルールは、組織の罰則を適用できない可能性があり、文書化されていれば、事故等の発生時に、組織の取り組みを示して、社会的制裁にも対抗することができます。

　「個人情報取扱規程」により、社内ルールが統一化され、従業者は効率的、かつ効果的に業務を進めることができます。このことは、従業者にとってもリスクを最小限に留める結果となります。

引用規格 **R.2**

R.2 引用規格

R01000個人情報取扱規程　R.2引用規格

　本規程は、個人情報の保護に関する法律（2003年5月30日法律第57号、2021年5月19日法律第37号改正、以下、個人情報保護法、又は法）、「日本産業規格 JIS Q 15001個人情報保護マネジメントシステム要求事項」（以下、JIS Q 15001、又は規格）及びプライバシーマークにおける個人情報保護マネジメントシステム構築・運用指針（以下、PMS構築・運用指針）に基づいている。

　JIS Q 15001は、個人情報保護法を引用しています。また、本書ではPMS構築・運用指針についても包括して記述していますが、項目番号については、規格の項番を採用しています。

59

JIS Q 15001:2023 規格本文

R.3 用語及び定義

従業者が別の資料を探さなくても済むように、用語及び定義を規定しています。

R01000個人情報取扱規程　R.3用語及び定義

本規程において使用する用語は、個人情報保護法第2条、第16条ほか、及びJIS Q 15001の3（用語及び定義）に準じ次のとおりとする。

なお、本規程で記述する「個人情報」には、特にことわりが無い限り、個人情報、個人識別符号、要配慮個人情報、個人情報データベース、個人データ、保有個人データ、仮名加工情報、個人関連情報を含めている。

R.3.1　個人情報（法第2条1）

個人に関する情報であって、特定の個人を識別できるもの。他の情報と容易に照合することによって特定の個人を識別することができることとなる情報、及び個人識別符号を含む。

【R3.2～R3.4省略】

R.3.5　個人データ（法第16条3）

個人情報データベースを構成する個人情報をいう。なお、個人データ等としたときは、個人情報、個人識別符号、要配慮個人情報、個人情報データベース、個人データ、保有個人データ、仮名加工情報、個人関連情報を総称する。

【R.3.6以降省略】

「個人情報」と「個人データ等」は、ともに、個人情報、個人識別符号、要配慮個人情報、個人情報データベース、個人データ、保有個人データ、仮名加工情報、個人関連情報を含めています。R01000個人情報取扱規程では、これらを総称して「個人情報」もしくは「個人データ等」と記述しています。

組織の状況 **R.4**

R.4 組織の状況

R.4.1　法令、国が定める指針その他の規範

　トップマネジメントは、PMSを構築するにあたり、どのような外部（社会環境や法令・規範等の状況）及び内部（個人情報を取り扱う事業）の課題があるか、組織が置かれた状況を理解する必要があります。

R01000個人情報取扱規程　R.4.1法令、国が定める指針その他の規範(J.1.3)

　当社は、個人情報を取り扱う事業に関して、PMSに影響を与えるような外部及び内部の課題を決定するにあたり、個人情報の取扱いに関する法令、国が定める指針、その他の規範（以下法令等）について特定する。

2　個人情報保護管理者は、**R04100法令指針規範集**に、前項の法令等のURLを特定して自ら承認し、全従業者が常時参照できるよう、イントラネット上に掲示する。

　法令とは、「個人情報保護法」、「個人情報保護法施行令」及び「個人情報保護委員会規則」をいいます。

　国が定める指針とは、「個人情報の保護に関する法律についてのガイドライン（通則編、外国にある第三者への提供編、第三者提供時の確認・記録義務編、仮名加工情報・匿名加工情報編、認定個人情報保護団体編、行政機関編）」や「雇用管理分野における個人情報のうち健康情報を取り扱うに当たっての留意事項（個人情報保護委員会、厚生労働省労働基準局長通知）」などを指します。規範のうち自治体の条例については、事業者が、その拠点の自治体から委託事業を受ける場合は、特定する必要があります。

　事業者は、法令・規範等の改正があった場合、自社の事業にどのように影響するかの説明を含めて、すべての従業者に通知し、法令順守を徹底する必要があります。従業者への通知は、回覧、メール、電子掲示板などで行い、

61

JIS Q 15001:2023 規格本文

R04100法令指針規範集は、全従業者がアクセスできるイントラネットや、共有ファイルサーバーにて参照可能としてください。

R01000個人情報取扱規程　R.4.1法令、国が定める指針その他の規範(J.1.3)

3　R04100法令指針規範集の見直し
　個人情報保護管理者は、R06000PMS年間計画書（兼運用確認記録）に従って、法令、指針、条例、その他の規範（以下法令等）を確認し、改正があった場合はR04100法令指針規範集を見直す。また、個人情報保護管理者は、指定した見直し時期にかかわらず、法令等の改正を知ったときは、R04100法令指針規範集を見直す。

4　PMSへの反映
　個人情報保護管理者は、法令等の新規制定、改正、廃止に伴い、自社のPMSの改善が必要と判断した場合には、速やかにR.10（改善）の手順に従い、PMSに反映させる。

　組織や従業者が法令違反を犯さないために、規程の改定、手順の見直しが必要な場合があります。"うっかり見落としていた"ではすまされません。
　個人情報保護法違反となる事象が発生したときは、事業者は、保護法第8章（罰則）第176条〜第185条に従って、法的責任を負うことになります。

例：第179条
　個人情報取扱事業者（その者が法人（略）である場合にあっては、その役員、代表者又は管理人）若しくはその従業者又はこれらであった者が、その業務に関して取り扱った個人情報データベース等（略）を自己若しくは第三者の不正な利益を図る目的で提供し、又は盗用したときは、1年以下の懲役又は50万円以下の罰金に処する。

例：第184条
　法人の代表者又は法人若しくは人の代理人、使用人その他の従業者が、その法人又は人の業務に関して、次の各号に掲げる違反行為をしたときは、行為者を罰するほか、その法人に対して当該各号に定める罰金刑を、その人に対して各本条の罰金刑を科する。

組織の状況 **R.4**

・第178条及び第179条：１億円以下の罰金刑

・第182条：同条の罰金刑（50万円以下）

　　個人情報保護にかかわる法令・規範等は、個人情報保護委員会のホームページから閲覧することができます（個人情報保護委員会HP　https://www.ppc.go.jp/personalinfo/）。

図表R.4-1　R04100法令指針規範集（抜粋）

	実施項目 参考URL：https://www.ppc.go.jp/personalinfo/legal/ （個人情報保護委員会）	所管	制定日	最新改定日
1	個人情報の保護に関する法律（2005/4/1全面施行） 「20210519デジタル社会の形成を図るための関係法律の整備に関する法律50条/51条」 https://elaws.e-gov.go.jp/document?lawid=415AC0000000057	個人情報 保護委員会	2003/5/30	2023/6/7
2	個人情報の保護に関する基本方針（閣議決定） https://www.ppc.go.jp/files/pdf/20220401_personal_basicpolicy.pdf	個人情報 保護委員会	2004/4/2	2022/4/1
3	個人情報等の適正な取扱いに関係する政策の基本原則 https://www.ppc.go.jp/files/pdf/kihongensoku.pdf	個人情報 保護委員会	2022/5/25	－
4	個人情報の保護に関する法律施行令 https://elaws.e-gov.go.jp/document?lawid=415CO0000000507 最新：https://www.ppc.go.jp/files/pdf/220420_personal_cabinetorder.pdf	個人情報 保護委員会	2003/12/10	2022/4/20
5	個人情報の保護に関する法律施行規則 https://elaws.e-gov.go.jp/document?lawid=428M60000000003 最新：https://www.ppc.go.jp/files/pdf/220420_personal_commissionrules.pdf	個人情報 保護委員会	2016/10/5	2022/4/20
6	個人情報の保護に関する法律についてのガイドライン（通則編） https://www.ppc.go.jp/personalinfo/minaoshi/ https://www.ppc.go.jp/personalinfo/legal/guidelines_tsusoku/	個人情報 保護委員会	2016/11/30	2022/9/8
7	個人情報の保護に関する法律についてのガイドライン（外国にある第三者への提供編） https://www.ppc.go.jp/personalinfo/legal/guidelines_offshore/	個人情報 保護委員会	2016/11/30	2022/9/8
8	個人情報の保護に関する法律についてのガイドライン（第三者提供時の確認・記録義務編） https://www.ppc.go.jp/personalinfo/legal/guidelines_thirdparty/	個人情報 保護委員会	2016/11/30	2022/9/8
9	個人情報の保護に関する法律についてのガイドライン（仮名加工情報・匿名加工情報編） https://www.ppc.go.jp/personalinfo/legal/guidelines_anonymous/	個人情報 保護委員会	2016/11/30	2022/9/8

63

JIS Q 15001:2023 規格本文

R.4.2　利害関係者のニーズ及び期待の理解

トップマネジメントは、次の事項を特定する必要があります。
a) PMSに関連する利害関係者
b) その利害関係者の、個人情報保護に関連する要求事項

そのために、以下の規定により、利害関係者を特定します。

R01000個人情報取扱規程　　R.4.2利害関係者のニーズ及び期待の理解(J.1.2)

当社は次の事項を決定する。

a)	PMSに関連する利害関係者
b)	それら利害関係者の、個人情報保護に関連する要求事項 利害関係者の要求事項には、法的及び規制の要求事項並びに契約上の義務を含めることが可能である。
c)	それら要求事項のうち、R.4.1で特定した法令等の順守を含むPMSを通して取り組むもの

R.4.3　個人情報保護マネジメントシステムの適用範囲の決定

R01000個人情報取扱規程　　R.4.3個人情報保護マネジメントシステムの適用範囲の決定(J.1.4)

PMSは、当社の事業の用に供しているすべての個人情報を適用対象とし、当社の全組織及び全従業者(正社員、契約社員、嘱託社員、パート社員、アルバイト社員、取締役、執行役、理事、監査役、監事、派遣社員、受入出向社員)に適用する。

2　当社は、PMSの適用範囲を定めるために、次の事項を考慮してその境界及び適用可能性を決定する。

a)	R.4.1に規定する外部及び内部の課題
b)	R.4.2に規定する要求事項
c)	組織が実施する活動と他の組織が実施する活動との間のインタフェース及び依存関係

組織の状況 **R.4**

3　PMSの適用範囲は、文書化した情報として利用可能な状態にする。

a)	「R05210個人情報保護方針」には、事業の概要を記載する。
b)	事業で取り扱う個人情報については、**RA0601個人情報の取扱いについて**に利用目的を記載し公表する。

4　自らの事業の用に供している仮名加工情報、匿名加工情報、及び個人関連情報（当該個人関連情報が提供先の第三者において個人情報になることが想定される場合）を取り扱う場合は、PMSの適用範囲として定める。

　上記の規定により、教育及び内部監査の対象についても全従業者、すべての組織、すべての個人情報が対象となります。

R.4.4　個人情報保護マネジメントシステム

R01000個人情報取扱規程　R.4.4個人情報保護マネジメントシステム（J.1.5、J.2.4）

　当社は、法令等、規格及びPMS構築・運用指針に従って必要なプロセス及びそれらの相互作用を含むPMSを確立し、実施し、維持し、かつ継続的に改善する。

2　**R05210個人情報保護方針**、**R05310個人情報保護体制**及び安全管理策を確実にするために定めた**RA1000安全管理規程**及び各様式は、トップマネジメント又はトップマネジメントによって権限を与えられた者によって承認する。

65

R.5 リーダーシップ

R.5.1 リーダーシップ及びコミットメント

PMSは、トップダウンの仕組みです。そのため、トップマネジメントがリーダーシップを発揮し統率することを宣言します。

R01000個人情報取扱規程　R.5.1リーダーシップ及びコミットメント(J.2.1)

トップマネジメントは、次の事項について統率し、その結果について責任を持つ。

a)	個人情報保護方針及び個人情報保護目的を確立し、それらが組織の戦略的な方向性と両立することを確実にする。
b)	組織の事業プロセスへのPMS要求事項の統合を確実にする。
c)	PMSに必要な資源が利用可能であることを確実にする。
d)	有効なPMS及びPMS要求事項への適合の重要性を利害関係者に伝達する。
e)	PMSがその意図した成果を達成することを確実にする。
f)	PMSの有効性に寄与するよう人々を指揮し、支援する。
g)	継続的改善を促進する。
h)	その他の関連する管理層がその責任の領域においてリーダーシップを実証するよう、管理層の役割を支援する。

　トップマネジメントとは、組織内において権限を有する取締役以上の役職を指し、通常は代表権を持つ代表者を指します。また、個人情報保護目的とは、個人情報保護方針を達成するため全社の目的ないし目標のことです。

リーダーシップ **R.5**

R.5.2 方針

R.5.2.1 個人情報保護方針

R01000個人情報取扱規程 R.5.2.1個人情報保護方針（J.2.2）

トップマネジメントは、次の事項を考慮して**R05210個人情報保護方針**を定める。

a）	事業の目的に対して適切である。
b）	**R05210個人情報保護方針**には、R.6で定めた個人情報保護目的を含め、個人情報保護目的の設定のための枠組みを示す。
c）	個人情報保護に関連する適用される要求事項を満たすことへのコミットメントを含む。
d）	PMSの継続的改善へのコミットメントを含む。

　"事業の目的に対して適切である"とは、事業内容に沿って、個人情報保護の理念を、前文などに記述して明確にすることです。組織に預ける個人情報の取扱いが適切であることを本人が想像できるようにすることが肝心です。

R.5.2.2 個人情報保護方針の記載事項

R01000個人情報取扱規程 R.5.2.2個人情報保護方針の記載事項（J.2.2）

R05210個人情報保護方針には、次の事項を含める。

a）	事業の内容及び規模を考慮した適切な個人情報の取得、利用及び提供に関すること（特定された利用目的の達成に必要な範囲を超えた個人情報の取扱いを行わないこと、及びそのための措置を講じることを含む。）
b）	個人情報の取扱いに関する法令、国が定める指針その他の規範を遵守すること
c）	個人情報の漏えい、滅失又は毀損の防止及び是正に関すること
d）	苦情及び相談への対応に関すること
e）	PMSの適用範囲及び継続的改善に関すること
f）	トップマネジメントの氏名
g）	制定年月日及び最終改正年月日
h）	個人情報保護方針の内容についての問合せ先

2　**R05210個人情報保護方針**は従業者に教育及び掲示によって周知し、また利害関係者や一般の人が入手できるように、当社のトップページから直接アクセスできるサイトに掲載する。

67

JIS Q 15001:2023 規格本文

　ホームページを持たない企業は、会社の受付や会議室への掲示に加えて、リーフレットを作成して持ち帰ることができるように準備してください。

R.5.3　役割、責任及び権限
R.5.3.1　一般

> **R01000個人情報取扱規程**　R.5.3.1一般（J.2.3.1）
>
> 　トップマネジメントは、個人情報保護に関連する役割に対して、**R05310個人情報保護体制**に示し、その結果を利害関係者に周知する。
> 2　責任及び権限を、次の事項を実施するために割り当てる。体制には、会社法上の監査役、監査委員、会計参与を含めることはできない。
>
> | a） | PMSが、この規格の要求事項に適合することを確実にする。 |
> |---|---|
> | b） | PMSの運用の成果をトップマネジメントに報告させる。 |
>
> 3　管理策について、トップマネジメント又はトップマネジメントによって権限が与えられた者によって、**R05320PMS役割責任一覧表**に従い承認すること。

　PMSはトップダウンの仕組みであり、体制とは、トップマネジメントの指示で役割を担う権限を持つ者を指します。そのため、トップマネジメントに対して第三者的評価を与える会社法上の監査役、監査委員、会計参与を体制に含めることはできません。
　ただし、PMSの適用範囲、及び教育対象には監査役、監査委員、会計参与も含めます。

R.5.3.2　役割、責任及び権限の割当て
　PMSの体制は、全社員に周知されるとともに、定期的な教育の場でも、明確に示される必要があります。
　また、体制図には「特定個人情報ガイドライン」（別添）安全管理措置（C組織的安全管理措置）に従い、「個人番号関係事務責任者」「個人番号関係事務担当者」を含めておく必要があります。

リーダーシップ **R.5**

R01000個人情報取扱規程　R.5.3.2役割、責任及び権限の割当て（J.2.3.2）

　当社はPMSを確立し、実施し、維持し、かつ改善するために役割、責任及び権限を定め、**R05320PMS役割責任一覧表**に文書化し、従業者に周知する。

2　トップマネジメントは、経営最高責任者として個人情報保護に関するすべての責任と権限をもつ。

3　トップマネジメントは、規格及びPMS構築・運用指針の内容を理解し実践する能力のある個人情報保護管理者を組織内部に属する者の中から指名し、PMSの実施及び運用に関する責任及び権限を他の責任にかかわりなく与え、業務を行わせる。また、個人情報保護管理者は、トップマネジメントにPMSの見直し及び改善の基礎としてPMSの運用状況を報告する。

4　個人情報保護管理者は、個人情報の取扱いを総括し、PMSを運用するために「PMS事務局」を設置し、事務局長を任命する。

5　個人情報保護管理者は、リスクの顕在化又はそのおそれがあると判断した場合は、個人情報の取扱いを監督するために、全社の各部門の責任者を対象に「管理委員会」を招集することができる。

6　トップマネジメントは、公平、かつ、客観的な立場にある個人情報保護監査責任者を組織内部に属する者の中から指名し、監査の実施及び報告を行う責任及び権限を他の責任にかかわりなく与え、業務を行わせる。

7　個人情報保護監査責任者は、監査を指揮し、監査報告書を作成し、トップマネジメントに報告する。

8　個人情報保護監査責任者は、監査員の選定及び監査の実施においては、監査の客観性及び公平性を確保する。

9　個人情報保護監査責任者と個人情報保護管理者とは異なる者とする。

69

JIS Q 15001:2023 規格本文

図表R.5-1　R05320PMS役割責任一覧表

役職	責任と権限【責任者不在時は、上席者が承認することができる】
トップマネジメント （代表者）	・「R05210個人情報保護方針」「R01000個人情報取扱規程」「R01050個人番号関係事務規程」「R05310個人情報保護体制」「R05320PMS役割責任一覧表」「RA1000安全管理規程」の承認 ・「R06000PMS年間計画書（兼運用確認記録）」「R07300PMS教育計画書（兼報告書）」「R70302PMS教育テキスト」「R09200PMS内部監査計画書（兼報告書）」 　「R09320マネジメントレビュー議事録」の承認 ・個人情報保護管理者、個人番号関係事務責任者、個人情報保護監査責任者の指名 ・緊急事態発生時には、管理委員会委員長として指揮をとる。 ・苦情は緊急事態と認識し報告を受け必要な処置をとる。 ・「R10201是正処置報告書」による不適合確認、立案承認、効果の確認
個人情報保護管理者 兼務：個人番号関係事務責任者	・「R05210個人情報保護方針」公表 ・「RA0601個人情報の取扱について」の承認及び公表 ・PMS事務局長、個人番号関係事務部門管理者、個人番号関係事務担当者の任命 ・「R01000個人情報取扱規程」「R01050個人番号関係事務規程」「R05310個人情報保護体制」「RA1000安全管理規程」等、PMS文書の策定 ・「様式」の承認、各PMS文書の従業者への周知 ・「R06000PMS年間計画書（兼運用確認記録）」の策定 ・「RA0405個人番号取扱記録簿」「R06101個人情報管理台帳」「R06221リスク分析表（兼監査CL）」承認 ・「R10201是正処置報告書」のうち、軽微な不適合の確認、立案承認 ・運用の確認、監査の結果を含めたPMSの運用状況をトップマネジメントに報告。 ・リスクの顕在化またはそのおそれがあると判断したときに管理委員会を招集する。
教育責任者	・「R06000PMS年間計画書（兼運用確認記録）」「R07300PMS教育計画書（兼報告書）」の作成 ・「R70302PMS教育テキスト」策定
個人情報保護監査責任者	・「R09200PMS内部監査計画書（兼報告書）」の策定及び作成 ・監査担当者の任命 ・フォローアップ監査の実施
PMS事務局長	・個人情報保護管理者の指示に従って各部門との調整を行い、PMSの全社運用を行う。 ・規程、様式、記録の策定、最新版管理

リーダーシップ **R.5**

問合せ窓口責任者	・「RA2401個人情報開示等請求書兼回答書」対応 ・「RA2600苦情・相談報告書」初期対応
システム管理責任者	・情報システムの安全管理について適切なレベル維持を行う。 ・情報システムの運用監視（ID発行、削除、アクセスログ監視、バックアップ管理等） ・「RA1010システム機器・ID管理台帳」の管理
管理委員会	・緊急事態が発生した場合に個人情報保護管理者が招集する。 ・管理委員会の委員長はトップマネジメントとする。
個人番号関係事務部門管理者	・個人番号関係事務責任者が不在の時は、その代行を行い、事後に報告する。 ・個人番号関係事務担当者に対して必要かつ適切な監督を行う。 ・個人番号関係事務担当者に対して、「R01050個人番号関係事務規程」について教育を行う。 ・「RA0405個人番号取扱記録簿」の点検を毎月実施する。
部門管理者	・「R06103業務フロー」「R06101個人情報管理台帳」「R06221リスク分析表（兼監査CL）」の策定 ・「RA1051個人情報取得返却廃棄消去管理表」による適正管理 ・「RA1202A委託先調査」による委託先の選定・評価、契約締結及び監督 ・「R10201是正処置報告書」の立案
個人番号関係事務担当者	・特定個人情報は、番号利用法に基づき必要な限度で取り扱う。 ・特定個人情報の取扱いにおいては、業務フローに基づき、必要な対策を講じる。 ・個人番号の収集、利用、提供、削除の記録を「RA0405個人番号取扱記録簿」に残す。
担当者	・部門における個人情報の適正管理 ・部門における業務委託先の日常監督

　R05320PMS役割責任一覧表は、毎年マネジメントレビューの時期に、次年度の計画として見直します。また、人事異動の時期にも見直す必要があります。

JIS Q 15001:2023 規格本文

R.6 計画策定

年間計画書の作成

　PMSは1年を単位として計画します。初年度は、Pマーク取得計画を立案して運用しますが、Pマーク申請書提出後は、取得後の年間計画を立案します。
　R01000個人情報取扱規程では取得後の年間計画のみについて規定します。

R01000個人情報取扱規程　R.6計画策定（J.3、J.3.2、J.3.3、J.3.4）

　個人情報保護管理者は、毎年PMS運用年度開始日までに**R05310個人情報保護体制**及び**R06000PMS年間計画書（兼運用確認記録）**を策定し、トップマネジメントの承認を得て、全従業者に通知する。

2　個人情報保護目的及びそれを達成するための計画策定

　個人情報保護目的は、次のa）〜g）の事項を満たさなければならない。

a）	個人情報保護方針と整合している。
b）	（実行可能な場合）測定可能である。
c）	適用される個人情報保護要求事項、並びに個人情報保護リスクアセスメント及び個人情報保護リスク対応の結果を考慮に入れる。
d）	監視する。
e）	伝達する。
f）	必要に応じて、更新する。
g）	文書化した情報として利用可能な状態にする。

3　個別の計画は、個人情報保護目的を達成するために次のh）〜l）の事項を含める。

h）	実施事項	実施区分、計画の目的、監査テーマなど
i）	必要な資源	実施日、対象者、実施場所、テキスト、監査チェックリストなど
j）	責任者	実施責任者
k）	達成期限	実施結果報告日、効果の確認日など
l）	結果の評価方法	確認テスト、監査チェックリスト、報告書など

図表 R.6-1　R06000PMS年間計画書（兼運用確認記録）

No.	項目	20★年	1月	2月	3月	4月	5月	6月	7月	8月	9月	10月	11月	12月	1月
①	マネジメントレビュー（次年度計画策定・承認を含む）（是正処置計画など状況に変化があった際には随時見直し）													5	
②	「R04100:法令指針規範集」改正確認（改定を確認した際には随時見直し）												1		
③	「R06101個人情報管理台帳」見直し（取扱いに変更があった際には随時見直し）				1										
④	「R06221 リスク分析表」の見直し（取扱いに変更があった際には随時見直し）					1									
⑤	「R07300PMS教育計画書（兼報告書）」（採用者には採用初日に教育）			15											
⑥	「R09200PMS内部監査計画書（兼報告書）」（状況に変化があった際には臨時監査を実施）							J-JIS適合性監査→5(J)				5		1　←運用監査	運用監査
⑦	全社「RA1201委託先管理台帳」（委託先調査票）が陳腐化していないかの点検		/	/	/	/	/	/	/	/	/	/	/	/	
⑧	「RA0402個人番号取扱記録」点検	計: 件	/	/	/	/	/	/	/	/	/	/	/	/	
⑨	「RA1010システムID管理台帳」点検		/	/	/	/	/	/	/	/	/	/	/	/	
⑩	「RA1051情報取得返却廃棄消去管理表」点検		/	/	/	/	/	/	/	/	/	/	/	/	
⑪	「RA1041鍵・IDカード管理簿」点検		/	/	/	/	/	/	/	/	/	/	/	/	
⑫	「RA1042入退館安全確認記録簿」点検		/	/	/	/	/	/	/	/	/	/	/	/	
⑬	「RA1043来訪者カード貸出簿」点検		/	/	/	/	/	/	/	/	/	/	/	/	
⑭	「RA1044サーバー室入退室記録簿」点検		/	/	/	/	/	/	/	/	/	/	/	/	
⑮	「RA1084情報機器［持出］許可申請書(OUT)」点検		/	/	/	/	/	/	/	/	/	/	/	/	
⑯	「RA1085情報機器［持込］許可申請書(IN)」点検		/	/	/	/	/	/	/	/	/	/	/	/	
⑰	「RA1086携帯端末使用申請書」点検		/	/	/	/	/	/	/	/	/	/	/	/	
⑱	「RA1094アクセスログ・Web点検記録」点検		/	/	/	/	/	/	/	/	/	/	/	/	
⑲	開示等請求の件数	計: 件	件	件	件	件	件	件	件	件	件	件	件	件	
⑳	苦情・事故・ヒヤリ・ハットの発生	計: 件	件	件	件	件	件	件	件	件	件	件	件	件	

代表者	PMS管理者	作成者
承認	点検／報告	報告
20 ／ ／	20 ／ ／	20 ／ ／

計画作成日	20★/12/20
最終報告日	代表者の見直し時
保存期間	3年後年度末
廃棄予定	20★/★/★
主管	個人情報保護事務局
担当者	

①～⑥：予定日を上段に、実施日を下段に手書きで記入
⑧～⑳：月初に点検し、確認した日付を記入。件数を記入
※各点検は現場項目枝番を基本とする。不備な点を発見した者は「R10200是正処置報告書」を作成すること。
※PMS管理者は「R09101運用確認報告書」を作成すること。

73

JIS Q 15001:2023 規格本文

　PMS年間計画は、必ずしも事業年度と合わせる必要はありません。事業の多忙な時期を避けるためにも、暦年（1月～12月）とすることも可能で、実際に暦年で実行して効果をあげている事例が多くあります。

　R06000PMS年間計画書（兼運用確認記録）は、PMS運用年度中に計画した日程を上段に記載し、実施した日付を下段に記載していきます。また、運用の確認で点検すべき入退出記録や、アクセスログなどの点検記録を兼ねることで、記録書式が膨大になることを防いでいます。

個別の計画

R01000個人情報取扱規程　　R.6計画策定（J.3、J.3.2、J.3.3、J.3.4）

4　当社は、PMSを確実に実施するためにR06000PMS年間計画書（兼運用確認記録）には、以下の計画について少なくとも年1回以上含める。

m）	R.7.3（認識）	R07300PMS教育計画書（兼報告書）
n）	R.9.2（内部監査）	R09200PMS内部監査計画書（兼報告書）
o）	R.4.1（法令等）	R04100法令指針規範集の見直し
p）	R.6.1（特定）	R06101個人情報管理台帳の見直し
q）	R.6.2（リスク分析）	R06221リスク分析表（兼監査CL）の見直し
r）	R.A.12（委託先）	RA1201委託先管理台帳の見直し

5　当社は、マネジメントレビュー等の結果、PMSの変更の必要性に関する決定をしたとき、その変更は、R06000PMS年間計画書（兼運用確認記録）の見直しによって行う。

　Pマーク審査では、R07300PMS教育計画書（兼報告書）及びR09200PMS内部監査計画書（兼報告書）を確認します。

R.6.1　個人情報の特定
R.6.1.1　個人情報管理台帳の作成
　個人情報の特定とは、組織が取り扱う個人情報について、すべてを洗い出す作業のことです。

計画策定 **R.6**

　個人情報が紛失、漏えいした際に、関係機関への報告や公表において、どのような取扱いをしていたか、どれほどの人数の本人に賠償責任が発生するかを報告できるよう、記述してください。

R01000個人情報取扱規程　R.6.1個人情報の特定（J.3.1.1）

R.6.1.1「R06101個人情報管理台帳」の作成（J.3.1.1）

　当社は、目的外利用を行わないために事業の用に供するすべての個人情報を特定する。そのため、各部門長は、毎年 **R06000PMS 年間計画書（兼運用確認記録）** に定めた時期に、自部門で取り扱う個人情報について特定作業を行う。仮名加工情報、匿名加工情報、及び個人関連情報（当該個人関連情報が提供先の第三者において個人情報になることが想定される場合）を取り扱う場合も特定すること。

2　各部門長は、自部門で取り扱う個人情報について様式 **R06101個人情報管理台帳** を用いて洗い出しを実施し、各個人情報の取扱いについて明確にする。

　※ファイル名：部門名管理台帳＋作成年月日（例：営業課管理台帳20240301.xlsx）

R06101個人情報管理台帳の管理項目		
a）	個人情報の項目	氏名、住所、年齢、メールアドレス、学歴、職歴、クレジットカード情報、要配慮個人情報、個人番号など。
b）	種類	取扱いが同じ文書は、1行にまとめてよい。
c）	利用目的	できる限り具体的に特定する。
d）	保管場所	金庫、施錠キャビネット、鍵付袖机、サーバーなどを記載する。
e）	保管方法	紙媒体、PC上のデータ、サーバー上のデータなど媒体ごとに行を分け、常時施錠／終業時施錠／アクセス権限の最小化などを特定する。
f）	アクセス権	業務担当者、個人番号利用事務担当者、役職名などを記載する。
g）	利用期限	契約継続期間、在籍期間など、利用状況を基に期限を記載する。
h）	保管期限	利用期限経過後の法定保存期間などを考慮し廃棄・消去する期限を記載。
i）	取得・入力	本人から直接書面で取得か、受託で取得か、入力したものか、など。
j）	取得手段	手渡し、郵便、書留、宅配便、Ｗｅｂ、メールなど。
k）	件数	管理する個人情報の件数（概数でも可）。累積、年、月、回などの単位が必要。
l）	社内引渡先	原本やコピーの引き渡し先を記入。

75

JIS Q 15001:2023 規格本文

m)	開示区分	本人から直接取得する場合は、原則として開示対象となる。
n)	委託・提供先	○○税理士事務所、○○データセンターなど具体的な組織名を記載する。
o)	廃棄・返却	シュレッダー、廃棄業者、データ消去など。
p)	要配慮個人情報等	要配慮個人情報の有無、個人番号の有無を記載。
q)	リスク分析表	R06221リスク分析表（兼監査CL）へのリンク先を記載（安全対策はR06221リスク分析表（兼監査CL）に記載する。）

【参考：台帳に特定すべき個人情報】	
1)	採用応募者が提出した応募書類で、短期間であっても預かることのある情報
2)	従業者が提出した、履歴書、申請書、住民票、免許証等（本籍の記載があれば要配慮個人情報に準じて取り扱う。）
3)	従業者から取得した同意書、誓約書
4)	会社が、従業者から取得した情報を基に作成した、スキルシート、人事管理情報、保険、税務関係書類等
5)	会社が、従業者の昇進、賞与支給等のために作成した、人事考課書類等
6)	会社が、安全衛生法等に基づき作成した、従業者ごとの健診スケジュール、従業者が提出した健康診断書、ストレスチェック結果、医師の面接指導結果等
7)	派遣元から提供を受けた、派遣社員に関する個人情報
8)	顧客が提出した、申請書、申込書、アンケート等
9)	消費者から到着した、PC上のメーラーに保存された着信メール情報
10)	Web入力フォームの注文やお問い合わせ情報を保存したデータベース
11)	顧客からデータ処理や印刷、加工等のため受託した個人情報
12)	グループ会社と、共同利用しているグループ企業の従業者名簿
13)	個人情報を取り扱うシステムのバックアップデータ
14)	個人情報を取り扱うシステムのアクセスログ
15)	PMS運用で発生する、教育記録、入退室記録、訪問者記録等
16)	防犯カメラによって録画した情報（件数：録画保存期間）
17)	電話や、会議を録音した情報（件数：録音保存期間）

3　以下についてはR06101個人情報管理台帳に特定せずにRA1000安全管理規程5に取扱いルールを定める。

1)	従業者名が記載された業務報告書、議事録、稟議書等
2)	取引先と交わした契約書、見積書、請求書等のBtoB文書

計画策定 **R.6**

3）	ソフトウェア開発、運用の受託業務等で、常駐する客先において触れる可能性のある個人情報
4）	個人が管理する名刺
5）	各従業者のPCに到着したメール情報、アドレス帳
6）	会社貸与の携帯電話に保管された電話帳
7）	グループ企業のエクストラネット上で、閲覧のみ可能な他社の従業者情報
8）	本人確認のため閲覧するだけの書類（免許証、通知カード、番号カード等）
9）	お客様相談室における、電話メモで当日中にシュレッダーするもの

4　作成したR06101個人情報管理台帳は、共有サーバー上の　/PMS事務局/PMS提出用フォルダ　にファイルをアップロードすること。

　特定個人情報（個人番号が含まれる情報）については、番号利用法に定めた事務を行う場合を除き、取り扱うことができません。「要配慮個人情報等」の欄に、"個人番号"と記載し、保存期間を適切に記載して、誤って保管を継続しないよう注意してください。

　本書では、ファイル名のルールを規定しています。これにより共有サーバーに集まってきたファイルがどの部門のものかが明確になり、訂正されたときも旧版と区別することができます。

　また、PMS提出用フォルダのアクセス権限は、「書込み：OK」、「閲覧：OK」、「削除：不可」に設定し、訂正したいときは、ファイル名の日付などを変更して再度アップロードするルールとしてください。

R.6.1.2　業務フローの作成

　R06101個人情報管理台帳だけでは把握が困難な場合に、R06103業務フローによって「ライフサイクル」における取扱いを明確にすることにより、リスクアセスメント及びリスク対策の分析を容易にします。なお、個人情報管理台帳の記載において取扱いが明確な場合は、省略することもできます。

77

JIS Q 15001:2023 規格本文

R01000個人情報取扱規程　R.6.1.2「R06103業務フロー」の作成

　各部門長は、個人情報を取り扱う業務について、R06103業務フローを用いて、個人情報の取扱いについて、取得から廃棄に至るまでのライフサイクルの観点に基づき特定すること。新規事業を開始するときにも同様とする。

※ファイル名：部門名＋業務フロー＋作成年月日（例：営業課業務フロー20240301.xlsx）

業務フローは、以下のa）～g）の「ライフサイクル」の取扱いを明確にする。			
a）	取得・入力	取得	・本人から直接書面取得 ・受託、第三者提供、共同利用などで取得 ・Webサイトなどから本人が入力したデータを受信
		入力	・取得した個人情報を情報システムに入力
b）	移送・送信	移送	・交通機関、社用車などで、手持ちで持ち運ぶ ・郵便、宅配便などで送付
		送信	・電子メール添付ファイルで送受信 ・FAX送受信 ・ネットワーク回線で送受信
c）	利用・加工	利用	・サービスの提供、商品の発送など
		加工	・利用のための複写、複製、印刷、変更など
d）	提供	第三者提供	・第三者が利用可能な状態に置く
		共同利用	・特定の者との間で共同して利用
e）	委託		・個人情報の取扱いを、自社と同等の管理状態で他社に委ねる
f）	保管	保管	・紙、電子媒体をキャビネット、保管庫などに収納 ・電子データを共有ファイル・サーバーに保管 ・電子データをクラウド保管
		バックアップ	・電子データの遠隔地もしくは別の媒体に保管
g）	廃棄・消去・返却	廃棄	・媒体の廃棄
		消去	・電子データの消去
		返却	・媒体の返却

2　作成した、R06103業務フローを、共有サーバー上の　/PMS事務局/PMS提出用フォルダにアップロードする。

計画策定 **R.6**

R.6.1.3　個人情報管理台帳等の統合と承認

　個人情報保護管理者は、各部門から提出された R06101個人情報管理台帳について、事業で取り扱う個人情報がすべて特定されたかどうかを確認し、組織全体の個人情報管理台帳を作成します。

R01000個人情報取扱規程　R.6.1.3個人情報管理台帳等の承認

　個人情報保護管理者は、各部門長が提出した R06101個人情報管理台帳及び R06103業務フローを確認し、記載漏れなどがあれば再提出させることができる。

2　個人情報保護管理者は、各部門の R06101個人情報管理台帳を全社で統合し、ファイル名に承認した証として日付を付けて、共有ファイルサーバー上の部門長が閲覧のみ可能な　/PMS事務局/20xx年度/全社　に保管する。

3　個人情報保護管理者は、部門から提出された R06101個人情報管理台帳及び R06103業務フローを、共有ファイルサーバー上の部門長が閲覧のみ可能な　/PMS事務局/20xx年度/部門　に保管する。

4　個人情報保護管理者は、各部門長に対し、全社の R06101個人情報管理台帳の統合が終了し、承認したことを通知する。

　PMSの運用年度が替わったら、PMS提出用フォルダは空にして、部門長がいつでも提出できるよう準備しておきます。

R.6.1.4　個人情報管理台帳等の見直し

　各部門長は、毎年決められた時期だけでなく、以下のような場合には R06101個人情報管理台帳及び R06103業務フローの見直しを実施します。

R01000個人情報取扱規程　R.6.1.4個人情報管理台帳等の見直し（J.3.1.1）

　個人情報保護管理者は、毎年 R06000PMS年間計画書（兼運用確認記録）に従い、及び必要に応じて適宜、提出期限を定めて各部門長に R06101個人情報管理台帳及び R06103業務フローの見直しを指示する。

2　各部門長は、個人情報保護管理者から指示された時期以外に、必要に応じて以下の場合には、RA0101個人情報取得変更申請書に必要事項を記載し、R06101個人情報管理

79

JIS Q 15001:2023 規格本文

台帳及びR06103業務フローを見直して、共有ファイルサーバー/PMS事務局/PMS提出用フォルダ にファイル名の日付を更新して提出し、個人情報保護管理者にその旨メールで連絡する。

a)	個人情報の特定漏れに気付いたとき
b)	新しい個人情報取扱業務が発生したとき
c)	業務の変更・終了など、取扱いに変更が発生したとき
d)	R06101個人情報管理台帳の記載項目の内容に変更が生じたとき（ただし、件数など都度更新することが実務上適当でないと判断した場合は、年1回の更新のみでもよい）

R.6.2 リスク及び機会への取組

R.6.2.1 一般

リスクとは、"不確かさの影響"、"起こりやすさ"、"好ましくない方向"、"不備がある状態" などといわれています。

R01000個人情報取扱規程 R.6.2リスク及び機会への取組（J.3.1.2）

当社は、PMSの計画の策定に当たって、R.4.1（組織及びその状況の理解）で把握した課題及び、R.4.2（利害関係者のニーズ及び期待の理解）で特定した要求事項を考慮し、次の事項を実現できるよう個人情報保護リスクアセスメント及び個人情報保護リスク対応を行う。

a)	PMSが、その意図した成果を達成可能であるという確信を与える。
b)	望ましくない影響を防止又は低減する。
c)	PMSの継続的な改善を達成する。

2 リスク及び機会への取組に当たって、次の事項を計画する。具体的には、R.6.2.2の手順に従う。

d)	リスク及び機会に対処する活動
e)	d）の取組をPMSに統合及び実施する方法
f)	d）の取組の有効性の評価

計画策定 **R.6**

　2016年10月の法改正で、取扱件数が5,000件以下の事業者にも、法令遵守が求められることとなりました。個人情報保護法の条項から、〜してはならないこと、〜しなければならないこと、について、対策の事例を図表R.6-2に示します。

図表R.6-2　法令遵守対策の事例

個人情報保護法の条項（概要）		リスク対策の事例	サンプル規程
第17条	「利用目的」をできる限り特定しなければならない。	個人情報の利用目的を、「R06101個人情報管理台帳」に可能な限り特定する。	「R01000個人情報取扱規程」R.A.1（利用目的の特定）
第18条	利用目的の達成に必要な範囲を超えて、個人情報を取扱ってはならない。	「R06101個人情報管理台帳」を作成することにより、従業者に個人情報の利用目的を認識させる。	「R01000個人情報取扱規程」R.A.2（利用目的による制限）
第19条	違法又は不当な行為を助長し、又は誘発するおそれがある方法により個人情報を利用してはならない。	「RA0101個人情報取得変更申請書」により、利用目的の範囲を記載して、管理者の承認を得る。	「R01000個人情報取扱規程」R.A.3（不適正な利用の禁止）
第20条	偽りその他不正の手段により個人情報を取得してはならない。	委託元・提供元が適切に取得した個人情報であることを確認し「RA0401適正な取得チェックリスト」により、管理者の承認を得る。	「R01000個人情報取扱規程」R.A.4（適正な取得）
	あらかじめ本人の同意を得ないで、要配慮個人情報を取得してはならない。	第20条のただし書きを適用して、要配慮個人情報を取得する場合は、「RA0101個人情報取得変更申請書」により、管理者の承認を得た上で、本人に利用目的を通知し書面で同意を得る。	「R01000個人情報取扱規程」R.A.5（要配慮個人情報）
第21条	利用目的を、本人に通知し、又は公表しなければならない。	事業で取り扱うすべての個人情報の利用目的を、ホームページの「RA0601個人情報の取扱いについて」に公表する。	「R01000個人情報取扱規程」R.A.6（個人情報を取得した場合の措置）
		書面で取得する場合は、本人に通知し書面で同意を得る。「RA0701個人情報取扱明示・同意書（応募者）」「RA0702個人情報取扱明示・同意書（従業者）」「RA0704お問い合わせについて（Web）」など	「R01000個人情報取扱規程」R.A.7（本人から直接書面によって取得する場合の措置）

81

第22条	個人データを正確かつ最新の内容に保つとともに、利用する必要がなくなったときは、当該個人データを遅滞なく消去するよう努めなければならない。	個人データ等を利用する必要がなくなったときは、「RA1000安全管理規程」6（個人情報の返却・廃棄・消去）の手順に従い、当該個人データまたは個人情報を遅滞なく消去するよう努めるものとする。	「R01000個人情報取扱規程」R.A.9（データ内容の正確性の確保）「RA1000安全管理規程」
第23条	漏えい滅失又は毀損の防止のために必要かつ適切な措置を講じなければならない。	当社は取り扱う個人情報の漏えい、滅失又は毀損の防止その他の個人情報の安全管理のために、必要かつ適切な措置を講じるため「RA1000安全管理規程」を定め、これを維持する。	「R01000個人情報取扱規程」R.A.10（安全管理措置）「RA1000安全管理規程」

第23条参考:漏えいリスクの事例		必要かつ適切な措置の事例	サンプル規程
1.	領収証を他の人に発送してしまった。	・窓あき封筒を使用する。 ・発送前に複数の人でダブルチェック。	「RA1000安全管理規程」10.2
2.	メールの誤送信 BCCで発信すべきところを、CCで発信してしまった。	・一時保留機能で再チェック。 ・個人情報を件名に記載しない。 ・ファイル共有サービスを利用する。 ・社外にはBCCで送信する。	「RA1000安全管理規程」10.3
3.	移動中に書類やCDを紛失した。	・持出記録、返却記録を残す。 ・施錠鞄に入れ、手から離さない。 ・ファイルを暗号化する。 ・立ち寄りしない。	「RA1000安全管理規程」8.4、10.1
4.	ノートPCを電車の網棚に忘れた。 携帯を紛失した。	・端末ロック、遠隔ロックを設定する。 ・紛失に気がついたらすぐに報告する。 ・ファイルを暗号化設定する。 ・個人情報を格納しない。	「RA1000安全管理規程」8.4、10.1
5.	納品物を、受け取っていないと顧客からクレームがあった。	・授受記録を徹底（受け取った人のサインをもらう）	「RA1000安全管理規程」10.1
6.	営業のサーバーから顧客リストが外部に持ち出された形跡がある。	・アクセス権限を最小限にする。 ・ID、パスワードを他者に漏らさない。 ・パスワードのポリシーを設定する。 ・ログの保管と点検を行う。	「RA1000安全管理規程」9.1、9.4

計画策定 **R.6**

7.	後ろを通った人が情報を見ることができる。席を離れたときに情報を見られる。	・後ろを人が通らない場所に配置する。 ・席を離れるときには 画面表示を消す。 ・パスワード付きスクリーンセーバーを設定する。	「RA1000安全管理規程」11.1、11.2
8.	通信販売事業者の通信線が傍受された。	・通信線を暗号化する。（VPNなど）	「RA1000安全管理規程」9.3
第23条参考:滅失リスクの事例		必要かつ適切な措置の事例	サンプル規程
1.	ハードディスクがクラッシュした。	・外付けハードディスク等にバックアップを取る。 ・外部データセンターにバックアップを預ける。	「RA1000安全管理規程」9.5
2.	火災で賃金台帳が消失した。	・消火器を室内に設置する。 ・耐火金庫に収納する。 ・PDF化しバックアップをクラウドに保存する。	「RA1000安全管理規程」5.2、8.2
3.	停電で作成中のデータが消失した。	・UPS（無停電電源装置）を設置する。 ・ノートPCに変更する。	「RA1000安全管理規程」8.2
4.	顧客データを別のデータで上書きしてしまった。	・バックアップしてから作業を始める。 ・別名で保存してから訂正するなど、文書管理ルールの見直しを行う。	「RA1000安全管理規程」7
5.	ウイルス侵入でファイルが削除された。	・ウイルス対策ソフトウェアを導入する。 ・OS、アプリケーション等の最新版パッチを適用する。 ・発信者不明の着信メールは開いて閲覧しない。	「RA1000安全管理規程」9.3
6.	事務所荒らしでノートPCが盗まれた。	・施錠保管もしくはワイヤーロックする。 ・個人情報はサーバーに保管する。 ・シンクライアントを導入する。	「RA1000安全管理規程」5.2、8.2
第23条参考:毀損リスクの事例		必要かつ適切な措置の事例	サンプル規程
1.	原本をFAXし、詰まって破損した。	・フラットベッド型FAXを導入する。	「RA1000安全管理規程」8.1

83

	2. 悪意ある第三者が侵入し、データが書き変わってしまった。	・ファイヤーウォールを設定する。 ・「RA1094アクセスログ・Web点検記録」でアクセスログを取得し、定期的に点検を行う。 ・侵入監視ソフトウェアを導入する。	「RA1000安全管理規程」9
	3. 悪意ある第三者が侵入して、Webサイトが改ざんされてしまった。	・「RA1094アクセスログ・Web点検記録」でWebサイトを点検する。	「RA1000安全管理規程」9.7
第24条	従業者に対する必要かつ適切な監督を行わなければならない。	・「RA1032フロアマップ（セキュリティ区画）」で入退制限を行う。 ・「RA1042入退館安全確認記録簿」に入退を記録し、点検を行う。 ・「RA1094アクセスログ・Web点検記録」でアクセスログを取得し、定期的に点検を行う。	「R01000個人情報取扱規程」R.A.11（従業者の監督） 「RA1000安全管理規程」3、4、9.4
第25条	委託を受けた者に対する必要かつ適切な監督を行わなければならない。	・「RA1201委託先管理台帳」にて委託先の定期的評価及び点検を行う。 ・「RA1202委託先調査表A（シンプル)」等により選定を行う。 ・「RA1207業務委託契約書（標準)」を締結する。	「R01000個人情報取扱規程」R.A.12（委託先の監督）
第26条	個人データの漏えい、滅失、毀損その他の個人データの安全の確保に係る事態であって個人の権利利益を害するおそれが大きいものが生じたときは個人情報保護委員会に報告しなければならない。	・緊急事態に備え「R07431緊急連絡網」「R07432事故報告書」を整備する。 ・「速報」「確報」の報告手順を整備する。	「R01000個人情報取扱規程」R.A.13（漏えい等の報告等）R.7.4.3（緊急事態への準備）
第27条	あらかじめ本人の同意を得ないで、個人データを第三者に提供してはならない。	・「明示して同意を得るための書面」により同意を取得する。	「R01000個人情報取扱規程」R.A.14（第三者提供の制限）
第28条	外国にある第三者に個人データを提供する場合には、あらかじめ本人の同意を得なければならない。	・「明示して同意を得るための書面」により同意を取得する。 ・十分性認定のエビデンスを取得する。 ・個人データの取扱に関する契約を締結する。	「R01000個人情報取扱規程」R.A.15（外国にある第三者への提供の制限）

計画策定 R.6

第29条	個人データを第三者に提供したときは、当該個人データを提供した年月日、当該第三者の氏名又は名称その他の事項に関する記録を作成しなければならない。 2　個人情報取扱事業者は、前項の記録を、当該記録を作成した日から個人情報保護委員会規則で定める期間保存しなければならない。	・個人データ等を第三者に提供したときは、以下の内容について「RA1601第三者提供先（共同利用先）検証記録」を作成する。 ・「RA1601第三者提供先（共同利用先）検証記録」は、PMS事務局が（正）を3年超保管し、必要に応じて担当部門が、（控）を保管する。	「R01000個人情報取扱規程」R.A.16（第三者提供に係る記録の作成など）
第30条	第三者から個人データの提供を受けるに際しては、次に掲げる事項の確認を行わなければならない。 1.当該第三者の氏名又は名称及び住所並びに法人にあっては、その代表者（法人でない団体で代表者又は管理人の定めのあるものにあっては、その代表者又は管理人）の氏名 2.当該第三者による当該個人データの取得の経緯	・受託する場合、及び第三者から提供を受ける場合は、「RA0401適正な取得チェックリスト」によって、委託元又は提供元が個人情報を適正に取扱っていることを確認・選定し、個人情報保護管理者の承認を得る。	「R01000個人情報取扱規程」R.A.17（第三者提供を受ける際の確認など）
第31条	第三者が個人関連情報を個人データとして取得することが想定される場合であって、当該個人関連情報を当該第三者に提供するに際しては、個人関連情報の第三者提供の制限等に係る措置を行わなければならない。	・個人関連情報を利用する場合は、「RA0101個人情報取得変更申請書」「RA1601第三者提供先（共同利用先）検証記録」を用いて、個人情報保護管理者の承認を得る。	「R01000個人情報取扱規程」R.A.18（個人関連情報の第三者提供の制限等）
第32条	保有個人データに関し、本人の知り得る状態に置かなければならない。	・「RA0601個人情報の取扱いについて」をホームページに掲載し、保有個人データの利用目的を公表する。	「R01000個人情報取扱規程」R.A.19（保有個人データに関する事項の公表等）

第33条	本人から、保有個人データの開示を求められたときは、遅滞なく、開示しなければならない。	・本人は、組織に対し、当該本人が識別される保有個人データの開示を請求することができる。「RA2401個人情報開示等請求書兼回答書」を用いて、本人に開示する。	「R01000個人情報取扱規程」R.A.20（開示）、R.A.24
第34条	本人が識別される保有個人データの内容が事実でないときは、内容の訂正、追加又は削除（「訂正等」）を請求することができる。	・本人から、訂正等の請求等があった場合は、利用目的の達成に必要な範囲内において、遅滞なく必要な調査を行い、その結果に基づいて、当該保有個人データ等の訂正等を行い、無料でこれに応じる。	「R01000個人情報取扱規程」R.A.21（訂正等）、R.A.24
第35条	当該本人が識別される保有個人データが第18条若しくは第19条の規定に違反して取り扱われているとき、又は第20条の規定に違反して取得されたものであるときは、利用の停止又は消去（「利用停止等」）を請求することができる。	・本人から、保有個人データ等の利用停止等の請求等があった場合は、遅滞なく措置を講じ、無料で応じる。	「R01000個人情報取扱規程」R.A.22（利用停止等）、R.A.24
第36条	開示、訂正等、利用停止を求め、その措置をとらない旨を通知する場合は、理由を説明するよう努めなければならない。	・「RA2401個人情報開示等請求書兼回答書」には、対応できない理由を明記して、本人に通知する。	「R01000個人情報取扱規程」R.A.23（理由の説明）
第37条	開示等の求めに応じる手続などは、本人の利便を考慮した適切な措置をとらなければならない。	・「RA2401個人情報開示等請求書兼回答書」を、Webサイトからダウンロードできるようにして、郵送で受け付ける手順とする。	「R01000個人情報取扱規程」R.A.24（開示等の請求等に応じる手続き）
第38条	手数料を徴収する場合は、実費を勘案して合理的であると認められる範囲内において、その手数料の額を定めなければならない。	・開示等の請求、利用目的の通知については、1,000円（＋消費税）の切手同封とする。・訂正等、利用停止については、手数料を徴収しない。	「R01000個人情報取扱規程」R.A.25（手数料）
第40条	個人情報の取扱いに関する苦情の適切かつ迅速な処理に努めなければならない。	・ホームページの「RA0601個人情報の取扱いについて」に、苦情・相談窓口の連絡先を掲載する。・「R07421苦情相談報告書」を用意し、管理者に直ちに報告して対応する手順を定める。	「R01000個人情報取扱規程」R.A.27（個人情報取扱事業者による苦情の処理）

第146条	委員会は個人情報等の取扱いに関し、必要な報告若しくは資料の提出を求め、又は事務所その他必要な場所に立ち入らせ、個人情報等の取扱いに関し質問させ、若しくは帳簿書類その他の物件を検査させることができる。	・安全管理対策を講じた証として、記録を3年間保管し、個人情報保護委員会からの報告に対応可能とする。	「R01000個人情報取扱規程」R.7.5.1.2（文書化した情報のうち記録の管理）

R.6.2.2　個人情報保護リスクアセスメント

　個人情報保護リスクアセスメントにおいて重要なポイントは、講じるとした対策が既に規定されているかどうかを確認することです。

R01000個人情報取扱規程　R.6.2.2個人情報保護リスクアセスメント（J.3.1.3）

　各部門長は、個人情報保護リスクアセスメント（リスクを特定、分析及び評価）のプロセスとして、次の事項を踏まえて、R06221リスク分析表（兼監査CL）を作成し、個人情報保護リスクに応じた対策を検討すること。

a）	個人情報保護のリスク基準を確立するために、次の観点において、リスクの優先順位付けを行うためのリスクの大きさ及び種類を決定する。	
	1）	本人の権利利益の侵害
	2）	関連する法令等（規格、構築運用指針を含む）に対する違反
	3）	個人情報の漏えい、紛失、滅失・毀損、改ざん、正確性の未確保、不正・不適正取得、目的外利用・提供、不正利用、開示等の求め等の拒否に関する事項
b）	繰り返し実施した個人情報保護リスクアセスメントに、一貫性及び妥当性があり、かつ、比較可能な結果を生み出すことを確実にする。	
c）	個人情報保護リスク及び、リスク所有者を特定する。	
	1）	個人情報ライフサイクル（取得・入力、移送・送信、利用・加工、保管・バックアップ、消去・廃棄等に至る個人情報の取扱いの一連の流れ）
	2）	個人情報の性質（例えば要配慮個人情報）
	3）	個人情報に係る情報処理施設及び個人情報に係る情報システム（あらゆる情報処理のシステム、サービス若しくは基盤、又はこれらを収納する物理的場所）
	4）	既に講じている安全管理措置

JIS Q 15001:2023 規格本文

d)	個人情報保護リスクを分析・評価して、リスクレベルを決定する。	
	1)	c) で特定したリスクが実際に生じた場合に起こり得る結果について検討する。
	2)	c) で特定したリスクの現実的な起こりやすさについて検討する。
e)	次によって個人情報保護リスクを評価する。	
	1)	リスク分析の結果とa) で確立したリスク基準とを比較する。
	2)	リスク対応のために、分析したリスクの優先順位付けを行う。

2 検討した対策がRA1000安全管理規程又はその他の規程に既に規定されているかどうか確認し、R06221リスク分析表（兼監査CL）に、その規程名称と条項番号を記入する。規定されていない場合は「規程検討」と記入する。

3 個人情報保護管理者は、毎年R06000PMS年間計画書（兼運用確認記録）に従って、及び必要に応じて適宜、各部門長に提出期限を定めてR06221リスク分析表（兼監査CL）の見直しを指示する。

4 各部門長は、個人情報保護管理者から指示された時期以外にも、少なくとも以下の場合にはR06221リスク分析表（兼監査CL）の見直しを実施し、 共有ファイルサーバー/PMS事務局/PMS提出用フォルダ　にファイル名を更新して提出し、個人情報保護管理者にメールで連絡して承認を得る。

f)	R06103業務フロー及びR06101個人情報管理台帳を変更したとき
g)	業務に関連する法令・規範等の改正があったとき
h)	組織変更等により、業務の流れが変わったとき
i)	事業所の移転・模様替えなどで、安全管理上の変更が発生したとき
j)	情報システムの導入・変更など、セキュリティ環境が変わったとき
k)	緊急事態発生後、是正処置を講じるとき

　リスク所有者とは、当該リスクに関して対応を行う責任及び権限を有する者を指します。R06221リスク分析表（兼監査CL）では、取扱いが同じものについてグループ化して分析することができます。

　R06221リスク分析表（兼監査CL）に規程を記載するのは、以下の理由です。
a) 業務担当者が、常に規程を参照できるようにするため。
b) リスク対策は、必ず規定されていなければならないため。

計画策定 **R.6**

図表R.6-3　事例1：R06221リスク分析表（兼監査CL）（採用・従業者管理）

	代表者	PMS管理者	部門長	作成者
	承認	確認	作成	作成

不適合：①PMS構築・運用指針　②法令違反・指針・規範　③安全管理対策の不備

部門	管理部	業務名「採用・従業者管理」(個人番号関係事務を含む)		20　/　/	20　/　/	20　/　/	20　/　/
業務フロー	採用から従業者管理および退職に至る従業者情報管理業務						

ライフサイクル・業務名	台帳	台帳記載の個人情報名	取得手段入力	媒体	コピー	想定されるリスク	リスク対策	規程・様式	残留リスク	監査〇×	監査確認・指摘事項
取得／採用業務	1 2 3	履歴書 職務経歴書 成績証明書	本人・直接手渡し	紙	禁止	②利用目的の通知漏れ（法17条）	RA0101個人情報取得変更申請書	取扱規程R.A.7	－		
						①書面による同意の取得漏れ	面接キット「同意書（応募者用）」	取扱規程R.A.7	－		
						③漏えい（紛失）	保管管理者の限定	安全規程5	－		
							施錠管理	安全規程5	－		
	4	応募者からの同意書		紙	禁止	③漏えい（紛失）	保管管理者の限定	安全規程5	－		
							施錠管理	安全規程5	－		
移送	－	（応募書類の返却）	－	紙	－	③漏えい（紛失）漏えい（誤送付）	簡易書留で送付	安全規程10	－		
							送付表の保管	安全規程10	－		
利用	5	応募者リスト 採用結果票	面接者が記入	紙	禁止	②目的外利用（第18条）、正確性の確保（法22条：期限を超える保管）	「RA1051個人情報取得返却廃棄消去管理表」による確認	安全規程6			
取得／入社手続	1～23	入社時取得書類 従業者現況表 住民票 同意書	本人・直接手渡し	紙	禁止	②利用目的の通知漏れ	入社手続キット「同意書（従業者用）」	取扱規程R.A.7			
						①書面による同意の取得漏れ	RA1051個人情報取得返却廃棄消去管理表	安全規程3	－		
						③本人確認書類の放置	メモを取らない	安全規程5			
						②個人番号の不適正取得（番号利用法罰則第51条）	RA0405個人番号取扱記録簿	関係事務規程第3,4条	－		（監査時に特定個人情報に触れないこと）
保管／従業者管理						②正確性の確保等（法22条：期限を超える保管）	台帳見直し時の点検	安全規程4			
						③漏えい（紛失）	保管管理者の限定	安全規程5	－		
							施錠管理	安全規程5	－		

JIS Q 15001:2023 規格本文

規定されていないルールは、違反しても罰則の対象になりませんので、注意が必要です。

R06221リスク分析表（兼監査CL）の提出と承認にあたっては、提出日、確認日、承認日、そして誰が承認したかを明確にします。

なお、部門長が提出する、共有ファイルサーバー/PMS事務局/PMS提出用フォルダを、「書込み：OK」、「閲覧：OK」、「削除：不可」に設定して、個人情報保護管理者から、最終確認のメールの到着によって、承認に代えることができます。

R.6.2.3　個人情報保護リスク対応

R01000個人情報取扱規程　R.6.2.3個人情報保護リスク対応（J.3.1.4）

R06221リスク分析表（兼監査CL）で特定した個人情報保護リスクについて、各部門長は、以下の観点で対策を検討し、R10201是正処置報告書を用いて、対応計画を立案し、個人情報保護管理者に提出する。

a)	個人情報保護リスクアセスメントの結果を考慮して、適切な個人情報保護リスク対応の選択肢を選定する。
b)	選定した個人情報保護リスク対応の選択肢の実施に必要なすべての管理策を決定する。
c)	b)で決定した管理策を規格（付属書D）に示す管理策と比較し、必要な管理策が見落とされていないことを検証する。
d)	個人情報保護リスク対応計画を策定する。
e)	個人情報保護リスク対応計画及び現状で実施し得る対策を講じた上で残留している、個人情報保護リスクの受容について、リスク所有者の承認を得る。
f)	e)で把握した残留リスクを管理する。

2　各部門長は、作成したR06221リスク分析表（兼監査CL）を、共有ファイルサーバー/PMS事務局/PMS提出用フォルダ に提出し、個人情報保護管理者に報告する。個人情報保護管理者は、部門長が提出したR06221リスク分析表（兼監査CL）を確認し、記載漏れなどがあれば差し戻して再提出させることができる。

3　個人情報保護管理者は、部門長が提出したR10201是正処置報告書に基づき、具体的な規程の番号を立案し、トップマネジメントの承認を得る。

4　個人情報保護管理者は、規程を改定し、その改定内容をイントラネットにて全従業者

計画策定 **R.6**

に周知する。

5　R10201是正処置報告書によって検討した対策が、予算その他の事情で講じられない場合は、R06221リスク分析表（兼監査CL）に残留リスクとして記載し、トップマネジメントの承認を得る。

6　個人情報保護管理者は、残留リスクについて、必要に応じて関係者間で情報共有する等を行い、リスクが顕在化しないように注意喚起を図る。

7　PMS事務局は、残留リスクをR09102PMS安全管理点検表に優先順位を明らかにして転記し、少なくとも半期に一度、リスクに応じた頻度で点検を実施し、リスクが顕在化していないことを確認する。

8　R06221リスク分析表（兼監査CL）の保管

個人情報保護管理者は、承認した証として、R06221リスク分析表（兼監査CL）を、共有ファイルサーバーの個人情報保護管理者及び事務局のみがアクセスできる年度ごとのフォルダに保管する。

　個人情報保護の観点から、PMSには個人情報に関するリスクを許容するという考えはありません。でき得る限りの対策を講じることになります。経済的な事情などで対策を講じられない場合に"残留リスク"として認識し、日常的な点検や、内部監査の対象とします。

　例えば「教育不足」「対策が守られない」は、教育や点検をすればよいので残留リスクには該当しません。天災については考慮しなくてはなりませんが、対策を取ることができるものを対象としますので、残留リスク欄には通常記載しません。

　個人情報保護管理者は、部門で認識されたリスクが、全社で共通して発生すると判断した場合は、組織全体で講じるべき安全管理対策をR10201是正処置報告書によって検討します。

　なお、情報システムの利用は、全社的なリスク対策が必要なため、自社で導入した情報機器を洗い出した、RA1092情報ネットワーク構成図を対象にリスク分析を実施します。

JIS Q 15001:2023 規格本文

図表R.6-4　事例2：R06221リスク分析表（兼監査CL）（情報システム管理）

不適合：①PMS構築・運用指針　②法令違反・指針・規範　③安全管理対策の不備

	代表者	個人情報保護管理者	部門長	作成者
	承認②	承認①	確認	作成者

部門	情報システム部門				
資料	「RA1092情報ネットワーク構成図」	/	/	/	/

機能	想定されるリスク	リスク対策	規程・様式	残留リスク	監査○×	監査確認・指摘事項
経理システム（経理部）	③漏えい（不正アクセス）	アクセス権限を2名のみに設定	安全規程5	―		
		アクセスログ取得と点検	安全規程9.4	確認周期途中のかいざん		
	②③き損、誤入力、故障によるデータ損失（第22条正確性の確保）	担当者と部門長による二重チェック	安全規程7	―		
		バックアップ（NAS）の取得と施錠保管	安全規程9.5	―		
技術・営業	③漏えい、不正アクセス	アクセス権限を1名のみに設定	安全規程5	―		
		アクセスログ取得と点検	安全規程9.4	確認周期途中のかいざん		
	②③き損（誤入力、故障によるデータ損失）（第22条正確性の確保）	担当者と部門長による二重チェック	安全規程7	―		
		バックアップは共有ファイルサーバーで保存	安全規程9.5	―		
ノートPC、HDD、媒体の利用	③PC、外付けHDD、媒体の盗難	使用していないときの施錠管理	安全規程8.2	―		
	③PC、媒体の安易な持出	「RA1084情報機器「持出」許可申請書（OUT）」	安全規程8.4	―		
	③PC、媒体の置き忘れ・盗難	パスワード等の暗号化対策	安全規程8.4	―		
携帯端末の使用	③携帯端末の紛失	ストラップを付ける	安全規程8.6	―		
	③携帯端末の置き忘れ・盗難	パスワードロック、遠隔データ消去	安全規程8.6	―		
	③無線LAN接続	「RA1086携帯端末使用申請書」	安全規程8.6	―		
パスワード管理	③不正アクセス	パスワードは任意の英数字混合8桁以上	安全規程9.1	―		
ウイルス対策、セキュリティ対策	③ウイルス・アタック	PCには、ウイルスソフトの導入とパターン更新	安全規程9.3	―		
	③OSのセキュリティ・ホール	セキュリティパッチの自動適用	安全規程9.3	―		
メールの利用	③業務外のメールに振り回される	業務に無関係のメールの授受は禁止	安全規程10.3	―		
	②③メール誤送信（第27条第三者提供）	添付ファイルにパスワードを付加	安全規程10.3	―		
		外部にCC：で送信してはならない	安全規程10.3	―		
	③添付ファイルで感染	不審なメールの添付ファイルは開かない	安全規程10.3	なりすましメールに気づかない		
	②③個人情報の取得（第20条適正な取得）	適正に取得/同意を得て取得	取扱規程R.A.4	―		
		個人情報は、共有ファイルサーバーに保管	安全規程10.3	―		

92

支援 **R.7**

R.7 支援

　JIS Q 15001:2017以降、共通マネジメントシステムに沿うよう、支援は"資源"としての"力量"、そのための"認識"とされました。

R.7.1　資源

> **R01000個人情報取扱規程**　R.7.1資源（J.4.1）
>
> 　当社は、PMSの確立、実施、維持及び継続的改善に必要な資源を決定・確保し、利害関係者へ提供する。

　資源とは、人員、組織基盤（規程、体制、施設・設備）、資金などを指します。

R.7.2　力量

> **R01000個人情報取扱規程**　R.7.2力量（J.4.2）
>
> 　当社は、次の事項を行う。
>
> | a） | 組織の個人情報保護に影響を与える業務をその管理下で行う人々に対して、個人情報保護の観点から、従業者に必要とされる力量を決定する。 |
> |---|---|
> | b） | 適切な教育、訓練又は経験に基づいて、それらの人々が力量を備えていることを確実にする。 |
> | c） | 該当する場合には、必ず、必要な力量を身につけるための処置をとり、とった処置の有効性を評価する。 |
> | d） | a）～c）を実施した記録を利用可能な状態にする。 |
>
> 2　力量を備えていることを確実にするために、教育訓練の機会提供、指導、配置転換の実施、若しくは力量を備えた者の雇用や契約締結などを検討する。

　c）の、"該当する場合"とは、ある条件などに当てはまる場合のこと、と

93

JIS Q 15001:2023 規格本文

言われています。該当する状況によって、必要な力量や、処置の有効性の評価基準が異なりますので、ここでは、規格の文章をそのまま規定しています。

R.7.3 認識

必要な"力量"を身につけることを意味する"認識"を確実にするために、"教育"を実施します。

実行可能な計画を立案し（Plan）、実行（Do）し、評価（Check）し、是正（Act）し、継続的改善していく、一連のマネジメントシステムが、組織の課題解決に有効であることを認識することが重要です。

R01000個人情報取扱規程　R.7.3認識（J.4.3）

当社は、R06000PMS年間計画書（兼運用確認記録）及びR07300PMS教育計画書（兼報告書）に従い、少なくとも年1回、必要に応じて適宜に全従業者に業務内容に応じた教育を実施する。

2　当社は、全従業者に以下のa）〜d）を理解させるためR07302教育テキストを作成する。R07302教育テキストは、毎年見直す。

a)	R05210個人情報保護方針
b)	PMSに適合することの重要性及び利点
c)	PMSに適合するための役割及び責任
d)	PMSに違反した際に予想される結果

3　教育の内容には、上記のほか下記を含める。また、個人情報の取扱いに応じてR06221リスク分析表（兼監査CL）で検討した必要な対策について、重点的に教育する。

e)	R01000個人情報取扱規程（本規程）
f)	RA1000安全管理規程
g)	R05310個人情報保護体制
h)	R05320PMS役割責任一覧表
i)	R06101個人情報管理台帳
j)	R06221リスク分析表（兼監査CL）
k)	RA0601個人情報の取扱いについて
l)	R01050個人番号関係事務規程（対象者のみ）

支援 **R.7**

図表R.7-1　R07300PMS教育計画書（兼報告書）（一部）

		承認	確認	作成
20★年度 「PMS教育計画書（兼報告書）」		代表者 印	個人情報保護管理者 印	教育責任者 印
		20　/　/	20　/　/	20　/　/
教育区分	定期教育（達成期限：20 年　月　日）	実施日・資源	20　年　月　日～20　年　月　日	
教育目的	個人情報保護マネジメントシステム（PMS）の運用開始にあたって	実施時間 ①②③とも 定員30名	①本社1：月　日（月）10時～12時 ②本社2：月　日（木）13:30～15:30 ③○支店：月　日（金）10時～12時	
対象者	全従業者：60名（嘱託、派遣社員、出向社員、アルバイトも含む）	実施責任者	管理部：○○○○（内線xxx） kyoiku@xxxx.co.jp	
		実施場所	3階第一会議室／リモート接続PC	
実施事項	1　Pマーク取得の必要性	実施方法	座学方式／リモート講義	
	2　PMSとは～JIS Q 15001の要求事項	講師	オフィスマネジメント　斎藤講師	
	3　「R05210個人情報保護方針」	テキスト	・JIS Q 15001 教育テキスト ・「R01000個人情報取扱規程」 ・「RA1000安全管理規程」	
	4　PMS導入の重要性と利点			
	5　PMS適合の役割及び責任～体制について			
	6　PMSに違反した時に予想される結果	効果確認方法	①座学：理解度チェック用紙回答 ②リモート参加：電子回答	
	7　「R06101個人情報管理台帳」	通知方法	メール（一斉、一部個別）	
	8　「R06103業務フロー」	費用	無料	
	9　「R06221リスク分析表」	備考	①②③とも教育内容は同じです。	
	10　今後のスケジュール			

結果報告と評価方法		
参加者	定期教育：　　　　名/全従業者 不参加者、理解度不足者のフォローアップ：20　　年　月　　日に実施完了	
	新人教育：　　　　名/20★年度入社　　入社当日の13:30～15:30に実施	
理解度	テスト平均点：　　　　点　　　全員100点まで再実施した。 　　　　◇当社従業者の理解度が弱い点： 　　　　◇対策：	
次回教育 への反映	◇実施時期： ◇内容	
コメント	個人情報保護管理者：	
	代表者：	

　JIS規格では、全従業者にa）～d）を理解させるとしています。"PMSに適合する"とは、マネジメントシステムを用いて、PDCAサイクルを繰り返すことを前提としています。

　R07300PMS教育計画書（兼報告書）にもa）～d）を記載し、かつ実

95

JIS Q 15001:2023 規格本文

図表R.7-2　　R07302教育テキスト（一部）

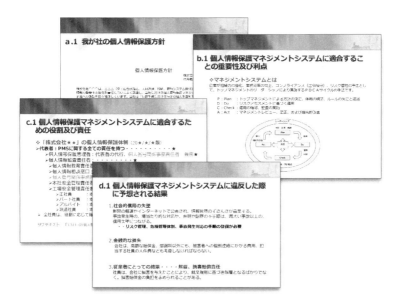

際の教育テキストに記述します。

教育を実施した場合は、セットで理解度確認を実施するのが原則です。

教育受講記録は、社員個別に管理できる「受講者リスト」を使用し、誰が受講していないかを把握し、最終的に対象者全員が受講したことを確認します。

R01000個人情報取扱規程　R.7.3認識（J.4.3）

4　全従業者に教育を実施したことを、R07300PMS教育計画書（兼報告書）の受講者リストで管理する。

5　受講者の理解度を確認するためR07303PMS理解度チェックシートを策定し実施する。満点に満たない者には、解説を加えてフォローアップし、全従業者が100%理解するまで継続する。

支援 **R.7**

図表R.7-3　R07300PMS教育計画書（兼報告書）受講者リスト

No.	社員番号	氏名	参加方法	受講日	理解度確認結果	フォローアップ要否	備考
1	F05012	○○○○子	①座学	11/5	65点	要	11/12再教育完了
2	M08008	□□□夫	②リモート		80点		
3	F16011	▷▷▷美	②リモート		98点		
4	M22005	◇◇◇◇郎	①座学		55点	要	11/12再教育完了

　新たに入社した従業者へは新人教育を、緊急事態が発生したときには随時教育を実施します。

R01000個人情報取扱規程　R.7.3認識（J.4.3）

6　以下の状況が発生した場合には、随時R07300PMS教育計画書（兼報告書）により、トップマネジメントの承認を得て教育を実施する。

m)	採用者に対する初回教育（業務に就く前に教育を実施する）
n)	事故等の緊急事態発生に関連する是正処置において、新たなルールを規定した場合
o)	施設の移転、設備の更新など、セキュリティルールの変更があった場合
p)	法令、国が定める指針その他の規範の改廃により、自社のPMSが見直された場合
q)	同業他社で発生した事故等から、自社の予防処置としてルールを見直した場合

　Pマーク更新審査の申請では、定期教育実施報告が必要です。また、緊急事態発生時の審査機関への報告では、上記ｎ）の報告が必要となります。

R01000個人情報取扱規程　R.7.3認識（J.4.3）

7　定期教育及び、随時の教育を含めて、1年間の教育の実施の結果について、R07300PMS教育計画書（兼報告書）を用いて有効性の評価を行い、次年度の教育への反映の提言を加えて、トップマネジメントに報告する。

JIS Q 15001:2023 規格本文

　R07300PMS教育計画書（兼報告書）には、受講者からの教育内容に対する評価や、講師等による教育受講者に対する評価なども記述すると、より客観的な報告書になります。

　教育の有効性評価の結果を、次年度の教育計画のインプット情報として反映させ、PMSのスパイラルアップを図ることは継続的改善の観点から重要です。

R01000個人情報取扱規程　R.7.3認識（J.4.3）

8　R07300PMS教育計画書（兼報告書）及びこれらに伴う記録（紙媒体、電子データ）は、PMS事務局で3年間保管する。

　記録は、紙媒体は年度ごとのバインダーに綴じ、電子データは年度ごとのフォルダに保存します。

R.7.4　コミュニケーション

R.7.4.1　一般

　組織が、本人から個人情報を"お預かり"するという概念の元で、本人や利害関係者とのコミュニケーションは重要です。

　コミュニケーションの手順を規定しておくことで、慌てずに迷うことなく対応することができます。

R01000個人情報取扱規程　R.7.4.1一般（J.4.4.1）

当社は、次の事項を含め、PMSに関連する内部及び外部のコミュニケーションを実施する必要性を決定する。

a)	コミュニケーションの内容（何を伝達するか。）	・R05210個人情報保護方針（組織の理念） ・RA0601個人情報の取扱いについて ・R07431緊急時連絡網（迅速に対応する手順）

98

支援 **R.7**

b)	コミュニケーションの実施時期	・個人情報を取得する場合：あらかじめ利用目的を通知 ・個人情報を取得した場合：通知又は公表 ・開示等請求対応 ・苦情及び相談対応 ・緊急事態発生（おそれを含む）時対応
c)	コミュニケーションの対象者	本人、利害関係者（従業者を含む）
d)	コミュニケーションの実施者	個人情報相談窓口、個人情報保護管理者等
e)	コミュニケーションの実施手順	R01000個人情報取扱規程（本規程）
f)	コミュニケーションの実施方法	ホームページ掲載／本人の希望する手段

　JIS規格では、コミュニケーションの"窓口"は、3種類あります。

図表R.7-4　コミュニケーションの窓口

	JIS　規格	窓口の表記
R.5.2.2	R05210個人情報保護方針	個人情報保護方針の内容についての問い合わせ先
R.7.4.2	苦情及び相談への対応	苦情及び相談の申立て先
R.A.19	保有個人データに関する事項の公表等	開示等の請求等の申出

　上記3つへの対応は、それぞれ目的が異なるため個別の手順とします。例えば、「苦情及び相談については、個人情報保護方針に記載の問い合わせ先にご連絡ください」と示すのは、適切ではありません。
　またコミュニケーションには、内部との報告・連絡・相談・承認等への対応や、R.7.4.2（苦情及び相談への対応）後の、R.A.26（個人情報取扱事業者による苦情の処理）、R.7.4.3（緊急事態への準備）で定めた手順による、R.A.13（漏えい等の報告等）が含まれます。

R.7.4.2　苦情及び相談への対応

　コミュニケーションの中でも、苦情・相談対応は、本人や利害関係者の権利を侵害している可能性があることから、法第40条では、個人情報の取扱い

99

JIS Q 15001:2023 規格本文

に関する苦情の適切かつ迅速な処理に努めなければならないとし、そのために体制の整備に努めなければならないとしています。

R01000個人情報取扱規程　R.7.4.2苦情及び相談への対応（J.11.1）

　当社は、個人情報の取扱い及びPMSに関して、本人からの苦情及び相談を受け付けて、法令に基づいた上で適切かつ迅速な対応を行う手順を確立し、維持する。

2　苦情・相談が寄せられた場合は、緊急事態発生に準じて取り扱うこととし、必要な体制として問合せ窓口責任者を任命し、R05320PMS役割責任一覧表に文書化する。

3　詳細な手順は、R.A.26（個人情報取扱事業者による苦情の処理）に規定する。

R.7.4.3　緊急事態への準備

R.7.4.3.1　緊急事態への準備

　通則ガイドライン（別添）（講ずべき安全管理措置）10-3組織的安全管理措置（5）には、漏えい等事案の発生時に、例えば次のような対応を行うための体制を整備しなければならないと規定しています。

・事実関係の調査及び原因の究明
・影響を受ける可能性のある本人への連絡
・個人情報保護委員会等への報告
・再発防止策の検討及び決定
・事実関係及び再発防止策等の公表　等

　"緊急事態は起こり得るもの"として、監視し、検知し、緊急対応し、復旧するための手順が文書化されている必要があります。緊急事態に気付いた者は誰でも、速やかに責任ある者まで連絡できるよう手順を定め、いつでも参照できるようにしておきます。

支援 **R.7**

R01000個人情報取扱規程　R.7.4.3緊急事態への準備（J.4.4.2）

当社は、個人情報が漏えい、滅失又は毀損の事象（おそれも含む）発生時に想定される経済的な不利益及び社会的な信用の失墜、本人への影響などの個人情報保護リスクを考慮し、その影響を最小限とするため、緊急事態を検知し、特定した緊急事態にどのように対応するかの手順を以下に定め、実施し、かつ維持する。

R.7.4.3.2　緊急事態の特定

　緊急事態発生に気づかず、認定個人情報保護団体や警察、個人情報保護委員会に直接持ち込まれた苦情によって、初めて緊急事態を認識するような事態にならないよう注意してください。そのため、従業者や委託先から、個人情報が漏れているかもしれない、個人情報が消えてしまったかもしれない、と心配して寄せられる情報については、放置せず、直ちに調査を開始することが重要です。

R01000個人情報取扱規程　R.7.4.3緊急事態への準備（J.4.4.2）

2　緊急事態の特定

　当社は、緊急事態の影響度に応じて以下の３つのA〜Cのレベルに区分けし定義する。委託先で発生した事故・事件についても同様に取り扱う。

レベル	影響度（起こりやすい場面）	予想規模	責任者
A重大	1.個人情報が社外へ流出（回収不能） 2.個人情報を滅失または毀損しサービス不能状態が継続 3.影響範囲が特定できず被害拡大のおそれ	多数の個人情報	トップマネジメント
B	1.個人情報が社外へ流出（回収可能） 2.個人情報を滅失または毀損しサービス不能状態（短時間） 3.影響範囲が特定でき被害拡大のおそれがない	特定の個人情報	トップマネジメント
C	上記に相当する事態が発生したが、事前に検知した。その結果、外部顧客、取引先に影響がないと判明した。	被害なし	個人情報保護管理者

101

JIS Q 15001:2023 規格本文

R.7.4.3.3　緊急時連絡網

　緊急事態発生時は、一瞬の判断の遅れが被害拡大にもつながります。また隠匿と疑われて信用失墜を招くことになりかねません。そのためにも、組織全体を対象とした R07431緊急連絡網 をいつでも参照できる状況にしておき、組織の決定や対応が迅速に行われるように準備します。

R01000個人情報取扱規程　R.7.4.3緊急事態への準備（J.4.4.2）

3　緊急事態に備え、あらかじめ R07431緊急連絡網 を策定し、全従業者が閲覧できる、イントラネットに掲示する。R07431緊急連絡網 には、個人情報保護委員会の連絡先及びURL、審査機関の連絡先及びURLを記載すること。また、R07431緊急連絡網 は、毎年事業年度開始日、及び組織変更時に見直す。

図表 R.7-5　R07431緊急連絡網

■緊急事態を発見した者は部門長を通じて、もしくは直接、個人情報保護管理者に連絡すること。

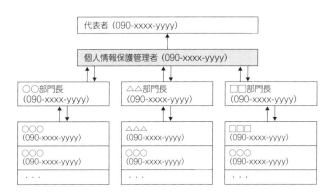

■本人への連絡：二次被害防止のため、まず漏えいの事実を本人に連絡しなければならない。手続きについては、個人情報保護管理者の指示に従うこと。
■関係連絡先
　(1) グループ会社　A社　総務部　○○○○　TEL：03-xxxx-yyyy
　(2) 業務委託元　B社　総務部　○○○○　TEL：03-xxxx-yyyy
■個人情報保護法に基づく報告等：「個人情報取扱規程」R.7.4.3を参照のこと。
　速報：発覚日から概ね3日～5日以内
　確報：発覚日から30日以内（不正の目的をもって行われたおそれがある場合は60日以内）

102

	関係機関	連絡先
1	審査機関	一般財団法人　日本情報経済社会推進協会 プライバシーマーク推進センター　事故対応グループ
		〒106-0032　東京都港区六本木一丁目９番９号 六本木ファーストビル12Ｆ TEL：03-5860-7565　　FAX：03-5573-0562
	https://privacymark.jp/system/accident/accident_jipdec.html	
2	個人情報保護委員会	〒100-0013　東京都千代田区霞が関３－２－１ 霞が関コモンゲート西館32階
	https://www.ppc.go.jp/personalinfo/legal/leakAction/	
3	認定個人情報保護団体 苦情相談連絡先 （個人情報保護委員会の権限が事業所管大臣に委任されている分野を除く）	一般財団法人　日本情報経済社会推進協会 認定個人情報保護団体事務局
		〒106-0032　東京都港区六本木一丁目９番９号 六本木ファーストビル内 TEL：0120-700-779　　03-5860-7565
	https://www.jipdec.or.jp/project/protection_org/complaint_processing.html	
4	○○警察		TEL：03-xxxx-yyyy

R.7.4.3.4　事故報告書

情報を正確に伝達するためには、**R07432事故報告書**の様式が必要です。

R01000個人情報取扱規程　R.7.4.3緊急事態への準備（J.4.4.2）

4　緊急事態が発生した時に備え、発見者からトップマネジメントまで、情報を正確に伝達するために、**R07432事故報告書**を規定し、全従業者が閲覧できる、イントラネットに掲示する。

a）	発見者	**R07431緊急連絡網**に従い、緊急事態発生部門及び関係者に報告する。
b）	緊急事態発生部門	・緊急事態発生部門の部門長は**R07432事故報告書**の発生速報欄に状況を記入し、速やかに個人情報保護管理者に報告する。
c）	個人情報保護管理者	・個人情報保護管理者は、２項のレベルＡ、Ｂ、Ｃのいずれに該当するかを判断し、トップマネジメントに報告する。 ・受託した個人情報の場合は、委託元に速やかに報告を行い、指示を仰ぐ。
d）	トップマネジメント	・「緊急対策会議」を招集し、４　緊急事態発生時の措置について、実施の可否及び方法を決定し、承認する。 ・緊急事態発生後の状況の変化に応じて、速やかに追加措置を講じる。

103

1 JIS Q 15001:2023 規格本文

図表R.7-6　R07432事故報告書（一部）

※該当する□を黒く塗りつぶすこと。

発生速報 緊急度レベル	発見日：20　年　　月　　日	区分：□社内　　□社外
	発見部門：	発見者：
	□A重大（多数の顧客）　□B（特定の顧客）　□C（事前に回収し被害なし）	

漏えいした情報の内容：　□個人番号　　□消費者情報　　□左記以外：
発生場所・発生状況：

添付書類：□無　□有：

緊急事態対策会議議事録：　　　議長：代表取締役　　　　場所：本社　★★会議室			
開催日時：	20　年　　月　　日　　　：00　～　　　：00		報告者
参加者：			議事録作成 20　/　/
a）本人連絡	□しない場合の理由と代替措置： ■する：連絡予定日：20　年　　月　　日　実施者： 　　　手段：□訪問　□電話　□メール　□文書/添付：　有　無		
b）社内公表	□しない　■する：公表予定日：20　年　　月　　日　実施者：		
c）関係機関 への連絡	■審査機関（JIPDEC）に連絡： https://privacymark.jp/system/accident/（フォームにより報告） ■速報：連絡予定日：20　年　　月　　日　実施者： □速報しない　□確報：連絡予定日：20　年　　月　　日　実施者：		
	□主務大臣への連絡　■しない　□する 連絡予定日：20　年　　月　　日　実施者：		
	□特定個人情報の事故：個人情報保護委員会 https://www.ppc.go.jp/legal/rouei/（フォーム報告） 　　　　　　　■速報：連絡予定日：20　年　　月　　日　実施者： □速報しない　□確報：連絡予定日：20　年　　月　　日　実施者：		
d）利害関係 者	□しない　□する：連絡予定日：20　年　月　日　実施者： 　　　手段：□訪問　□電話　□メール　□文書/添付：　有　　無		
e）警察	□しない □する：連絡予定日：20　年　　月　　日 　　実施者： 　　手段：□訪問　□電話　□メール 　　　　□文書/添付：　有　　無	代表者 計画の 承認	保護管理者 計画の 承認
f）自社HP 公表	□しない　□する：実施者： 公表予定日：20　年　　月　　日		
g）マスコミ 公表	□しない　□する：実施者： 公表予定日：20　年　　月　　日	20　/　/	20　/　/

104

支援 **R.7**

R.7.4.3.5　緊急事態発生時の措置

　緊急事態、もしくはそのおそれが発生した場合は、R.A.13（漏えい等の報告等）の手順に従う。

R.7.5　文書化した情報

　Pマーク審査では、PMSが適切に維持されているかどうかを客観的に確認します。確認する対象は主として文書で、第三者が見てもわかりやすく記述されていることが重要です。実施記録などはエビデンス（証憑）と呼ばれることがあります。

R.7.5.1　一般

R01000個人情報取扱規程　R.7.5.1一般（J.4.5.1）		
当社はPMSの基本となる次の要素を R07511PMS文書体系によって維持管理する。		
a）	R05210個人情報保護方針	
b）	内部規程	R01000個人情報取扱規程（本規程） R01050個人番号関係事務規程 RA1000安全管理規程
c）	様式	内部規程に定める手順上で使用する様式
d）	計画書	R06000PMS年間計画書（兼運用確認記録） R07300PMS教育計画書（兼報告書） R09200PMS内部監査計画書（兼報告書）
e）	記録	規格及び構築運用指針が要求する記録 当社がPMSを実施する上で必要と判断した記録
f）	その他個人情報保護管理者が、PMSを実施する上で必要と決定した文書化した情報： ※内部規程に準じて取り扱う	RA0601個人情報の取扱いについて R04100法令指針規範集 R05310個人情報保護体制 R05320PMS役割責任一覧表 R07431緊急連絡網 R07511PMS文書体系 R07512PMS記録台帳 RA1032フロアマップ（セキュリティ区画）

105

JIS Q 15001:2023 規格本文

R.7.5.1.1　内部規程

本書ではR05210個人情報保護方針、R01000個人情報取扱規程、R01050個人番号関係事務規程、RA1000安全管理規程、及び各種様式を準備しています。

R01000個人情報取扱規程　　R.7.5.1.1内部規程（J.4.5.4）

当社は自らのPMSが確実に適用できるように、以下の事項を含む内部規程を制定し、R07511PMS文書体系にて維持し、利用可能な状態にする。

JIS Q 15001要求事項		該当規程・様式
a）	法令、国が定める指針その他の規範の特定、参照及び維持に関する規定	R01000個人情報取扱規程R.4.1 R04100法令指針規範集
b）	当社の各部門及び階層における個人情報を保護するための役割及び責任に関する規定	R01000個人情報取扱規程R.5.3 R05310個人情報保護体制 R05320PMS役割責任一覧表
c）	個人情報を特定する手順に関する規定	R01000個人情報取扱規程R.6.1 R01050個人番号関係事務規程
d）	個人情報保護リスクアセスメント及びリスク対応の手順に関する規定	R01000個人情報取扱規程R.6.2
e）	JIS Q 15001附属書Aに規定する管理策に関する規定	
	1）個人情報の取得、利用及び提供に関する規定	R01000個人情報取扱規程R.A.1～8、R.A.14～18 R01050個人番号関係事務規程
	2）個人情報の適正管理（データ内容の正確性の確保等、安全管理措置、従業者の監督、委託先の監督）に関する規定	R01000個人情報取扱規程R.A.9～12 RA1000安全管理規程
	3）本人からの開示等の請求等に関する規定	R01000個人情報取扱規程R.A.19～25
f）	教育などに関する規定	R01000個人情報取扱規程R.7.3
g）	苦情及び相談への対応に関する規定	R01000個人情報取扱規程R.7.4.2

支援 **R.7**

h)	緊急事態への対応に関する規定	R01000個人情報取扱規程R.7.4.3
i)	文書化した情報の管理に関する規定	R01000個人情報取扱規程R.7.5
j)	監視、測定、分析及び評価、並びに内部監査に関する規定	R01000個人情報取扱規程R.9.1、9.2
k)	マネジメントレビューに関する規定	R01000個人情報取扱規程R.9.3
l)	不適合及び是正処置に関する規定	R01000個人情報取扱規程R.10
m)	内部規程の違反に関する罰則の規定	R01000個人情報取扱規程R.13「就業規則」

2　内部規程は、PMS事務局が立案し個人情報保護管理者を経由してトップマネジメントが承認する。

3　様式類は、PMS事務局が立案し個人情報保護管理者が承認する。

4　内部規程を改定する場合は、改定履歴を記載する。また承認者に示す場合、及び従業者に通知する場合には、改定箇所を色分けするなどして明確にする。

　記録を作成する場合、ファイル名は内容に即して発見しやすい名称をつける必要があります。**RA1000安全管理規程7.1**（個人情報の正確性の確保）を参考にしてください。

R.7.5.1.2　この規格が要求する記録

　記録は、定期的に作成される文書です。

R01000個人情報取扱規程　R.7.5.1.2この規格が要求する記録（J.4.5.5）

　PMS及び、規格の要求事項への適合性を実証するために必要な記録は、以下のa)〜k)を含めてR07512PMS記録台帳に規定し、その保管期間、保管場所、保管方法に従い、維持管理する。

a)	法令，国が定める指針及びその他の規範の特定に関する記録	R04100法令指針規範集

107

JIS Q 15001:2023 規格本文

b)	個人情報の特定に関する記録		R06101個人情報管理台帳 R06103業務フロー
c)	個人情報保護リスクアセスメント及び個人情報保護リスク対応に関する記録		R06221リスク分析表(兼監査CL)
d)	次の事項を含む管理策で要求する記録		
	1.	利用目的の特定に関する記録	R06101個人情報管理台帳 RA0101個人情報取得変更申請書
	2.	保有個人データ等に関する開示等の請求等への対応記録	RA2401個人情報開示等請求書兼回答書
	3.	第三者提供に係る記録	RA0401適正な取得チェックリスト
	4.	第三者提供に関する開示等(利用目的の通知、開示、内容の訂正、追加又は削除、利用の停止又は消去、第三者提供の停止)の請求等への対応記録	RA2401個人情報開示等請求書兼回答書
	5.	個人情報の適正管理への対応記録	RA1000安全管理規程に規定する各記録 RA1201委託先管理台帳 RA1202〜5委託先調査票 RA1211委託業務指示書
e)	教育などの実施記録		R07300PMS教育計画書(兼報告書)
f)	苦情及び相談への対応記録		RA2600苦情相談報告書
g)	緊急事態への対応記録		R07431緊急連絡網 R07432事故報告書
h)	監視、測定、分析及び評価の記録		R06000PMS年間計画書(兼運用確認記録) R09101運用確認報告書 R09102PMS安全管理点検表
i)	内部監査の記録		R09200PMS内部監査計画書(兼報告書) R09202適合性監査CL(兼報告書) R06221リスク分析表(兼運用監査CL)他
j)	マネジメントレビューの記録		R09321マネジメントレビュー議事録
k)	不適合及び是正処置の記録		R10201是正処置報告書

支援 **R.7**

R.7.5.2 文書化した情報の作成及び更新

R01000個人情報取扱規程　R.7.5.2文書化した情報の作成及び更新(J.4.5.3)

規格及びPMS構築・運用指針で要求されている文書化した情報は、次の事項を確実にするために管理する。詳細の手順は**RA1000安全管理規程** 7 （個人情報の管理）に定める。

a)	適切な識別及び記述 ※発行及び改正に関すること。	・文書には、タイトル、日付、作成者、参照番号を付加する。 ・承認が必要な文書には、承認者、承認日付を明確にする。 ・改正の内容と版数との関連付けを明確にする。
b)	適切な形式及び媒体	・文書は、読みやすさが保たれるよう、指定された言語及びソフトウェアを用いる。 ・図表、フォント、スタイルを統一する。 ・用紙サイズはA4を基本とする。 ・電子媒体は使用を禁止する。
c)	適切性及び妥当性に関する、適切なレビュー及び承認	・文書は**R05320PMS役割責任一覧表**に基づき承認を得ること。 ・外部に発信する文書は、部門長の承認を得ること。 ・契約書は、法務部の検閲を受けること。

　承認の証は、文書そのものに押印し、日付を記載するのが一般的ですが、グループウェアの承認フローや、メールによる承認など、企業のルールに従う場合は、**R01000個人情報取扱規程**もしくは**RA1000安全管理規程**に手順を規定します。

R.7.5.3 文書化した情報の管理

　文書の保管責任者は、個人情報保護管理者ですが、事務局など、文書保管担当者を任命して紛失防止に努めてください。

R01000個人情報取扱規程　R.7.5.3文書化した情報の管理（J.4.5.2）

文書化した情報は、次のａ）及びｂ）の事項を確実にするために管理し、ｃ）～ｆ）の行動に取り組む。詳細の手順は**RA1000安全管理規程** 7 （個人情報の管理）に定める。

109

JIS Q 15001:2023 規格本文

a)	文書化した情報が、必要な時に、必要なところで、入手可能、かつ、利用に適した状態である。	・PMS文書（規程類、様式）はR07511PMS文書体系をイントラネットのPMSフォルダに最新版を掲示する。 ・様式は、ダウンロードできるようにする。 ・PMS文書の発行及び改定を行ったときは、従業者にメールで通知する。
b)	文書化した情報が十分に保護されている。	・規程類は、機密性の喪失、不適切な使用又は完全性の喪失からの保護のため、RO（Read Only）とし、訂正不可としたPDF形式で周知する。
c)	配布、アクセス、検索及び利用	・R07511PMS文書体系は、文書番号順にソートして掲示し、容易に検索及び利用可能とする。
d)	読みやすさが保たれることを含む、保管及び保存	・規程類には、目次を設定し、該当ページにリンク設定する。 ・記録は年月日をファイル名の末尾に付加し、年度ごとのフォルダに保存して、従業者には最新版を周知する。
e)	変更の管理	・規程類の改定を行ったときは、改定履歴に改定内容と版数との関連付けを明確にする。
f)	保持及び廃棄	・規程類の旧版文書は、個人情報保護管理者及びPMS事務局のみがアクセスできる年度ごとのフォルダに永久保存する。 ・記録はR07512PMS記録台帳記載の期間、年度ごとのフォルダに保管する。 ・保管期間を経過した記録は、**RA1000安全管理規程**7.7（個人情報の返却・廃棄・消去）に従い処分する。

2 　PMSに必要となる外部からの文書化した情報は、必要に応じて特定し、管理すること。

　本書では、PMS文書の原本は、**RA1000安全管理規程**7.6（社内公開文書の周知）で電子データとしています。そのためバックアップを別媒体で取って滅失を予防します（**RA1000安全管理規程**9.5（バックアップ））。

　紙媒体を原本として保管する場合は、**RA1000安全管理規程**7.6（社内公開文書の周知）に、その旨規定してください。

　PMS文書を改定する場合は、まず前年度文書を前年度フォルダ（例：2022年度文書）に保管し、当年度フォルダ（例：2023年度文書）に前年度のファイルをコピーして、改定作業に取りかかります。改定箇所がわかるよう、訂正・追加は赤字で入力し、削除は消し線を使います。

　規程類の先頭ページには、改定日、改定内容を記載します。

支援 **R.7**

　Ｐマークの更新サイクルは２年ごとで、現地審査では、少なくとも直近１年間の記録を確認します。

　PMSの継続性の観点から、記録の原本は２年以上保管する必要があります。なお、第29条（第三者提供に係る記録の作成等）及び、個人情報保護委員会規則第二十一条では、３年超の保管を求められる場合もあるため、本書のR07512PMS記録台帳の事例では、保管期限を原則３年としています。

　なお、事故報告書、マネジメントレビュー議事録、是正処置報告書など、組織のPMSを遡って振り返る場合に有効な記録は、保管期間を"永久"とすることができます。

図表R.7-7　R07512PMS記録台帳（一部）

20★年★月★日作成
個人情報保護管理者

※保管期間：作成日からn年を超過した年度末までとする。
　　　　　　永久は、トップマネジメントが不要と判断した時期までとする。
　　　　　　本台帳記載以外の個人情報の保管期間は、個人情報管理台帳に個別に定める。
　　　　　　保管期間は、電子データ、紙ともに同じとする。
※保管部門：（個）＝個人番号関係事務担当部門。
　　　　　　PMS事務局に提出した記録は、部門で［控］を保管することができる。
※保管方法：電子データの場合アクセス権限を最小限とし、イントラネット上ではRead Onlyとする

	記録名	★番号利用法関連	保管期間	保管部門	保管方法
1	R04100	法令指針規範集	3年	PMS事務局	
2	R05310	個人情報保護体制	3年	PMS事務局	
3	R05320	PMS役割責任一覧表	3年	PMS事務局	
4	R06101	個人情報管理台帳	3年	各部	常時施錠
5	R0610x	業務フロー（標準形式）	3年	各部	常時施錠
6	R06221	リスク分析表（兼監査CL）	3年	各部	
7	R06001	Ｐマーク取得スケジュール（兼運用確認記録）	3年	PMS事務局	
8	R06000	PMS年間計画書（兼運用確認記録）	永久	PMS事務局	
9	R07300	PMS教育計画書（兼報告書）	3年	PMS事務局	

111

R.8 運用

JIS Q 15001:2023は、個人情報保護法を引用していますが、法には、運用に関する条文はありません。そのため、個人情報保護要求事項を満たすため、組織が取り扱う個人情報に応じて、運用のプロセスに関する基準を設定し、実施するという、マネジメントシステムの原則を宣言しています。

R.8.1 運用の計画及び管理

R01000個人情報取扱規程　R.8.1運用の計画及び管理（J.5.1）

当社は、次に示す事項の実施によって、個人情報保護要求事項を満たすため、及びR.6（計画）で決定した取組を実施するために必要なプロセスを計画し、実施し、かつ管理する。また、組織は、R.6.3（個人情報保護目的及びそれを達成するための計画策定）で確立した個人情報保護目的を達成するため、次の事項を含む計画を実施する。

a)	プロセスに関する基準の設定
b)	その基準に従った、プロセスの管理の実施

2　PMSを確実に実施するために、運用の手順をR.7.5.1.1（内部規程）に定める。

3　当社は、プロセスが計画どおりに実施されたと言う確信をもつために必要とされる、文書化した情報を利用可能な状態にする。

4　当社は、計画した変更を管理し、意図しない変更によって生じた結果をR.9（パフォーマンス評価）の手順でレビューし、必要に応じて、有害な影響を軽減する処置をとる。

5　当社は、PMSに関連する、外部委託した業務がある場合はR.A.12（委託先の監督）に基づき、管理の対象とする。

6　当社は本項についての記録を、R.7.5.1.2（文書化した情報のうち記録の管理）に基づき保持する。

パフォーマンス評価 **R.9**

R.9 パフォーマンス評価

　個人情報保護法には、パフォーマンス評価についての条文はありません。組織が個人情報保護要求事項を満たすことを確実にするには、JIS Q 15001 規格に従い、評価することが有効な手段となります。

　パフォーマンス評価には、下記の２通りの手段があります。

a）監視、測定、分析及び評価：個人情報保護管理者以下、全社、各部門、各階層の管理者が自ら行う運用の確認

b）内部監査　　　　　　　　：個人情報保護監査責任者が、被監査部門から独立して第三者的な視点で行う点検

R.9.1　監視、測定、分析及び評価（J.6.1）

R01000個人情報取扱規程　R.9.1監視、測定、分析及び評価（J.6.1）

　当社は、PMSが適切に運用されていることが、各部門及び階層において定期的に、及び適宜に確認できる手順を確立し、維持し、利用可能な状態にする。

a）	監視及び測定が必要な対象 これには、個人情報保護プロセス及び管理策を含む。	R01000個人情報取扱規程 R01050個人番号関係事務規程 RA1000安全管理規程
b）	監視、測定、分析及び評価の方法	R06000PMS年間計画書（兼運用確認記録） R09101運用確認報告書 R09102PMS安全管理点検表
c）	監視及び測定の実施時期	R06000PMS年間計画書（兼運用確認記録）に定めた時期
d）	監視及び測定の実施者	個人情報保護管理者及び各部門及び階層の管理者
e）	運用状況の分析及び評価の時期	R06000PMS年間計画書（兼運用確認記録）に定めた時期、及び適宜
f）	運用状況の分析及び評価の実施者	個人情報保護管理者

113

JIS Q 15001:2023 規格本文

2　各部門長は、R09102PMS安全管理点検表によって、毎月月初にPMSが適切に運用されているかどうかを確認し、個人情報保護管理者に報告する。
3　各部門長は、不適合が確認された場合は、R.10（改善）の手順に従って、その是正処置を行う
4　個人情報保護管理者は、R09102PMS安全管理点検表の結果を、毎月R06000PMS年間計画書（兼運用確認記録）にとりまとめて、適宜トップマネジメントに報告する。
5　個人情報保護管理者は、運用の確認の状況をR09101運用確認報告書にとりまとめて、個人情報保護パフォーマンス及びPMSの有効性を評価し、R.9.3（マネジメントレビュー）の手順に従って定期的に、及び適宜にトップマネジメントに報告する。
6　R09101運用確認報告書は、PMS事務局が管理する年度ごとのフォルダに永久保存する。

R.6（計画策定）で解説した、R06000PMS年間計画書（兼運用確認記録）は、名称が示すとおり、計画どおりに運用されたかどうかを確認する様式として兼用します。

図表R.9-1　R06000PMS年間計画書（兼運用確認記録）（一部）

		20★年	1月	2月	3月	4月	5月	6月
①	マネジメントレビュー（次年度計画策定・承認を含む）（是正処置など状況に変化があった際には随時見直し）							
②	「R04100法令指針規範集」改定確認（改定を確認した際には、随時見直し）						1 /	
③	「R06101個人情報管理台帳」見直し（取扱に変更があった際には随時見直し）				1 /			
④	「R06221 リスク分析表」の見直し（取扱に変更があった際には随時見直し）					1 /		
⑤	「R07300PMS教育計画書（兼報告書）」（採用者には採用初日に教育）			15 /				
⑥	「R09200PMS内部監査計画書（兼報告書）」（状況に変化があった際には臨時監査を実施）							
⑦	全社「RA1201委託先管理台帳」（「委託先調査票」が陳腐化していないかの点検を含む）							/

パフォーマンス評価 **R.9**

計画策定時に個別に確認時期を定め、上段に予定日、下段に実施した日を記入し、進捗管理をすることになります。実施日は手書きでもかまいません。

R.9.2 内部監査

R.9.2.1 一般

内部監査は、PDCA の C = Check にあたり、1 年間の PMS の運用について第三者の視点でチェックすることです。

監査の時期については、R06000PMS 年間計画書（兼運用確認記録）に定めますが、事業の繁忙期を避ける必要があります。また全従業者への定期教育が実施され、個人情報の特定とリスクアセスメントが実施され、運用が開始された後に行います。

個人情報保護監査責任者は、組織上の役職などと関わりなく、全部門の監査を実施する権限を持ちます。トップマネジメントや個人情報保護管理者は、個人情報保護監査責任者を兼務することはできません。自分を監査してはならないというルールがあるからです。

R01000個人情報取扱規程　R.9.2.1一般（J.6.2）

当社は、PMS が次の状況にあるか否かに関する情報を提供するために、あらかじめ **R06000PMS 年間計画書（兼運用確認記録）** に定めた間隔で年 1 回以上、さらに必要に応じて適宜に内部監査を実施する。

a）	次の事項に適合している。（適合性監査）
1.	PMS に関して、当社が規定した要求事項： ・個人情報保護法、関連法令及び関連ガイドライン ・プライバシーマークにおける PMS 構築・運用指針
2.	JIS Q 15001：2023規格の要求事項
b）	PMS が有効に実施され、維持されている。

2 当社は、個人情報保護監査責任者の職務として、内部監査の計画及び実施、結果の報告に関する責任及び権限について以下を定め、これに伴う監査記録の保持等に関する責任等、詳細の手順を、R.9.2.2に定める。

115

JIS Q 15001:2023 規格本文

c)	内部監査計画	1)	個人情報保護監査責任者は、監査の時期についてR06000PMS年間計画書（兼運用確認記録）に定めた時期より1ヶ月以上前に、全社全部門を対象にした日程、及び監査員を明確にしてR09200PMS内部監査計画書（兼報告書）を策定しトップマネジメントの承認を得る。
		2)	監査計画書には、R.6（計画）で示したh）～l）を含める。
		3)	監査実施日の1ヶ月前までにR09201PMS監査実施通知（メール文）によって、被監査部門に通知する。
d)	内部監査の実施		個人情報保護監査責任者は、監査プロセスの客観性及び公平性を確保する監査員を選定し、内部監査を実施する。 ・個人情報保護監査責任者は、監査員に、自己の所属する部署の内部監査をさせてはならない。 ・個人情報保護監査責任者は、監査員を兼ねることができる。
e)	結果の報告		個人情報保護監査責任者は、監査の結果をトップマネジメントに報告する。
f)	記録の保持		監査の記録は、トップマネジメントから個人情報保護管理者に回付され、PMS事務局で保管する。

　ただし、2名しかいない小規模事業者の場合、トップマネジメントは個人情報保護管理者を兼務し、個人情報保護監査責任者は他の者を指名してください。

　監査体制は、個人情報保護監査責任者と監査員で構成されます。監査室、品質管理部など既存の組織を活用することが近道ですが、監査の経験が無くても、監査員教育を行って監査を実施させることもできます。監査員の育成と監査経験は、組織にとって教育的、組織的効果が期待できます。

　監査員は外部の者に依頼することもできますが、監査の指示、監査報告書の作成、トップマネジメントへの報告については、個人情報保護監査責任者が行います。

　企業の監査役は、内部統制上の機能制限により個人情報保護監査責任者だけでなく個人情報保護体制に参加することはできませんので注意してください。

パフォーマンス評価 **R.9**

図表R.9-2　R09200PMS内部監査計画書（兼報告書）（一部）

代表者	PMS監査責任者
計画承認	計画報告

（20　★年1月1日〜20　★年12月31日）

標題の件、個人情報取扱規程 R.9.2（内部監査）に基づき、下記のとおり
実施致したくご承認願います。

計画:20　/xx/xx	計画:20　/xx/xx

個人情報保護監査責任者：取締役　○○○○室長　○○○○○○

達成期限：20　年　月　日	

監査目的及び 実施事項	1.JIS等の適合性監査	当社PMSへの、JIS Q 15001／構築運用指針など、利用した「基準」への適合状況の監査
	2.PMS運用監査	当社PMSにおいて、リスク分析の結果講じるとした対策の運用状況の監査 及び、体制、施設・設備、情報システムの運用監査

監査日程 必要な資源	1.JIS等の適合性監査	個人情報保護管理者	1．実施予定	20　/xx/xx（○）xx時〜xx時xx分
	2.PMS運用監査	全社及び全部門	2．実施予定	20　/xx/xx（○）xx時〜xx時xx分
	監査テーマ：			

監査担当者は被監査部門でないこと　｜　以下は、監査実施後に記入（※監査時間には、適宜休憩を含む）

	被監査部門	監査担当者	監査実施日	監査結果
☆	PMS管理者／PMS事務局 「R09203JIS適合性監査CL」	○○○○部　○○○○○	20 / / 10:00〜12:00	不適合：　件（軽微：　件、重大： 件）
①	PMS管理者／PMS事務局 「R09205PMS体制運用監査CL」	○○○○部　○○○○○	20 / / 13:00〜13:30	不適合：　件（軽微：　件、重大： 件）
②	PMS管理者／総務部長 「R09206施設設備の安全性CL」	○○○○部　○○○○○	13:30〜14:00	不適合：　件（軽微：　件、重大： 件）
③	PMS管理者／情シ部長 「R09207情シ運用の安全性CL」	○○○○部　○○○○○	14:00〜14:30	不適合：　件（軽微：　件、重大： 件）
④	○○○○部長／担当者 「R06221リスク分析表（兼監査CL）」	○○○○部　○○○○○	14:30〜15:00	不適合：　件（軽微：　件、重大： 件）
⑤	○○○○部長／担当者 「R06221リスク分析表（兼監査CL）」	○○○○部　○○○○○	15:00〜15:30	不適合：　件（軽微：　件、重大： 件）
⑥	○○○○部長／担当者 「R06221リスク分析表（兼監査CL）」	○○○○部　○○○○○	20 / / 13:00〜15:00	不適合：　件（軽微：　件、重大： 件）

監査結果・評価方法	【監査責任者の所見】 1．JIS等の適合性監査について 2．PMS運用体制及び運用監査について 3．施設・設備・情報システムの安全管理について 　★総括：	不適合　計：　　件
	【軽微な不適合】 1．JIS等の適合性監査について 2．PMS運用体制及び運用監査について 3．施設・設備・情報システムの安全管理について	軽微な不適合　計：　　件
	【重大な指摘事項】 1．JIS等の適合性監査について 2．PMS運用体制及び運用監査について 3．施設・設備・情報システムの安全管理について	重大な不適合　計：　　件

PMS管理者は、本紙の写しと該当チェックリ
ストを不適合発生部門に送付すること。
不適合発生部門の部門長は
指摘事項1件ごとに「R10200是正処置報告書」
を作成してPMS管理者に提出すること。

PMS管理者	←原本回付 （チェックリス トを含む）	代表者	PMS監査責任者
回付		報告受理	結果報告
報告20/xx/xx		報告20　/xx/xx	報告20　/xx/xx

117

JIS Q 15001:2023 規格本文

R.9.2.2 内部監査プログラム

R09200PMS内部監査計画書（兼報告書）には、R.6（計画策定）3で示したh）～l）を含めて、具体的な計画を立案します。

h）	実施事項	実施区分、計画の目的、趣旨、監査テーマ
i）	必要な資源	実施日、対象部門、実施場所、使用する監査チェックリスト、監査員
j）	責任者	実施責任者
k）	達成期限	実施結果報告日
l）	結果の評価方法	監査チェックリスト、監査報告書

監査時間は業務の規模によって異なりますが、監査する側からの質問だけでなく被監査部門の意見を聴取する場でもあることを認識し、1部門に対し1.5時間から2時間程度見ておくとよいでしょう。

R01000個人情報取扱規程　R.9.2.2内部監査プログラム（J.6.2）

当社は、内部監査プログラムを計画し、確立し、実施し、維持する。これには、その頻度、方法、責任及び計画策定の要求事項及び報告を含む。

1）	監査計画及び監査目的	1年間のPMSの状況について、R.9.2.1 a）及びb）に適合していることをR09200PMS内部監査計画書（兼報告書）に従って少なくとも年1回、必要に応じて適宜、監査を実施する。 ・関連するプロセスの重要性、取り扱う個人情報の業務の特性について考慮する。 ・前回までの監査の結果を考慮し、前回の監査結果の指摘事項については、当年度の監査項目に含める。 ・トップマネジメントや個人情報保護管理者が必要と判断したときに、監査目的を明確にして臨時の監査を計画し、トップマネジメントの承認を得てこれを実施することができる。
	監査基準	監査テーマを特定し、使用する監査チェックリスト（以下「CL」と呼ぶ）を確定する。
	監査範囲	当社の事業の用に供する個人情報を取り扱うすべての業務、従業者、情報システム等を含める。

2）	監査員の選定および監査の方法）	・個人情報保護監査責任者は、監査員を社内又は社外から選任することができる。社内から選任する場合は、監査員が所属する各部門長に対し、監査のための訓練及び監査実施日程を明確にして、監査員が職務を離れることについて通知し、各部門長は特別な事情のない限りこれを了承する。 ・監査員を社外から選任する場合は、契約書に、監査方法、監査実施期間、監査報告書の様式と提出期限、記録の廃棄・消去、及び守秘義務などの条項を定めるものとする。 ・監査員は、自ら所属する部門を監査してはならない。 ・監査員は、要配慮個人情報及び、特定個人情報を閲覧してはならない。 ・監査員は監査の実施において、独立性と客観性を堅持し、誠実に監査を実施するとともに、正当な理由なく監査の実施により知り得た秘密を漏らし、又は不当な目的に使用してはならない。 ・監査員は、ヒアリングや目視した事実に基づき、どのような事実によって評価したかを第三者が見てもわかるように、本項3（監査における評価の方法）に従い「CL」に記述する。 ・個人番号関係事務部門の監査では、特定個人情報を閲覧してはならない。 ・監査の実施時の「CL」を、個人情報保護監査責任者に提出する場合は、手書きのままでよい。
3）	監査結果の報告	個人情報保護監査責任者は、監査員から「CL」によって報告を受け、**R09200PMS内部監査計画書（兼報告書）**に全部門を概観してのサマリーを記述し、使用した各部門の「CL」を添付して、トップマネジメントに報告する。 ・トップマネジメントは**R09200PMS内部監査計画書（兼報告書）**を承認し、個人情報保護管理者に回付する。
4）	記録の保持	個人情報保護管理者は、内部監査プログラムの実施及び内部監査結果の証拠として、監査に伴う記録の保持に関する責任を持つ。 ・監査に関連する記録（紙媒体、電子データ）は、PMS事務局で3年間保管し、利用可能な状態で保管する。

監査チェックリストについて

　内部監査は、図表R.9-3に示す2つの観点から実施します。

JIS Q 15001:2023 規格本文

図表R.9-3　内部監査の観点

監査目的	監査対象
a）適合性監査	内部規程（PMS責任者、事務局など）
b）運用監査	全社、全部門（PMS運用、及び各部門責任者など）

R01000個人情報取扱規程　R.9.2内部監査（J.6.2）

2　監査チェックリスト（CL）

　内部監査で使用する「CL」は、R06221リスク分析表（兼監査CL）を必須とし、かつ以下の「CL」から、複数選択して追加することができる。

目的	監査基準及び監査範囲及び、「CL」の説明
a）適合性監査	R09202適合性監査CL 法令や規範の改定、規格及びPMS構築・運用指針の変更があった場合は、CLを見直すとともに、適合性監査を必須とする。
b）予備調査	R09203予備調査CL 運用監査の実施予定の2週間前に、被監査部門に配布し、1週間前に回収する。ただしこの予備調査は省略することができる。
運用監査（必須）	R06221リスク分析表（兼監査CL） 毎年各部門で作成したR06221リスク分析表（兼監査CL）を基に、当該部門の監査を実施する。この運用監査は必須とする。
状況に応じて選択	R09205施設設備の安全性CL 施設ごとの管理部門に対する監査で用いる。 R09206情報システム運用の安全性CL システム運用部門に対する監査で用いる。 R09207情報システム開発の安全性監査CL 個人情報を処理する情報システムに対する監査で用いる。 R09208部門コンプライアンス監査CL 各部門が規程を遵守しているかどうかの監査で用いる。

適合性監査の実施

　監査員は、R09202適合性監査CLに基づき、PMS文書（規程類、様式）に対して適合性監査を実施します。

　R04100法令指針規範集で特定した、法令や規範の改正があった場合は、

R09202適合性監査CLを見直さなければなりません。

　Pマーク審査では、最新の規格に沿ったR09202適合性監査CLを使用していない場合は指摘となり、「CL」の見直しと、適合性監査のやり直しを求められることがあります。

図表R.9-4　R09202適合性監査CL（一部）

監査報告は、手書きのままでよい。①適否欄：○×②規程欄：条項番号まで記載すること。	代表者	監査責任者	被監査者	監査実施日	202y/mm/dd
				被監査部門	個人情報保護管理者
	確認受領	報告	確認	監査担当者	○○部○○課○○○○○
				保存期間	３年後年度末
				廃棄予定	202y/mm/dd
	202/　/	202/　/	202/　/	主管	個人情報保護監査責任者
【監査結果】の概観					

適否：○×（業務がなければ　－　）　＊必須

要求事項	チェック内容	適否	規程及び条文、様式	備考
R.1　適用範囲				
R.1適用範囲	①自らの事業の用に供している全ての個人情報の取扱いをPMSの適用範囲として定め、その旨を文書化しているか。	＊	「R1000個人情報取扱規程」（以下、「取扱規程」）R.2	
	②全社を適用対象としているか。		「取扱規程」R.2	
R.3　用語及び定義				
R.3用語の定義	①用語は、個人情報の保護に関する法律第２条、第16条を適用しているか。（行政機関等では第60条の適用）		「取扱規程」R.1	
	②提供の概念（委託も含む）と、第三者提供の概念は明確になっているか。		「取扱規程」R.3.17	

	③保有個人データの概念（開示、内容の訂正、追加又は削除、利用の停止、消去及び第三者への提供の停止を行うことのできる権限を有する）は明確になっているか。		「取扱規程」R.3.19	
R.4　組織の状況			
R.4. 組織の状況	①個人情報を取り扱う事業に関して、PMSに影響を与えるような外部及び内部の課題を特定するよう規定しているか。	＊	「取扱規程」R.4	
R.4.1 法令、国が定める指針その他の規範	①個人情報の取扱いにする 法令、国が定める指針その他の規範（以下、「法令等」という。）を特定し、従業者に周知する手順が内部規程として文書化されていること。	＊	「取扱規程」R.4.1	
	②「法令、国が定める指針・規範一覧表」等を定期的に見直し、維持する手順が定められているか。 （具体的な見直し時期）		「取扱規程」R.4.1 「R04100法令指針規範集」 「R06000PMS年間計画書（兼運用確認記録）」に従う	

　監査員が、適合性監査で不適合を発見した場合は、PMS内部規程のどの部分が不適合であるのかを「CL」の適否欄、規程及び条文、様式欄に記述し、かつ全体の【監査結果】の概観に指摘のポイントを記入して、個人情報保護監査責任者に提出します。

運用監査の実施

　監査員は、R09200PMS内部監査計画書（兼報告書）で計画された、監査テーマ、使用する「CL」に従い、部門長や、業務担当者に対するヒアリングや現場目視を行います。

　業務担当者に対するヒアリングは、対象部門に近い会議室等で実施する場合がほとんどです。部門長は、エビデンス（証拠書類）を会議室に持参して、ヒアリングに応じることになります。その後業務現場の目視で、物理的な安全管理措置の実施を確認します。

パフォーマンス評価 **R.9**

　監査は、被監査部門の業務を妨げないよう、時間どおりに実施します。また、少なくとも下記の注意を払う必要があります。

1）記録類は目視のみとし、コピーは原則として取得しない。

2）キャビネットや引出しは、被監査部門の方に開けてもらうこと。

3）監査員はPCなどに触れず、操作は被監査部門の方に行ってもらうこと。

4）入室制限のある場所への入室は、「入退室記録」への記録など、ルールに従うこと。

5）入室制限のある場所への入室は、被監査部門の方より先に入室しないこと。

6）監査員は、要配慮個人情報及び、特定個人情報を閲覧してはならない。

監査における評価の方法

　不適合が発見された場合は、確認した記録（エビデンス）の名称、目視したモノやヒアリング内容を明記し、不適合について、"～を実施していない"、"～を記録していない"、など具体的に記入します。

R01000個人情報取扱規程　R.9.2内部監査（J.6.2）

3　監査における評価の方法

監査員は、確認し評価した結果について、以下の記述方法で「CL」に手書きで記入する。

	評価	記述	状況	是正処置
1）	適合	○	問題なし	不要
2）	観察事項	△	直ちに改善され、再発はしないと評価できる状況	不要
3）	不適合	×	是正しなければ、本人の権利を侵害し、企業の存続に係わるリスクとなる状況	必要

また、「CL」の「【不適合】の概観」欄に、被監査部門の特徴的な問題点や事情について記述する。

　適合性監査の適否は"○""×"のみで、"△"はありません。"×"は規程類の訂正が必要となります。

123

JIS Q 15001:2023 規格本文

監査の終了時に講評会を実施し、被監査部門に不適合について納得が得られるよう説明し、確認印もしくはサインを得ます（ただし、印、サインは必須ではありません）。

監査報告について
　個人情報保護監査責任者が作成するR09200PMS内部監査計画書（兼報告書）には、全部門を概観しての意見や、全社的に考えられるリスクへの対策など、PMSに対して改善すべき提言を含めることができます。また、重大な指摘などで長期にわたる改善が必要と判断した場合は、フォローアップ監査実施の必要性について意見を付加することができます。
　R09200PMS内部監査計画書（兼報告書）には、その年度に実施されたPMS全体の監査報告書として、適合性監査の結果と運用監査の結果の両方について報告します。
　監査記録は、被監査部門に寄与するものであることから、個人情報保護管理者が保管し、利用可能な状態とすることが適切です。

R.9.3　マネジメントレビュー
R.9.3.1　一般
　「マネジメントレビュー」は、通常会議体で行われ、トップマネジメント、個人情報保護管理者、事務局、教育責任者、システム管理者など、PMS運用に係るメンバーが参加します。個人情報保護監査責任者がオブザーバーとして臨席してもかまいません。

R01000個人情報取扱規程　R.9.3.1一般（J.6.3）
　トップマネジメントは、当社のPMSが、引き続き、適切、妥当かつ有効であることを確実にするためにR06000PMS年間計画書（兼運用確認記録）に定めた時期に、年１回以上、さらに必要に応じて適宜にPMSマネジメントシステムをレビューする。

R.9.3.2　マネジメントレビューへのインプット

「マネジメントレビュー」のインプットは、既にトップマネジメントに報告済みの監査報告書等の書類を添付するなど、マネジメントレビューの会議で資料をいつでも提示できるように準備します。

R01000個人情報取扱規程　R.9.3.2マネジメントレビューへのインプット（J.6.3）

マネジメントレビューを実施する手順を以下のとおり定める。

2　マネジメントレビューは、**R09321マネジメントレビュー議事録**を用い、次の事項を含めて実施する。

	インプット項目
a）	前回までのマネジメントレビューの結果を踏まえた見直しの状況
b）	PMSに関連する外部及び内部の問題点の変化
	1）　法令、国の定める指針その他の規範の改正状況
	2）　社会情勢、技術の進歩などの諸環境の変化
c）	PMSに関連する利害関係者のニーズ及び期待の変化
d）	次に示す傾向を含めた、個人情報保護パフォーマンスに関する情報
	1）　不適合及び是正処置
	2）　監視及び測定の結果
	3）　内部監査結果
	4）　個人情報保護目的の達成
e）	利害関係者からのフィードバック
f）	個人情報保護リスクアセスメントの結果及び個人情報保護リスク対応計画の状況
g）	継続的改善の機会として次年度に引き継ぐべき事項

R.9.3.3　マネジメントレビューの結果

「マネジメントレビュー」において、a）～g）のインプット、及び次年度の「年間計画」に対し、トップマネジメントから是正処置が指示された場合は、R.10改善の手順を実施します。これで次年度の「年間計画」が確定することにより、次年度のスタートを切ることになります。

JIS Q 15001:2023 規格本文

> **R01000個人情報取扱規程　R.9.3.3マネジメントレビューの結果（J.6.3）**
> 　トップマネジメントは、PMSの継続的改善の機会及びPMSのあらゆる変更の必要性に関する決定を行う。
> 2　マネジメントレビューの最終段階で、個人情報保護管理者は、次年度の「年間計画」を立案する。
> 3　R09321マネジメントレビュー議事録は、個人情報保護管理者が年度順に整理して利用可能な状態とし、永続的に保管する。

　R09321マネジメントレビュー議事録は、組織のPMSの履歴にあたるため、R10201是正処置報告書を含めて、永続的に保管することになります。R07512PMS記録台帳に記載する保管期間も「永久保管」とします。

図表R.9-5　R09321マネジメントレビュー議事録

実施日	20★年　月　日　：　～　：		場所	本社A会議室
出席者	■代表取締役： □個人情報保護監査責任者：	■個人情報保護管理者： □情報システム管理者：		
インプット	詳細資料があれば、添付してください。			
a)	前回までのマネジメントレビューの結果を踏まえた見直しの状況 ☑初回のため）、0件		添付資料：■なし　□あり	
b)	PMSに関連する外部及び内部の問題点の変化 ■社会情勢、技術の進歩などの諸環境の変化 □「R04100法令指針規範集」20★年　月　日版 ■20★年度「R07300PMS教育計画書（兼報告書）」		添付資料：□なし　■あり	
c)	PMSに関連する利害関係者のニーズ及び期待の変化 □　社内からの提案：なし ■　社外：コンサルタントから、PMSの維持について全般にわたるアドバイスあり。		添付資料：□なし　■あり	
d)	以下の状況を踏まえた、現在のPMS運用状況の評価 　1）不適合及び是正処置：■「R10201是正処置報告書」　　件/20★年度 　2）確認及び点検の結果：■20★年度「R09102PMS安全管理点検表」 　　　　　　　　　　　　■20★年度「R06000PMS年間計画書（兼運用確認記録）」 　3）監査結果：　　　　　■20★年度「R09200PMS内部監査計画書（兼報告書）」 　　　　　　　　　　　　■「R09203JIS適合性監査CL」実施日：20★年　月　日 　　　　　　　　　　　　■「R06221リスク分析表(兼監査CL)」（全社） 　4）個人情報保護目的の達成： 　　　■「R07432事故報告書」　　0件 　　　■　口頭によるヒヤリ・ハットの報告　　0件		添付資料：□なし　■あり	

改善 **R.10**

R.10 改善

R.10.1 継続的改善

　マネジメントシステムは、スパイラルアップ（継続的改善）する仕組みです。実行可能な計画（Plan）に基づいて実施（Do）し、点検（Check）した結果について、真の原因を追求して、根本的な是正を繰り返す（Act）ことで、個人情報保護リスクを最小化し、業務の効率化にも寄与します（序3参照）。

R.10.2　不適合及び是正処置

　是正処置は、PMS運用のすべての段階において、不適合を確認した時に直ちに行われる処置です。監視、測定、分析及び評価（R.9.1）における是正処置、内部監査（R.9.2）の是正処置、マネジメントレビュー（R.9.3）の是正処置においても、この手順で処置を講じます。

R01000個人情報取扱規程　R.10.2不適合及び是正処置（J.7.1）

　当社は、次の事項を含めて、不適合に対する是正処置を実施するための責任及び権限を定め維持する。

	手順		原則
a）	その不適合に対処し、該当する場合には、必ず、次の事項を行う。	1）	その不適合を管理し、修正するための処置をとる。
		2）	その不適合によって起こった結果に対処する。
b）	その不適合が再発しないように又は他のところで発生しないようにするため、その不適合の原因を除去するための処置を検討する。	1）	その不適合をレビューする。
		2）	その不適合の原因を明確にする
		3）	類似の不適合の有無、又はそれが発生する可能性を明確にする。

127

JIS Q 15001:2023 規格本文

c)	是正処置を計画し、計画された処置を実施する。
d)	実施されたすべての是正処置の有効性をレビューする。
e)	必要な場合には、PMSの変更を行う。

2 不適合の状況は、R.9（パフォーマンス評価）、R.A.13（漏えい等の報告等）、R.A.26（個人情報取扱事業者による苦情の処理）が契機となる。

3 不適合が明らかとなった場合、不適合発生部門はR10201是正処置報告書を作成してa)～e)の事項を実施する。

4 R10201是正処置報告書はトップマネジメントが承認する。ただし、個人情報保護管理者が軽微な不適合であると判断したときには、トップマネジメントに代わって確認・承認を行い、トップマネジメントに事後報告とすることができる。

5 以下の事項の証拠として、R10201是正処置報告書は、事務局が年度順に整理して利用可能な状態とし、永続的に保管する。

| f) | 不適合の性質及びそれに対してとったあらゆる処置 |
| g) | 是正処置の結果 |

PMSの是正処置の過程で、規程や計画の見直しとなることが多いですが、b) 不適合の原因を除去するための処置を検討する段階で、根本的改善をめざすことが、確実な是正処置につながります。

R10201是正処置報告書は、組織のPMSの継続的改善の履歴として、永続的に保管します。そのためR07512PMS記録台帳に記載する保管期間も「永久保管」となります。

図表R.10-1　R10201是正処置報告書（一部）】

不適合内容記入欄（発見者記入）		
＜不適合の状況＞ □運用の確認　□内部監査　□緊急事態の発生　□外部機関による指摘 □苦情　　　　□リスクの認識、分析及び対策　□その他の不適合：	発見年月日：	20　年　　月　　日
^	発見者	部
＜不適合状況（客観的事実）＞　□重大な不適合　□軽微な不適合　□懸念		
不適合発生部門：		
＜不適合の内容確認＞	代表者 確認	不適合発生 部門責任者
	／　／	／　／

128

個人情報保護に関する管理策

個人情報保護に関する管理策

R.A.1 利用目的の特定（法第17条）

> **R01000個人情報取扱規程**　R.A.1利用目的の特定（法第17条）（J.8.1）
> 当社は、個人情報の取扱いにおいて、以下を原則とする。
>
> | | |
> |---|---|
> | a） | 個人情報を取り扱うに当たっては、その利用目的を可能な限り特定し、その目的の達成に必要な範囲内において取り扱う。 |
> | b） | 利用目的の特定に当たっては、取得した情報の利用及び提供によって本人の受ける影響を予測可能なように、利用及び提供の範囲を可能な限り具体的に明らかにするよう配慮しなければならない。 |

　利用目的の特定は、どの情報を、どの目的で利用するかを特定することです。
例えば、商品の購入者情報：商品発送、アフターサービス、新商品・サービスに関する情報のお知らせのためなどの目的があげられます。

　本人が、自らの個人情報がどのように取り扱われることとなるか、利用目的から合理的に予測・想定できないような場合は、できる限り利用目的を特定したことにはならないとされ、通則ガイドライン3-1-1では、【具体的に利用目的を特定していない事例】として以下が示されています。
・事例1）「事業活動に用いるため」
・事例2）「マーケティング活動に用いるため」

利用目的による制限（法第18条） **R.A.2**

R.A.2 利用目的による制限（法第18条）

　組織は、本人から同意を得た利用目的の範囲を超えて個人情報を利用することができません。例えば、顧客データベースを個人的興味で閲覧してはならないとされています。

　本人から同意を得た利用目的を変更する場合、どの個人情報（メールアドレス、電話番号など）を、どのような利用目的に変更するかを通知して、同意を得ることになります。

R01000個人情報取扱規程　R.A.2利用目的による制限（法第18条）（J.8.6）

　当社は、個人情報を取り扱うに当たっては、法令に基づいた上で、利用目的による制限を行う。

2　特定した利用目的の達成に必要な範囲を超えて個人情報を利用する場合は、**RA0101 個人情報取得変更申請書**により、あらかじめ個人情報保護管理者の承認を得て、少なくとも、次に示す事項を記載した「明示して同意を得るための書面（案）」を本人に通知し、本人の同意を得なければならない。

a)	会社名	
b)	個人情報保護管理者の氏名又は職名、所属及び連絡先	
c)	利用目的	
d)	個人情報を第三者に提供することが予定される場合には次の事項	
	1)	第三者に提供する目的
	2)	提供する個人情報の項目
	3)	提供の手段又は方法
	4)	当該情報の提供を受ける者又は提供を受ける者の組織の種類、及び属性
	5)	個人情報の取扱いに関する契約がある場合はその旨
e)	個人情報の取扱いの委託を行うことが予定される場合には、その旨	
f)	R.A.19〜R.A.22（開示等の請求等）に該当する場合には、その請求等に応じる旨及び問合せ窓口	

個人情報保護に関する管理策

> 3　特定した利用目的の達成に必要な範囲を超えて個人情報を利用する場合に、本人の同意を得ることを要しないのは、法第18条３項の以下の例外規定に限定する。その場合は、RA0101個人情報取得変更申請書にRA2901PMS例外処理申請書を添付して、個人情報保護管理者の承認を得ること。
>
> | a) | 法令（条例を含む）に基づく場合 |
> |---|---|
> | b) | 人の生命、身体又は財産の保護のために必要がある場合であって、本人の同意を得ることが困難であるとき。 |
> | c) | 公衆衛生の向上又は児童の健全な育成の推進のために特に必要がある場合であって、本人の同意を得ることが困難であるとき。 |
> | d) | 国の機関若しくは地方公共団体又はその委託を受けた者が法令の定める事務を遂行することに対して協力する必要がある場合であって、本人の同意を得ることによって当該事務の遂行に支障を及ぼすおそれがあるとき。 |
> | e) | 当該個人情報取扱事業者が学術研究機関等である場合であって、当該個人情報を学術研究目的で取扱う必要があるとき（当該個人情報を取り扱う目的の一部が学術研究目的である場合を含み、個人の権利利益を不当に侵害する場合を除く。）。 |
> | f) | 学術研究機関等に個人データを提供する場合であって、当該学術研究機関等が当該個人データを学術研究目的で取り扱う必要があるとき（当該個人データを取り扱う目的の一部が学術研究目的である場合を含み、個人の権利利益を不当に侵害するおそれがある場合を除く。）。 |
>
> 4　目的外利用に該当するかどうか迷う場合は、部門長を経由して個人情報保護管理者の判断を求めること。

　合併その他の事由によって、個人情報を他の組織から承継した場合に、承継前における利用目的の範囲を超える場合は、本人からの同意が必要となります。また、本人が想定可能な範囲であっても、同意を得た範囲を超えて利用目的を変更することは目的外利用に該当しますので、注意が必要です。
　【本人の同意を得ている事例】として、通則ガイドライン2-16では、以下の事例を記載しています。
・事例１）本人からの同意する旨の口頭による意思表示
・事例２）本人からの同意する旨の書面（電磁的記録を含む。）の受領
・事例３）本人からの同意する旨のメールの受信
・事例４）本人による同意する旨の確認欄へのチェック

利用目的による制限（法第18条）**R.A.2**

・事例5）本人による同意する旨のホームページ上のボタンのクリック
・事例6）本人による同意する旨の音声入力、タッチパネルへのタッチ、ボ
　　　　タンやスイッチ等による入力

　なお、通則ガイドライン3-1-3には、本人の同意を得るために個人情報を利
用してメールの送信や電話をかけること等は、当初特定した利用目的として
記載されていない場合でも、目的外利用には該当しないとされています。

② 個人情報保護に関する管理策

R.A.3 不適正な利用の禁止
（法第19条）

> **R01000個人情報取扱規程**　R.A.3不適正な利用の禁止（法第19条）（J.8.6）
>
> 　当社は、個人情報の利用に当たっては、法令に基づき、不適正な利用を禁止する。
> 2　個人情報を利用する場合には、本人の同意の有無にかかわらず、違法又は不当な行為を助長し、又は誘発するおそれのある方法により個人情報を利用してはならない。
> 3　特定した利用目的の達成に必要な範囲内で個人情報を利用するため、次の事項に配慮する。
>
> | a) | 必要最小限の項目をもって利用目的を達成する。 |
> |---|---|
> | b) | 利用目的を超えた情報の抽出を行わない。 |

　違法又は不当な行為とは、個人情報保護法その他の法令に違反する行為や、直ちに違法とは言えないものの、法令の制度趣旨や公序良俗に反している等、社会通念上、適正とは認められない行為を指します。

　違法又は不当な行為を助長し、又は誘発するおそれのある方法とは、通則ガイドライン3-2では、以下の事例を記載しています（表現を簡略化しています）。この判断に当たっては、個人情報の利用方法などの客観的な事情に加えて、個人情報の利用時点における組織の認識及び予見可能性も踏まえる必要があります。

・事例1）違法な行為を営むことが疑われる事業者に個人情報を提供する場合
・事例2）裁判所による公告等により散在的に公開されている個人情報を、本人に対する違法な差別が、不特定多数の者によって誘発されるおそれが予見できるにもかかわらず、データベース化し、インターネット上で公開する場合
・事例3）暴力団員により行われる暴力的要求行為等や総会屋による不当な

不適正な利用の禁止（法第19条） **R.A.3**

　　　　　要求を助長し、又は誘発するおそれが予見できるにもかかわらず、
　　　　　暴力団員等の個人情報をみだりに（本人に）開示する場合
・事例4）本人の同意を得ずに第三者提供がなされることを予見できるにも
　　　　　かかわらず、提供する場合
・事例5）採用選考で取得した、性別、国籍等の属性のみで、正当な理由な
　　　　　く違法な差別的取扱いを行うために利用する場合
・事例6）違法薬物等であると予見できるにもかかわらず、自社で取得した
　　　　　個人情報を利用して広告配信する場合

個人情報保護に関する管理策

R.A.4 適正な取得（法第20条1項）

> **R01000個人情報取扱規程**　R.A.4適正な取得（法第20条1項）（J.8.2）
>
> 　当社は、個人情報の取得に当たっては、法令に基づき適正な取得を行い、偽りその他不正の手段により個人情報を取得してはならない。
>
> 2　新たに個人情報を取得する場合は、あらかじめRA0101個人情報取得変更申請書に個人情報が適正な手段で取得されること、利用目的の範囲が最小限であることなど、必要事項を記入し、受託若しくは、第三者提供を受ける際には、RA0401適正な取得チェックリストを添付して、個人情報保護管理者へ提出する。
>
> 3　個人情報保護管理者は、RA0101個人情報取得変更申請書及び添付書類によって適正な取得であることを確認し、承認する。

【不正の手段により個人情報を取得している事例】として、通則ガイドライン3-3-1では、以下の事例を掲げています（表現を簡略化しています）。

・事例1）十分な判断能力を有していない子供や障害者から、家族の収入事情などを、家族の同意なく取得する場合
・事例2）本人の同意なく第三者提供をするよう強要して個人情報を取得する場合（法第27条（第三者提供の制限）1項の違反）
・事例3）取得する組織や利用目的等について、意図的に虚偽の情報を示して、本人から個人情報を取得する場合
・事例4）他の事業者に指示して不正の手段で個人情報を取得させ、当該他の事業者から個人情報を取得する場合
・事例5）法第27条（第三者提供の制限）1項に違反されようとしていることを知ることができるにもかかわらず、個人情報を取得する場合
・事例6）不正の手段で個人情報が取得されたことを知ることができるにもかかわらず、当該個人情報を取得する場合

要配慮個人情報などの取得（法第20条2項）　**R.A.5**

R.A.5 要配慮個人情報などの取得（法第20条2項）

　"要配慮個人情報"とは、法第2条（定義）3項に、"本人の人種、信条、社会的身分、病歴、犯罪の経歴、犯罪により害を被った事実、その他本人に対する不当な差別、偏見その他の不利益が生じないようにその取扱いに特に配慮を要するものとして政令で定める記述等が含まれる個人情報"として、政令第二条に以下を規定しています。

1．身体障害、知的障害、精神障害その他の障害
2．健康診断その他の検査の結果
3．健康診断結果に基づく指導・診療・調剤情報
4．被疑者又は被告人の逮捕、捜索、差押え、勾留、公訴等の手続情報
5．少年への調査、観護の措置、審判、保護処分手続等

　"その取扱いに特に配慮を要するもの"については、初めから取り扱わないようにすると、かえって差別を助長する場合があるため、ただし書きに従い、適切に取り扱う必要があります。

R01000個人情報取扱規程　R.A.5要配慮個人情報などの取得（法第20条2項）（J.8.3）

　当社は、法令で掲げられている場合を除くほか、あらかじめ書面による本人の同意を得ないで、要配慮個人情報（R.3.3参照）を取得してはならない。

2　要配慮個人情報を取得、利用、又は提供（要配慮個人情報のデータの提供含む）する場合は、利用目的の範囲を最小限とし、**RA0101個人情報取得変更申請書**によって取扱者の限定、常時施錠など必要な安全管理措置などを明記して、個人情報保護管理者の承認を得る。

3　要配慮個人情報を取得する際は、R.A.7（本人から直接書面によって取得する場合の措置）のa）～h）の事項を明記した「明示して同意を得るための書面」によって、あ

137

個人情報保護に関する管理策

らかじめ、本人の同意を得ること。
4 要配慮個人情報を取得する際、あらかじめ書面によって本人の同意を得ることを要しないのは、以下の場合に限定する。その場合はRA0101個人情報取得変更申請書にRA2901PMS例外処理申請書を添付して、個人情報保護管理者の承認を得ること。

a)	法令に基づく場合
b)	人の生命、身体又は財産の保護のために必要がある場合であって、本人の同意を得ることが困難であるとき
c)	公衆衛生の向上又は児童の健全な育成の推進のために特に必要がある場合であって、本人の同意を得ることが困難であるとき
d)	国の機関若しくは地方公共団体又はその委託を受けた者が法令の定める事務を遂行することに対して協力する必要がある場合であって、本人の同意を得ることによって当該事務の遂行に支障を及ぼすおそれがあるとき
e)	当該要配慮個人情報が、法令等により個人情報取扱事業者の義務などの適用除外とされている者及び個人情報保護委員会規則で定めた者によって公開された要配慮個人情報であるとき
f)	本人を目視し、又は撮影することにより、その外形上明らかな要配慮個人情報を取得又は利用する場合
g)	特定した利用目的の達成に必要な範囲内において、要配慮個人情報の取扱いの全部又は一部を委託することに伴って当該要配慮個人情報の提供を受けるとき
h)	合併その他の事由による事業の承継に伴って要配慮個人情報の提供を受ける場合であって、承継前の利用目的の範囲内で当該要配慮個人情報を取り扱うとき
i)	R.A.8（本人に連絡又は接触する場合の措置）3のd)によって、特定の者との間で共同して利用される要配慮個人情報を当該特定の者から提供を受けるとき
j)	個人情報取扱事業者が学術研究機関等である場合であって、当該要配慮個人情報を学術研究目的で取り扱う必要があるとき（当該要配慮個人情報を取り扱う目的の一部が学術研究目的である場合を含み、個人の権利利益を不当に侵害する場合を除く。）
k)	学術研究機関等から当該要配慮個人情報を取得する場合であって、当該要配慮個人情報を学術研究目的で取得する必要があるとき（当該要配慮個人情報を取得する目的の一部が学術研究目的である場合を含み、個人の権利利益を不当に侵害するおそれがある場合を除く。）（当該個人情報取扱事業者と当該学術研究機関等が共同して学術研究を行う場合に限る。）

5 個人情報に、性生活、性的指向又は労働組合に関する情報が含まれる場合には、当該情報を要配慮個人情報と同様に取り扱うこと。

　法第27条5項に、は第三者に該当しないとして、以下の場合が規定されており、g)〜i)にあたります。

要配慮個人情報などの取得（法第20条2項）　**R.A.5**

1．利用目的の達成に必要な範囲内において個人データの取扱いの全部又は一部を委託することに伴って当該個人データが提供される場合
2．合併その他の事由による事業の承継に伴って個人データが提供される場合
3．共同して利用される個人データが、特定の者に提供される場合であって、以下の事項について、あらかじめ、本人に通知し、又は本人が容易に知り得る状態に置いているとき
　・共同利用される旨
　・共同して利用される個人データの項目
　・共同して利用する者の範囲
　・利用する者の利用目的及び
　・当該個人データの管理について責任を有する者の名称、住所、代表者の氏名

　学術研究機関とは、大学その他の学術研究を目的とする機関若しくは団体又はそれらに属する者を指します。
　組織が、学術研究機関でない場合においても、k）（学術研究機関から取得）は一般事業者においても想定されるため、規定する必要があります。また、j）（学術研究機関が取得）についても、Pマークの文書審査で、組織が学術研究機関かどうかを"△（現地確認）"とされる可能性があるため、規定しておくことをお勧めします。

139

② 個人情報保護に関する管理策

R.A.6 個人情報を取得した場合の措置（法第21条1項）

法第21条では、"個人情報取扱事業者は、個人情報を取得した場合、その利用目的を、本人に通知し、又は公表しなければならない。"としています。

図表R.A.6-1　個人情報を取得した場合の公表例

■直接書面取得する場合（例）		
a)	応募者情報	採用選考、必要とする技術評価など
b)	従業者情報	勤怠管理、福利厚生、報酬支払、個人番号関係事務など
c)	商品購入者情報	商品受注、発送、商品に関する連絡など
d)	取引先担当者情報	取引に係る業務遂行及び連絡、支払業務、請求業務など
e)	お問い合わせ	問合わせ対応、開示等請求、苦情・ご相談対応
■直接取得しない場合		
f)	受託	データ入力業務、データ出力業務（宛名、名刺、名簿印刷）、アンケート集計業務、グループ会社の給与計算、得意先企業の福利・厚生サービスなど
g)	提供を受ける	人材派遣、人材紹介における技術者のスキルシートなど
h)	共同利用	グループ企業の従業者の連絡先など
i)	公表文書を利用	官報、市販名簿、卒業生名簿、PTA名簿、町内会名簿、NTT電話帳など
■書面で取得しない場合		
j)	口頭	店頭販売、クリーニング店など
k)	電話	通信販売、デリバリーサービス、お問合せ対応など
l)	電話録音	ヘルプデスク、通信販売受付
m)	監視カメラ	来訪者、従業者の入退室確認、作業状況の情報共有など
n)	モニタリング	アクセスログによる点検など

直接取得しない場合は、例えば、データ入力業務の受託、人材紹介会社から技術者情報の第三者提供を受ける、グループ企業と従業者情報について共同利用する、官報から取得、など経緯がわかるよう公表します。

個人情報を取得した場合の措置（法第21条１項） **R.A.6**

　なお、ホームページを持たない事業者は、会社案内やリーフレットなどに、取得する個人情報の利用目的を明記して、配布できるように準備することになります。

R01000個人情報取扱規程　R.A.6個人情報を取得した場合の措置（法第21条1項）（J.8.4）

　個人情報を取得する場合は、本人から直接書面取得、本人から直接書面取得以外にかかわらず、あらかじめRA0101個人情報取得変更申請書に、「利用目的を通知若しくは公表する書面（案）」を添付して、個人情報保護管理者の承認を得たのちに、本人に通知若しくは公表する。

2　本人に通知、又は公表する手段として、当社ホームページにRA0601個人情報の取扱いについてを公表する。

3　承認されたRA0101個人情報取得変更申請書に基づき、R06101個人情報管理台帳、R06103業務フロー、及びR06221リスク分析表（兼監査ＣＬ）によって、取扱い手順を定める。

4　本人から直接書面によって取得する場合の措置は、R.A.7（本人から直接書面によって取得する場合の措置）に規定する。

5　電話により個人情報を取得する場合は、RA0603電話メモ（通知事項）の手順に従い、口頭で利用目的を通知する。

6　ビデオカメラを設置する場合は、設置場所に「監視用カメラ設置中」の掲示を行う。

7　共同して利用する者から個人情報を取得する場合であって、共同して利用する者がR.A.8（本人に連絡又は接触する場合の措置）ｄ）の措置（必要事項を公表）を講じていない場合は、本人に対して、R.A.7（本人から直接書面によって取得する場合の措置）のａ）〜ｆ）に示す事項又はそれと同等以上の内容の事項、及び取得方法を本人に通知若しくは公表する。

8　本人に利用目的を通知し、又は公表を要しないのは、法第21条４項の以下の場合に限定する。その場合は、RA2901PMS例外処理申請書によって、個人情報保護管理者の承認を得る。

ａ）	利用目的を本人に通知し、又は公表することによって本人又は第三者の生命、身体、財産その他の権利利益を害するおそれがある場合
ｂ）	利用目的を本人に通知し、又は公表することによって当社の権利又は正当な利益を害するおそれがある場合

141

個人情報保護に関する管理策

c)	国の機関又は地方公共団体が法令の定める事務を遂行することに対して協力する必要がある場合であって、利用目的を本人に通知し、又は公表することによって当該事務の遂行に支障を及ぼすおそれがある場合
d)	取得の状況からみて利用目的が明らかであると認められる場合

6.1 「個人情報の取扱いについて」の公表

直接書面で同意を得ている場合を含め、事業で取り扱うすべての個人情報について、ホームページのRA0601個人情報の取扱いについてに、利用目的を公表します。

図表R.A.6-2　RA0601個人情報の取扱いについて（一部）

制定：20○○年○月1日
最終改定：20○○年○月1日

個人情報の取扱いについて

株式会社　○○○○
個人情報保護管理者　○○○○

1．個人情報の利用目的

当社で取得する個人情報は、都度利用目的を通知し、明示的な同意を得た上で利用します。当社は、お預かりした個人情報は以下の目的に限定して利用し、その他の目的で利用することはありません。

（1）顧客情報
　　取引に係る業務遂行及び連絡のため利用します。
（2）会員情報
　　会員登録・更新、会員からの要望に基づく情報の公開、会費請求、及び連絡のため。
（3）調査、コンサルテーション、教育等の受託業務
　　公的機関、民間団体・企業からの受託業務遂行のため。
（4）講演会、講習会（以下、セミナー等という）参加者及び講師の個人情報
　　【参加者】セミナー等の開催に係る連絡、出欠確認、料金請求のため。
　　【講師】講演に係る連絡、講師料お支払い、個人番号関係事務のため。
（5）従業者等の情報

個人情報を取得した場合の措置（法第21条1項） **R.A.6**

> 勤怠管理、福利厚生、給与支払、給付金申請、個人番号関係事務（家族に関する情報を含む）
> 社外ホームページへのプロフィール紹介、及び事業活動における取引先との連絡調整のため。
>
> (6) 応募者情報
> 当社が必要とする人材の採用選考、技術評価のため。
>
> (7) お問い合わせ（開示等請求、苦情・ご相談対応を含む）
> 問い合わせ対応のため。お電話でご連絡いただいた場合は通話録音する場合があります。

6.2　受託業務で個人情報を取得する場合

　例えば、コンサルティング会社が、団体や企業の社員の氏名、メールアドレスを取得し、参加者の「理解度テスト」を実施して、委託元に報告する場合、コンサルティング会社にとって"受託"となります。参加者の「理解度テスト」を書面で回収するので、「直接書面取得」と間違えられる場合が多いのですが、個人情報を取得するのは委託元であって、コンサルティング会社は教育を代行しているにすぎないからです。

　受託業務については、"受託"であることを明記して、利用目的を公表しなければなりません。

6.3　取得の状況からみて利用目的が明らかであると認められる場合

　8項例外規定のd）（利用目的の通知等をしなくてよい場合）は、通則ガイドライン3-3-5に事例が示されています。

・事例1）　商品等を販売・提供するに当たって住所・電話番号等を取得する
　　　　　　場合で、利用目的が当該商品・サービス等の販売・提供のみを確
　　　　　　実に行うためという場合

・事例2）　一般の慣行として名刺を交換する場合、利用目的が今後の連絡の
　　　　　　ためという場合（ただし、ダイレクトメール等の目的に名刺を用
　　　　　　いることは自明の利用目的に該当しない場合があるので注意を要
　　　　　　する。）

143

② 個人情報保護に関する管理策

R.A.7 本人から直接書面によって取得する場合の措置(法第21条2項)

規格の付属書A.7では、「A.6のうち本人から直接書面によって取得する場合の措置」が、正式な項目名称です。つまり、A.6（個人情報を取得した場合の措置）が大前提となっています。

R01000個人情報取扱規程　R.A.7本人から直接書面によって取得する場合の措置（法第21条2項）（J.8.5）

　個人情報を本人から直接書面によって取得する場合は、あらかじめRA0101個人情報取得変更申請書に、下記の必要事項を明記した「明示して同意を得るための書面（案）」を添付して、個人情報保護管理者の承認を得る。

a)	会社名	
b)	個人情報保護管理者の氏名または職名、所属及び連絡先	
c)	利用目的	
d)	個人情報を第三者に提供することが予定される場合の事項	
	1)	第三者に提供する目的
	2)	提供する個人情報の項目
	3)	提供の手段または方法
	4)	当該情報の提供を受ける者または提供を受ける者の事業者の種類、及び属性
	5)	個人情報の取扱いに関する契約がある場合はその旨
e)	個人情報の取扱の委託を行うことが予定される場合には、その旨	
f)	R.A.19～R.A.22（開示等の請求等）に該当する場合には、その請求等に応じる旨及び問合せ窓口	
g)	本人が個人情報を与えることの必要性又は任意性及び当該情報を与えなかった場合に本人に生じる結果	
h)	本人が容易に知覚できない方法によって個人情報を取得する場合には、その旨	

本人から直接書面によって取得する場合とは、次のような場合です。
・本人から契約書、入会申込書、アンケート、キャンペーン応募書類などを

144

本人から直接書面によって取得する場合の措置（法第21条2項）　R.A.7

直接取得する。

・Webサイトに設置したフォームから、商品購入申込みや、問い合わせ、採用応募申込みなどを受ける。

・従業者を採用選考する場合に、面接で応募書類を取得する。

・雇用契約時に家族構成や金融機関の口座番号、通勤経路などの情報を申請書等で取得する。

・PMSの運用時に、教育受講時の理解度テスト用紙、来客が記入する入退館記録などを取得する。

7.1　個人情報の取扱いについての明示と同意

R01000個人情報取扱規程　R.A.7本人から直接書面によって取得する場合の措置（法第21条2項）（J.8.5）

2　当社は、「明示して同意を得るための書面」として、個人情報保護管理者が承認した以下の書類を使用する。

1）	面接時	RA0701個人情報取扱明示・同意書（応募者）
2）	入社時	RA0702個人情報取扱明示・同意書（従業者）
3）	店舗用	RA0703個人情報取扱明示・同意書（店舗用）
4）	Webお問合せ	RA0704お問い合わせについて（Web）
5）	技術者	RA0705個人情報取扱明示・同意書（技術者）
6）	汎用	RA0706個人情報取扱明示・同意書（その他）

3　人事採用業務で個人情報を取得する場合は、「面接キット」「入社キット」に「明示して同意を得るための書面」をあらかじめ準備するなど、同意の取得漏れがないよう留意する。

4　あらかじめ書面によって本人に明示し、書面によって本人の同意を得ないのは、以下の場合に限定する。その場合は、**RA2901PMS例外処理申請書**によって、個人情報保護管理者の承認を得る。

a）	人の生命、身体若しくは財産の保護のために緊急に必要がある場合
b）	利用目的を本人に通知し、又は公表することによって本人又は第三者の生命、身体、財産その他の権利利益を害するおそれがある場合
c）	利用目的を本人に通知し、又は公表することによって当該個人情報取扱事業者の権利又は正当な利益を害するおそれがある場合

145

個人情報保護に関する管理策

d）	国の機関又は地方公共団体が法令の定める事務を遂行することに対して協力する必要がある場合であって、利用目的を本人に通知し、又は公表することによって当該事務の遂行に支障を及ぼすおそれがある場合
e）	取得の状況からみて利用目的が明らかであると認められる場合

　本人から直接書面で取得する場合は、取得する個人情報の利用目的の範囲をできる限り限定して通知し、明示的な「同意」を得なければなりません。明示的な「同意」とは、書面へのサインや、同意する旨のメールの本人からの受信、Web上の「同意ボタン」のクリック記録などをいいます。

図表R.A.7-1　事例：同意ボタンの設置

【日本システム監査人協会　お問い合わせ】

個人情報に関する以下の点にご同意いただき、「同意する」をクリックするとお問い合わせフォーム（SSL対応）が表示されますので、フォームに必要事項をご記入の上送信して下さい。

個人情報の取扱いについて

(1) 当協会の個人情報保護管理者は、当協会の事務局長です。また、連絡先は下記記載のとおりです。
(2) 「お問い合わせ」で取得した個人情報については、ご依頼の用件を達成する範囲内で利用します。
(3) 当協会は、下記の場合、第三者に個人情報を提供する場合があります。
　　a）法令に基づき請求された場合
　　b）本人（会員等）が公開を同意した場合
(4) 当協会は、業務を遂行するにあたり適正な安全管理措置を講じていると判断した外部事業者に委託することがあります。
(5) 当協会が管理している個人情報に関して、利用目的の通知、開示、内容の訂正、追加又は削除、利用の停止及び消去について要求する権利があります。この場合についても、お問い合わせページにてご請求ください。

個人情報の取扱いに関する問い合わせ先
特定非営利活動法人
日本システム監査人協会事務局
東京都中央区日本橋茅場町２丁目16番７号
本間ビル201号室
TEL:（03）3666-6341

　　　　　同意する　　　　　同意しない

7.2 本人からの同意を得ることが困難な場合

　人の生命、身体又は財産の保護のために緊急に必要がある場合などでは、あらかじめ、本人に対し、その利用目的を明示し、同意を得る必要はありません。ただし、その場合であっても、法第21条に基づいて、取得後速やかにその利用目的を、本人に通知し、又は公表する必要があるとしています。

　できれば、本人の意思確認が可能になったときに、本人に利用目的を通知することが推奨されます。

　直接書面によって取得する場合に書面による同意を得ている場合であっても、R.A.6に規定するとおり、ホームページに利用目的の公表が必要です。公表を省略することはできませんので、ご注意ください。

② 個人情報保護に関する管理策

本人に連絡又は接触する場合の措置

"本人に連絡又は接触する場合"に対応する、個人情報保護法はありません。法に上乗せして定められている規格です。これは、本人から直接同意を得ずに取得した状況において、初めて本人に連絡などをする場合をいい、例えば図表R.A.8-1の事例があります。

本人に連絡又は接触する場合には、原則として利用目的などを記載した「明示して同意を得るための書面」により、本人の同意が必要となります。

図表R.A.8-1「本人に連絡又は接触」の事例

1)	PMS導入前に取得	退職した従業者（アルバイト、パート社員を含む）に連絡する場合など。
2)	第三者提供を受ける	紹介された人に電話連絡したり、訪問したり、面接に来てもらう場合など。
3)	共同利用	グループ組織の他社の従業者にメールを発信する場合など。
4)	公表文書を利用	市販名簿を使用して営業の電話を掛ける場合など

R01000個人情報取扱規程　R.A.8本人に連絡又は接触する場合の措置（J.8.7）

　個人情報を直接書面による以外の方法によって取得し、その後本人に連絡又は接触（電話連絡、文書発送、FAX送信、DM送付、メール送付など）する場合は、あらかじめ**RA0101個人情報取得変更申請書**により、個人情報保護管理者の承認を得る。
2　本人に連絡又は接触する場合は、R.A.2（利用目的による制限）2項のa）～f）に規定する事項又はそれと同等以上の内容の事項、及び取得方法を記載した「明示して同意を得るための書面」を作成し本人から同意を得る。また、本人へメールで連絡する場合は、初回は同意を求める文書のみとし、同時にダイレクトメールなどを送付してはならない。
3　本人に連絡又は接触する場合に、本人への通知・同意を省略できるときとは、以下の場合に限定する。その場合は**RA2901PMS例外処理申請書**によって、個人情報保護管

本人に連絡又は接触する場合の措置 **R.A.8**

理者の承認を得る。

a）	R.A.7（本人から直接書面によって取得する場合）の規定によって、R.A.2（利用目的による制限）2項のa）～f）に規定する事項又はこれらと同等以上の内容の事項を明示又は通知し、既に本人の同意を得ているとき。
b）	個人情報の取扱いの全部又は一部を委託された場合であって、当該個人情報を、その利用目的の達成に必要な範囲内で取り扱うとき。
c）	合併その他の事由による事業の承継に伴って個人情報が提供され、個人情報を提供する組織が、既にR.A.2（利用目的による制限）2項のa）～f）に規定する事項又はこれらと同等以上の内容の事項を明示又は通知し、本人の同意を得ている場合であって、承継前の利用目的の範囲内で当該個人情報を取り扱うとき。
d）	個人情報が特定の者との間で、適法かつ公正な手段によって、共同して利用されている場合であって、共同して利用するものとの間で共同利用について契約によって定めているとき。（法第27条5項3号）
	1） 共同して利用すること
	2） 共同して利用される個人情報の項目
	3） 共同して利用する者の範囲
	4） 共同して利用する者の利用目的
	5） 共同して利用する個人情報の管理について責任を有する者の氏名又は名称及び住所並びに法人にあっては、その代表者の氏名
e）	R.A.6のd）（取得の状況から見て利用目的が明らかであると認められる）に該当する場合に取得した個人情報を利用して、本人に連絡又は接触するとき。
f）	法令（条例を含む）に基づく場合
g）	人の生命、身体又は財産の保護のために必要がある場合であって、本人の同意を得ることが困難であるとき
h）	公衆衛生の向上又は児童の健全な育成の推進のために特に必要がある場合であって、本人の同意を得ることが困難であるとき
i）	国の機関若しくは地方公共団体又はその委託を受けた者が法令の定める事務を遂行することに対して協力する必要がある場合であって、本人の同意を得ることによって当該事務の遂行に支障を及ぼすおそれがあるとき

8.1 特定電子メールを送信する場合

　特定電子メールとは、自己又は他人の営業につき広告又は宣伝を行うための手段として送信する電子メールをいいます。「特定電子メールの送信の適正化等に関する法律」（2002年4月17日法律第26号）第3条には、"あらかじ

個人情報保護に関する管理策

め、特定電子メールの送信をするように求める旨又は送信をすることに同意する旨を送信者又は送信委託者に対し通知した者"以外に、特定電子メールを送信してはならないと定めています。

そのため、初回は同意を求める文書のみを送信することになります。

8.2　受託業務で本人に連絡又は接触する場合

受託業務で本人に連絡又は接触する場合は、本人への通知、同意を必要としません。本人の同意を得る義務は、委託元にあるからで、法第27条5項1号に、第三者に該当しないものとする、とされています。

8.3　第三者提供を受けた個人情報を元に、本人に連絡する場合

第三者提供で取得する個人情報については、適正に取得されているかどうかをRA0401適正な取得チェックリストによって確認します。もし、適正に取得されているかどうか不明な場合は、偽りその他不正の手段により取得されたものである可能性もあることから、その取得を自粛することを含め、慎重に対応することが求められます。

また、適正であると判断して取得し、利用する際には、速やかに、その利用目的を本人に通知し、又は公表する必要があります。

本人が、個人情報を第三者提供してもよいと書面で同意していても、同意した利用目的の範囲を超えて利用する場合は、改めて本人から、その利用目的を通知し、書面によって同意を得ることになります。

例えば、介護事業者においては市区町村から紹介を受けた（＝提供を受けた）利用者に、最初に電話をするときが、"本人に連絡又は接触"という場面になります。介護事業者では身体状況など要配慮個人情報を取得する可能性がありますので、まず電話口でRA0603電話メモ（通知事項）（参考：介護事業者用）に基づき個人情報の取扱いについて通知し、その後"利用契約"締結時に、本人からあらためて書面による同意を得ることになります。

例えば、就活メディアから提供された採用応募者情報により、面接の日程

調整のため電話をかける場合は、電話口で利用目的を通知します。その後、面接時にあらためてRA0701個人情報取扱明示・同意書（応募者）によって明示し同意を取得します。

8.4 合併など事業の承継に伴って個人情報を取得した場合

法第27条5項2号には、合併その他の事由による事業の承継に伴って個人データが提供される場合は、第三者に該当しないものとする、とされています。ただし、合併後に利用目的が追加される場合は、あらためて本人に利用目的を通知し同意を取得する必要があります。

8.5 共同利用によって取得した個人情報の場合

共同利用とは、組織が提供先事業者と、個人情報を一体のものとして取り

図表R.A.8-2　共同利用する各組織の関係

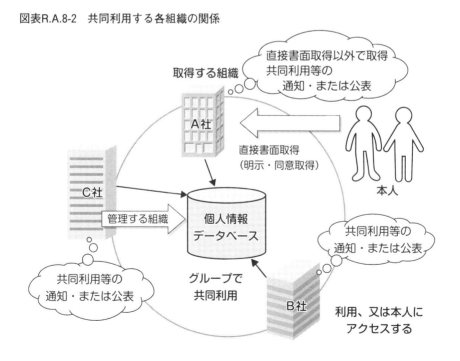

個人情報保護に関する管理策

扱い、共同して利用することを認める制度です。共同利用する複数の組織は、共同利用について契約を締結し、例えば、個人情報の共同利用データベースを構築して、管理します（図表R.A.8-2）。

"あらかじめ、本人に通知し、又は本人が容易に知り得る状態に置く"措置は、共同利用するすべての組織に対して求められる事項です。

また、共同して利用する者の範囲が明確である限りにおいては、必ずしも事業者の名称等を個別にすべて列挙する必要はないとされています。

R01000個人情報取扱規程　R.A.8本人に連絡又は接触する場合の措置（J.8.7）

4　共同利用を実施する際には、共同して利用する者の間で、次に示す事項又はそれらと同等以上の内容を取り決め、代表者の承認を得て契約を締結する。

j）	共同して利用する者の要件
k）	各共同して利用する者の個人情報取扱責任者・問合せ担当者及び連絡先
l）	共同して利用する個人情報の取扱いに関する事項（開示等請求等に応じる体制、漏えい防止に関する事項、目的外加工、利用、複写、複製の禁止など）
m）	共同して利用する個人情報の取扱いに関する取決めが遵守されなかった場合の措置
n）	共同して利用する個人情報に関する事件・事故が発生した場合の報告・連絡に関する事項
o）	共同利用を終了する際の手続

5　共同利用する場合は、d）の1.～5.の情報をRA0601個人情報の取扱いについてに追加して公表する。

6　共同利用する場合において、d）の4.（利用する者の利用目的）、5.（当該個人情報の管理について責任を有する者の組織名及び住所並びに代表者の氏名）について変更があったときは遅滞なく、変更しようとするときはあらかじめ、RA0601個人情報の取扱いについてを改定して公表しなければならない。

R.A.9 データ内容の正確性の確保等（法第22条）

R01000個人情報取扱規程　R.A.9データ内容の正確性の確保等（法第22条）（J.9.1）

　当社は個人データ等を正確かつ最新の状態で管理するため、**RA1000安全管理規程**を定め、これを維持する。

2　個人情報の正確性の確保等の手順は、**RA1000安全管理規程**7.1（個人情報の正確性の確保）に定める。

3　個人データ等を利用する必要がなくなったときは、**RA1000安全管理規程**7.7（個人情報の返却・廃棄・消去）の手順に従い、当該個人データ等を遅滞なく消去するよう努めるものとする。

　個人情報の滅失または毀損を予防するために、全社統一のファイリングルールを規定します。本書に添付する**RA1000安全管理規程**では、できる限り単純でかつ有効なルールを規定しています。ルールどおり管理することで、書類を探し出す時間が大幅に削減され、不要な文書の廃棄もスムーズになります。

　また、誤入力・誤操作の防止ルールも、具体的に規定する必要があります。

RA1000安全管理規程　7．個人情報の管理

　個人情報保護法第22条（データ内容の正確性の確保等）に基づき、利用目的の達成に必要な範囲内において、個人データを正確かつ最新の内容に保つよう努めなければならない。

a）記録を作成する場合は、作成者、作成日、更新日、承認者、承認日付を明確にする。

b）ファイル名を付ける場合は、以下の形式に従う。

　部門名＋文書名＋作成年月日

　例：営業課業務フロー20240301.xlsx、もしくは、EGYGyomuFlow20240301.xlsx

c）記録に文書番号を付番する場合は、以下の形式に従う。

　形式：部門コード（3桁）＋日付（8桁）＋連番（3桁）とする。

個人情報保護に関する管理策

	部門	部門コードの事例	文書番号の事例
1)	総務部	SOM	SOM-20240301-001
2)	人事部	JNJ	JNJ-20240301-004
3)	営業部	EGY	EGY-20240301-005
4)	情報システム	SYS	SYS-20240301-003
5)	資材部	SZI	SZI-20240301-002

d) 記録作成に使用するソフトウェア（Excel、Word、PowerPoint等）は、情報システム管理者が指示した版及び形式を使用する。

e) 取得した個人情報をデータベース等の情報システムに入力する場合には、次のいずれかの方法または複数の方法によって誤入力チェックを行う。

1)	入力者以外の者による再確認
2)	システムの集計機能による検証
3)	画面確認に加えて、印刷物による再確認
4)	電話で取得する場合は復唱する
5)	作業手順書に従う

f) 文書（記録を含む）を改定する場合は、誤って上書きすることのないよう、別名で保存してから作業を行うこと。

g) 旧版の電子データは、R07512PMS記録台帳に従い保管する。

安全管理措置（法第23条） **R.A.10**

R.A.10 安全管理措置（法第23条）

　通則ガイドライン3-4-2には、"安全管理措置は、事業の規模及び性質、個人データの取扱状況（取り扱う個人データの性質及び量を含む。）、個人データを記録した媒体の性質等に起因するリスクに応じて、必要かつ適切な内容としなければならない。"と記述しています。

R01000個人情報取扱規程　R.A.10安全管理措置（法第23条）（J.9.2）

　当社は取り扱う個人情報について、法律に基づいた上で、個人情報リスクアセスメントの結果を考慮して、漏えい、滅失又は毀損の防止その他の個人情報を安全管理のために必要かつ適切な措置を講じるため、**RA1000安全管理規程**を定め、これを維持する。

2　外部サービスを利用する場合であって、当該サービス提供事業者が当該個人データを取り扱わないことになっているサービスを利用する場合は、適切な安全管理措置が図られるよう、あらかじめサービス内容の把握、評価等を行った上で選定すること。

10.1　「RA1000安全管理規程」の目的

　本書に付属する**RA1000安全管理規程**は、一般的な中堅企業を想定した**R06221リスク分析表**（兼監査ＣＬ）によって、リスクを検討した結果、講じるとした対策を規定しています。ここでは、サンプルの**RA1000安全管理規程**の規定文をそのまま掲載します。実際に事業で取扱う個人情報に応じた対策を追加、修正して自社にあった規程を策定してください。

RA1000安全管理規程　1.本規程の目的

　本規程は、当社が利用する個人情報の安全管理のために、**R01000個人情報取扱規程**R.6.2.3（個人情報保護リスク対応）に基づき、講じるとした、安全管理措置にかかわる対策を定める。かつ**R01000個人情報取扱規程**R.A.10が要求する適正管理の手順についても定める。

155

個人情報保護に関する管理策

> a）〜c）省略
> 　なお、本規程で記述する「個人情報」には、特にことわりが無い限り、個人情報、個人識別符号、要配慮個人情報、個人情報データベース、個人データ、保有個人データ、仮名加工情報、個人関連情報を含める。

　規程が冗長になることを防ぐため、安全管理措置の対象を、広く「個人情報」としています。

10.2　個人情報の安全管理体制

　個人情報の取得から廃棄に至るまで、日常の取扱いについてルールどおり実施することができるように、安全管理責任者を任命します。R01000個人情報取扱規程R.5.3（役割、責任及び権限）に規定するR05310個人情報保護体制では、個人情報保護管理者が、安全管理責任者を兼務するよう規定しています。

> **RA1000安全管理規程　2.個人情報の安全管理体制**
> a）個人情報の安全管理措置を講じるため、個人情報保護管理者は安全管理責任者を任命し、R05310個人情報保護体制に定める。なお、個人情報保護管理者は安全管理責任者を兼ねることができる。また、支店、営業所、作業所（以下、事業所）については、事業所長が安全管理責任者を兼務する。
> b）安全管理責任者は、本規程に定めた事項に関して責任と権限により従業者を監督、指導する。
> c）安全管理責任者は、本規程の遂行のため情報システム管理者を任命することができる。なお、個人情報保護管理者は、情報システム管理者を兼ねることができる。
> d）安全管理責任者は、組織変更や社員の入社、及び退職者があったときはRA1010システムID管理台帳を見直し、6月及び12月に個人情報保護管理者に状況を報告する。
> e）安全管理責任者は、アクセスログの監視等の点検結果をR06000PMS年間計画書（兼運用確認記録）に記載し、6月及び12月に個人情報保護管理者に状況を報告する。

　情報システムの管理については、全従業者のID発行・更新作業や、アク

安全管理措置（法第23条）　R.A.10

セスログの監視等煩雑な作業が多いため、個人情報保護管理者に負荷が集中し過ぎないよう、できれば、情報システム管理者には、別の人材を充てることが望ましいでしょう。なお、安全管理上の対策を確実に実施するため、**RA1000安全管理規程**には、具体的に実施月を指定して規定します。

10.3　執務室の整理整頓、取扱区域

10.3.1　執務室の整理整頓

クリアデスク・クリーンオフィスは、安全管理の基本ですが、明示的に規定します。

RA1000安全管理規程　3.1執務室の整理整頓（クリアデスク・クリーンオフィス）

a）離席時には、個人情報を記した書類、媒体、携帯端末、及び個人情報を取扱う情報システムの操作マニュアル等を机上に放置してはならない。

b）個人情報を記した文書をプリンター、コピー機、またはFAX機に放置してはならない。

c）常にクリーンオフィスを保ち、机の下、廊下等に中身の不明な段ボール箱等を放置してはならない。

d）個人情報を取扱うPCには、パスワード付スクリーンセーバー起動を5分以内に設定するか、離席時に電源オフもしくはログオフを実施する。

e）会議等でメモしたホワイトボードの個人情報を消し忘れないこと。

f）個人情報を含んだ書類の裏紙は、使用してはならない。

10.3.2　個人情報の取扱区域の指定

通則ガイドライン10（別添構ずべき安全管理措置の内容）10-5（物理的安全管理措置）に、"個人データを取り扱う事務を実施する区域（以下、「取扱区域」という）について、適切な管理を行わなければならない。"と定められています。

157

個人情報保護に関する管理策

> **RA1000安全管理規程　3.2個人情報の取扱区域の指定**
> a）安全管理責任者は、RA1032フロアマップ（セキュリティ区域）によって、共用区域（部外者の入室を許す区域）と、取扱区域（個人情報を取り扱う事務を実施する区域）を管理する。
> b）学歴、職歴、家族構成、健康診断情報などの従業者情報や、顧客の購入履歴情報などは、アクセスできる者を最小限に抑え、作業場所への立ち入り禁止や常時施錠等の措置を取る。
> c）特定個人情報を取扱う区域については、RA1032フロアマップ（セキュリティ区域）に明記し、個人番号関係事務を行う場合には、部外者が立ち入らないよう「個人番号関係事務作業中」の札等を設置する。
> d）監視ビデオを設置する場合は、設置場所に「モニタTV設置中」の掲示を行う。

図表R.A.10-1　RA1032フロアマップ（セキュリティ区域）（一部）

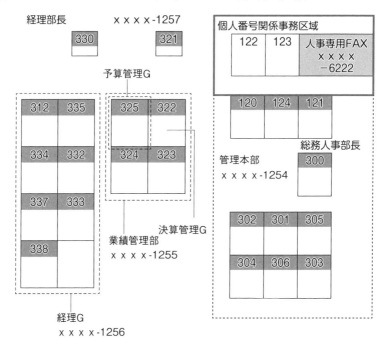

安全管理措置（法第23条） **R.A.10**

10.4 入退館、入退室管理

10.4.1 入退室制限

　ここでは、セキュリティカードや鍵の受渡し方法、執務室の鍵の保管ルールなどを規定します。

RA1000安全管理規程　4.1入退室制限

a）入退館用のセキュリティカードは安全管理責任者が選定した者に貸与する。

b）セキュリティカードは**RA1041鍵・IDカード管理簿**にて管理し、安全管理責任者が毎月点検する。

c）従業者はセキュリティカードを他者に貸与してはならない。

d）万一セキュリティカードを紛失した場合は、直ちに安全管理責任者に報告しなければならない。安全管理責任者は、紛失したカードを無効にして、新規セキュリティカードを貸与する。

e）従業者は、執務室の出入口のテンキー（鍵）の暗証番号を従業者以外の者に教えてはならない。

f）テンキーの変更管理は安全管理責任者が行う。変更は、**R06000PMS年間計画書（兼運用確認記録）**に定めた時期及び当該執務室に入所可能な従業者が退職したときとする。変更したテンキーの番号は、当該執務室の管理者が、従業者に口頭で伝える。

g）業務時間内であっても、事業所内が無人になるときは、退出者は施錠を行うこと。

h）協力会社など、長期間に渡り当社に日常的に出入りする場合は、「セキュリティカード」を貸与する。

10.4.2 入退館、入退室の手順

　最初に入館する者、最後に退出する者の記録は、セキュリティカードのログで点検しても差し支えありません。

RA1000安全管理規程　4.2入退館、入退室の手順

a）入館時：最初の入館者は1階キーボックスをセキュリティカードで開錠し、執務室の鍵を取り出して、機械警備を解除する。

b）退館時：最後の退館者は1階キーボックスをセキュリティカードで開錠し、執務室の鍵を収納して、機械警備開始ボタンを押して退館する。

159

個人情報保護に関する管理策

> c）執務室への最初の入室者は、1階キーボックスから取り出した鍵で執務室玄関を開け、管理部内の暗証番号付きキーボックスに収納する。暗証番号は、担当者が異動したときには変更する。
> d）執務室から最後に退出する者は**RA1042入退館安全確認記録簿**に個人情報の保管場所の施錠、個人情報の放置の有無を確認し記録する。
> e）**RA1042入退館安全確認記録簿**は月初にPMS事務局に提出し、個人情報保護管理者が点検（サイン）し、**R07512PMS記録台帳**に従い保管する。

10.4.3　来訪者の入退管理

　本書では、事前に予約されている来訪者に限って入室を認める前提で、来訪者を迎える社員が事前に「来訪者入退館カード」を管理部から受け取るルールを規定しました。これにより、来訪者自身に**RA1043来訪者カード貸出簿**に記入していただく状況は発生しません。

> **RA1000安全管理規程　4.3来訪者の入退管理**
> a）来訪者は、原則として共用区域において対応する。
> b）来訪者がセキュリティ領域に立ち入る場合は、事前に管理部もしくは事業所長に来訪日時、会社名、訪問目的をメールで連絡し、来訪日に「来訪者入退館カード」の貸与を受け、**RA1043来訪者カード貸出簿**に貸与開始時間を記載する。
> c）来訪者がセキュリティ領域に立ち入る場合は、必ず「来訪者入退館カード」を見える位置に着用していただき、従業者が常に同道する。
> d）来訪者が退出されたら、直ちに「来訪者入退館カード」を返却し、**RA1043来訪者カード貸出簿**に返却時間を記載する。
> e）**RA1043来訪者カード貸出簿**は月初にPMS事務局に提出し、個人情報保護管理者が点検し、貸出簿が満載となった時点で**R07512PMS記録台帳**に従い保管する。

安全管理措置（法第23条） **R.A.10**

図表R.A.10-2　RA1043来訪者カード貸出簿（一部）

管理部	来訪者入退館カード貸出簿					RA1043
貸出カード番号	貸出日時	対応社員名	対象者区分	出張者／来客者会社名・氏名	返却日時	点検
xxx-123421	20　/　/　　　:		□出張者／□面会者	○株式会社 ○○氏	20　/　/　　　:	
xxx-123422	20　/　/　　　:		□出張者／□面会者		20　/　/　　　:	
xxx-123423	20　/　/　　　:		□出張者／□面会者		20　/　/　　　:	
xxx-123424	20　/　/　　　:		□出張者／□面会者		20　/　/　　　:	
xxx-123425	20　/　/　　　:		□出張者／□面会者		20　/　/　　　:	

10.4.4　サーバー室の入退室管理

　サーバー室への入室が可能な従業者は、情報システム管理者が認めた者（入室資格者）に限定します。また、入室資格者であっても、入退室の都度RA1044サーバー室入退室記録簿に入退室時間等を記入します。

RA1000安全管理規程　4.4サーバー室の入退室管理

ａ）サーバー室は常時施錠し、入室が可能な従業者は、情報システム管理者が認めた者（入室資格者）に限定する。

ｂ）サーバー室への入退室は、**RA1044サーバー室入退室記録簿**に入退出時間等を記録する。

ｃ）入室資格者以外の者が業務上の必要により入室する場合は、必ず入室資格者が立会うこと。

ｄ）**RA1044サーバー室入退室記録簿**は月初にPMS事務局に提出し、個人情報保護管理者が点検し、入退室記録簿が満載となった時点で**R07512PMS記録台帳**に従い保管する。

10.4.5　機密書庫の入退室管理

RA1000安全管理規程　4.5機密書庫の入退室管理

ａ）機密書庫は常時施錠し、入室が可能な従業者は、総務部長が認めた者（入室資格者）に限定する。

ｂ）機密書庫への入退室は、**RA1045機密書庫入退室記録**に入退出時間等を記録する。

ｃ）入室資格者以外の者が業務上の必要により入室する場合は、入室資格者が立会うこと。

161

個人情報保護に関する管理策

> d）RA1045機密書庫入退室記録は月初に総務部長に提出し、総務部長が点検し、入退室記録が満載となった時点でR07512PMS記録台帳に従い保管する。

10.4.6　他の組織が同居する場合について

　執務室に、他の組織が同居する場合は、組織間で「秘密保持契約書」の締結が必要です。

> **RA1000安全管理規程　4.6他の組織が同居する場合について**
>
> 　他の組織が同居する場合は、R06221リスク分析表（兼監査ＣＬ）によって、そのリスク対策を検討し、リスクに応じて以下の事項を含めて「秘密保持契約書」を締結すること。
> a）執務室の入退室の記録に、当該他の組織の入退室記録を含めること。
> b）電話回線、通信回線は別契約とし、社内LANには接続させないこと。また、複合機、FAXの共有をしないこと。
> c）「セキュリティカード」の貸与、執務区域や什器の利用制限について明確にすること。
> d）当該同居する他の組織の従業者は、当社のPMS教育を受講すること
> e）当該同居する他の組織の物理的安全管理措置について、当社の内部監査の対象とすること。
> f）個人情報に関する事故が発生した場合は、協力して原因究明と再発防止に努め、損害が発生した場合は、双方協議の上発生した損害賠償の負担に応じること。

10.5　個人情報の取得

　個人情報を取得した場合の措置については、R01000個人情報取扱規程R.A.6（個人情報を取得した場合の措置（法第21条１項））に規定しています。ここでは、実際に取得した場合の安全管理措置について規定します。

　個人情報を文書で取得した場合は、文書上の日付を確認し、もし日付が無ければ、受領確認のため鉛筆等で日付を追加します。メールでは、受信日が受信記録になり、FAXであれば送受信ジャーナルが記録となります。

　重要な個人情報を取扱う場合は、RA1051個人情報取得返却廃棄消去管理表等の授受記録等により、取得日を記録します。

安全管理措置（法第23条） **R.A.10**

RA1000安全管理規程　5.個人情報の取得

a）個人情報を取得した場合は、文書上の日付、受信記録、もしくは**RA1051個人情報取得返却廃棄消去管理表**等の授受記録等により取得日を明確にする。

b）従業者から取得する個人情報については、**RA0402人事関連提出書類**を従業者によって明細を明らかにする。

10.6　個人情報の利用

　個人情報の利用にあたっては、特定した利用目的以外に利用しないよう注意します。

RA1000安全管理規程　6.個人情報の利用

a）個人情報の利用にあたっては、**R06101個人情報管理台帳**に記載された利用目的以外に利用してはならない。

10.7　個人情報の管理

10.7.1　個人情報の正確性の確保

　個人情報の正確性の確保については、R.A.9（データ内容の正確性の確保等）を参照してください。

10.7.2　文書の作成及び更新

RA1000安全管理規程　7.2文書の作成及び更新

a）文書には、タイトル、日付、作成者、文書番号を付加する。

b）文書は、MicrosoftOfficeを利用して作成する。

c）用紙サイズは、A4を原則とする。

d）フォントは、原則としてメイリオを使用する。

10.7.3　ファイリング

　ファイリングの基本は、立てて保管することです。そのための措置を規定

163

個人情報保護に関する管理策

します。

> **RA1000安全管理規程　7.3ファイリング**
>
> a）重要な個人情報は、あるべきものがあり、紛失していないことが速やかにわかるように、下記を基準に適切なファイリング等を行う。
>
> | 1) | 紙媒体は、2穴パンチを開けバインダーに綴じる。穴を開けられない場合は、クリアファイルに入れて綴じる。 |
> |---|---|
> | 2) | 紙媒体をバインダーに綴じる場合は、バインダー背表紙及び、インデックスラベルで分類すること。 |
> | 3) | 電子媒体には、ラベルを貼付し、背表紙をつけたバインダー、もしくはインデックスをつけたケースに分類して保管すること。 |

10.7.4　個人情報の利用期限及び保管期限

　JIS Q 15001:2017以降、個人情報の「利用期限」と「保管期限」の両方を管理するよう規定されました。

> **RA1000安全管理規程　7.4個人情報の利用期限及び保管期限**
>
> a）個人情報を記録した文書はR07512PMS記録台帳に従い保管する。
>
> b）個人情報の目的外利用をしないため、R06101個人情報管理台帳にR07512PMS記録台帳に規定した利用期限及び、保管期限を明記する。利用が終了すると同時に消去・廃棄する場合は利用期限と保管期限は同じとなるが、利用終了後も法定保存義務が発生する場合などは、利用期限を「決算後1年間」、保管期限を「決算後7年間」などと記載する。
>
> c）毎年R06000PMS年間計画書（兼運用確認記録）に定めた時期、もしくは必要と判断した時に、R06101個人情報管理台帳を基に保管期限を超えた個人情報を確認し、R06101個人情報管理台帳に定めた方法により、消去・廃棄した後に、件数などを最新の状態に見直す。
>
> d）R06101個人情報管理台帳もしくは、R07512PMS記録台帳に特定しなかった場合は、以下のルールに従う。

安全管理措置（法第23条） **R.A.10**

	文書の種類	利用期限	保管期限	保管方法	廃棄方法	破棄記録
1）	従業者名が記載された業務報告書、議事録、稟議書等	2年	7年	利用後施錠 利用期限終了後保管庫	シュレッダー又は溶解	要
2）	取引先と交わした契約書、見積書、請求書等のBtoB文書	業務終了迄				
3）	ソフトウェア開発、運用の受託業務で、常駐する客先において触れる可能性のある個人情報	業務終了迄				
4）	個人が管理する名刺	取引終了迄				不要
5）	各従業者のPCに到着したメール文情報、アドレス帳	業務終了迄		アクセス権限設定	消去	不要
6）	会社貸与の携帯電話に保管された電話帳			パスワードロック		
7）	グループ企業のエクストラネット上で、参照のみ可能な他社の従業者情報	当社に削除権限なし 参照した情報のダウンロードは禁止する。				
8）	本人確認のため閲覧するだけの書類（免許証、番号カード等）	閲覧した情報をメモしてはならない。				
9）	お客様相談室における、電話メモ	システムへの入力終了まで		シュレッダー	不要	

10.7.5　保管場所

　個人情報は、R06221リスク分析表（兼監査ＣＬ）によって、安全性が確保されると判断した環境下に保管します。

RA1000安全管理規程　R.7.5保管場所

　a）個人情報の保管場所及び管理者をR07512PMS記録台帳に規定し、かつ詳細についてR06101個人情報管理台帳に定めること。

　b）重要な個人情報を保管するキャビネットは常時施錠すること。そのほかの個人情報についても、業務終了時には必ず施錠する。

　c）重要な個人情報は、ガラス張りのキャビネットに保管してはならない。

　d）保管場所の鍵は、RA1041鍵・IDカード管理簿で特定した者の管理とする。

　e）電子データ形式の個人情報は、アクセス権限を設定した共有サーバー内の部門フォルダに保管すること。ただし、下記の情報システムは安全管理責任者が許可したPC上に、

165

個人情報保護に関する管理策

　　アクセス権限を最小限の者に設定した上で保管できるものとする。

1)	人事管理・給与システム
2)	経理システム
3)	PC上のメールアドレス等連絡帳

f) 契約書類などはPDF化してサーバーに保管し、契約書原本は委託先選定基準で評価した倉庫会社に保管すること。
g) PDF化したファイルを、クラウドに保管する場合は、閲覧権限者を明確にした手順書を作成すること。

10.7.6 社内公開文書の周知

　PMS文書は、いつでも従業者が閲覧、入手可能な状態で周知します。

RA1000安全管理規程　7.6社内公開文書の周知

a) 規程、通達、法令規範集などの社内公開文書は、訂正不可に設定したPDFファイルを、イントラネットにRead Onlyで掲示し、従業者全員が最新版を閲覧できるようにして、これを原本とする。
b) 従業者が使用する様式類は、文書番号で容易に識別できるように配慮する。
c) イントラネットに掲示する文書は、メニュー画面もしくはインデックス表を用いて検索及び利用が容易にできるようにする。

10.7.7 個人情報の返却・廃棄・消去

　個人情報が社内に「ある」か「ない」かを明確にするため、個人情報の取得と、返却・廃棄・消去の記録は不可欠です。

RA1000安全管理規程　7.7個人情報の返却・廃棄・消去

a) R06101個人情報管理台帳に定めた保管期限に基づき、個人情報を廃棄、消去する場合は、R06101個人情報管理台帳に定めたシュレッダー細断、溶解、データ消去の方法に従って行う。
b) 個人情報を記録した機器や電子媒体を廃棄する場合や、情報機器をリース会社へ返却する場合は、データを完全消去する。消去方法は電子的な完全消去、または記録用フィ

ルム面のカット、シュレッダーなどで再利用できない方法に従って細断する。

c）個人情報を産業廃棄物回収事業者に廃棄委託する場合は、「マニフェスト伝票」または「廃棄証明書」を取得しなければならない。なお、産業廃棄物回収事業者は**RA1202委託先調査表**Aによって評価し、**RA1207業務委託契約書**を締結すること。

d）受託業務等で個人情報を返却、廃棄、消去する場合は、及び重要な個人情報を廃棄、消去する場合は、**RA1051個人情報取得返却廃棄消去管理表**や**A0405個人番号取扱記録簿**によって返却・廃棄・消去の日付を記録し、廃棄した者を明確にする。ただし取得、送受信、廃棄の手順が下記により明確な場合においては、必ずしも記録する必要はない。

| 1） | 発注書、依頼書、納品書 |
| 2） | メール受発信記録 |

e）従業者が退職するに当たっては、法定保存文書を除き個人情報は返却するものとし、**RA0411退職連絡票**に明記して授受を確認する。

10.8　情報機器の安全管理

　個人情報を取扱う情報機器の、損失・損傷、不正使用などによる個人情報に係る事故の発生を防止するため、申請書や**RA1010システムID管理台帳**や**RA1091サーバー利用申請書**などを整備します。これらの「様式」には、日付、承認欄などを必ず設定します。

　なお、ここからは、情報システム管理者が任命されていると仮定して説明します。

RA1000安全管理規程　8.情報機器の安全管理

　情報システム管理者は、情報機器を**RA1010システムID管理台帳**で管理し、情報機器の損失・損傷、不正使用などによる個人情報に係る事故の発生を防止する。

　なお、情報システム管理者が不在の時は安全管理責任者が当該責務を遂行する。

10.8.1　情報機器の選択

　情報機器は、安全管理上の脅威（盗難、破壊、破損）や環境上の脅威（漏水、火災、停電、地震）からの物理的な保護対策を講じます。

個人情報保護に関する管理策

> RA1000安全管理規程　8.1情報機器の選択
> a）情報機器の購入にあたっては、業務の用途に応じ、できる限り最新の性能を持つ機器を選択する。
> b）中古機器はマルウェア等が潜んでいる可能性があるため購入禁止とする。
> c）スキャナ、FAXを購入する場合は、原紙の破損防止のためフラットベッド機能を持つ機器を選択する。

10.8.2　情報機器の設置

　情報機器は、安全管理上の脅威（盗難、破壊、破損）や環境上の脅威（漏水、火災、停電、地震）からの物理的な保護を講じます。

> RA1000安全管理規程　8.2情報機器の設置
> 　情報機器は、安全管理上の脅威（盗難、破壊、破損）や環境上の脅威（漏水、火災、停電、地震）からの物理的な保護のため、以下の措置を講じる。
>
> | | 目的 | 対策 |
> |---|---|---|
> | 1) | 盗難防止 | ・重要な情報を処理する情報機器は、サーバー室または、サーバーラックに収納して常時施錠する。
・ノート型PCはワイヤーロック固定、もしくは施錠キャビネットに収納する。 |
> | 2) | 破壊・破損防止・地震対策 | ・情報機器は、落下するおそれのない位置及び、他の設備が落下するおそれのない場所に設置する。
・地震等による倒壊を防ぐため、転倒防止ラック等で対策を講じる。 |
> | 3) | 空調 | 情報機器は、結露しないよう、極端な低温度・高温度とならないようにする。 |
> | 4) | 漏水からの保護 | 情報機器は、風雨、漏水、浸水の影響が無い場所に設置する。 |
> | 5) | 火災対策 | 情報機器の発火に備えて、室内にABC粉末消火器もしくは二酸化炭素消火器を設置する。 |
> | 6) | 電源対策 | ・重要な情報を処理する情報機器には、UPSなどの電源対策を講じる。
・各情報機器の電源供給は床下配線とし、電源供給限度を確認して配線する。 |

安全管理措置（法第23条） **R.A.10**

10.8.3　電子媒体の使用

電子媒体（USBメモリ等）は、会社が貸与するものを使用することが基本です。

RA1000安全管理規程　8.3電子媒体の使用

a）USBメモリ、CD、DVD等の電子媒体は、安全管理責任者が貸与するものを使用する。

b）情報システム管理者は、**RA1010システムID管理台帳**によって媒体を管理する。

10.8.4　情報機器・媒体の社外への持出し

個人情報を保存した情報機器、媒体（USBメモリ等）は原則として社外への持出しを禁止します。

RA1000安全管理規程　8.4情報機器・媒体の社外への持出し

a）個人情報を保存した情報機器、媒体は原則として社外への持出しを禁止する。

b）個人情報の有無にかかわらず、やむを得ず情報機器、媒体を社外に持ち出す場合は、**RA1084情報機器「持出」許可申請書（OUT）** に所定の事項を記入し、所属部門の部門長及び情報システム管理者の許可を得る。

c）許可を得て社外に持ち出す情報機器及び媒体には、情報漏えいを防止するため、以下の措置を講じる。

1）	ハードディスクの暗号化、もしくはファイルへのパスワード付加などの対策を講じる。
2）	必ず身辺に置き、紛失・盗難を防止すること。
3）	第三者に画面を覗き見されない場所で使用すること。

10.8.5　情報機器、媒体の社内への持込み

情報機器及び媒体（USBメモリ、CD、DVD等）の社内への持ち込みは、禁止することをお勧めします。

RA1000安全管理規程　8.5情報機器、媒体の社内への持込み

a）情報機器及び媒体（USBメモリ、CD、DVD等）の社内の持ち込みを禁止する。

169

個人情報保護に関する管理策

b）やむを得ず、情報機器、媒体を社内へ持ち込む場合は、事前にRA1085情報機器「持込」許可申請書（IN）によって、情報システム管理者の承認を得る。
c）許可を得て、情報機器、媒体を社内へ持込む場合は、社内のLAN、情報機器への接続を禁止する。
d）受託業務等で外部から電子媒体を持ち込んで、社内システムに取り込む場合は、LANから切り離したPC上でウイルスチェックを実施する。

10.8.6　携帯端末（携帯電話、スマートフォン、タブレット等）の使用

私物の携帯端末を業務で使用する場合、「BYOD：Bring Your Own Device」（私物デバイスを業務で活用すること）についても許可制とし、安全管理規程の適用及び宛先による料金の仕分け精算についても規定する必要があります。

> **RA1000安全管理規程**　8.6携帯端末（携帯電話、スマートフォン、タブレット等）の使用
> a）業務上携帯端末を使用する場合は、**RA1086携帯端末使用申請書**を用いて情報システム管理者の承認を得る。
> b）携帯端末（私物の携帯端末を業務に使用する場合を含む）に業務上の連絡先を登録して使用する場合は、組織名のみとし個人名を登録することを禁止する。
> c）携帯端末には、紛失時の漏えい防止策（ストラップ、パスワードロック及びリモートロック等）を講じる。
> d）携帯端末から、社内LANに接続することを禁止する。

10.8.7　テレワーク作業許可申請書

テレワーク業務については、テレワークの業務内容や実施場所がどこであっても、原則として、社内と同等の安全管理対策を講じる必要があります。

安全管理措置（法第23条） **R.A.10**

> ## RA1000安全管理規程　8.7テレワーク作業許可申請書
>
> a）テレワーク業務を実施する場合は、あらかじめ**RA1087テレワーク作業許可申請書**により安全管理責任者の承認を得る。
>
> b）テレワーク業務のため、情報機器・媒体（紙を含む）の社外への持出しの承認については、**RA1084情報機器「持出」許可申請書（OUT）**に代えて**RA1087テレワーク作業許可申請書**を使用する。
>
> c）テレワーク作業場所においては、社内と同様に**RA1000安全管理規程**に従うこと。
>
> d）テレワーク業務中は、安全衛生に関する法令等を守り、会社と協力して労働災害の防止に努めること。

10.9　ネットワーク管理

　情報システム管理者は、個人情報の格納の有無にかかわらず、社内の全情報システムを無権限アクセスから保護します。

10.9.1　アクセス権限の設定

　情報システムを利用する担当者には、IDを支給し、業務から離れた者については、各部門責任者から、速やかにID削除申請を行います。

　インターネット経由等で不正ソフトウェアがインストールされないようにするため、一般従業者にはユーザー権限のみ与えます。

> ## RA1000安全管理規程　9.1アクセス権限の設定
>
> a）情報システム管理者は、情報機器の使用者を、**RA1010システムID管理台帳**で管理し、ユーザーIDを個別に貸与する。
>
> b）特権管理権限は最小とし、一般従業者にはユーザー権限のみ与える。
>
> c）各部門責任者は、情報機器の使用者のユーザーID登録または削除について**RA1091サーバー利用申請書**によって情報システム管理者に申請する。ただし、採用者、組織変更、異動、退職者があった場合は、人事部が取りまとめて情報システム管理者に申請する。
>
> d）情報システム管理者は、サーバー及び情報機器のアクセス権限を必要最小限として設定する。
>
> e）ユーザーIDを支給されたものは、初回使用時に初期パスワードを変更すること。パス

171

② 個人情報保護に関する管理策

ワードを忘れた場合は、情報システム管理者に電話もしくはメールで連絡することにより、初期パスワードの再発行を受けることができる。

f）パスワードは、英数記号混合8桁以上とし、第三者から推測されやすいパスワード（生年月日、電話番号、名前等）を使用してはならない。また、パスワードは、他人に知られないよう厳重に管理し、他人に利用させてはならない。

g）パスワードが漏えいしたおそれがある場合は、速やかに変更すること。また、過去に使用したパスワードの再利用をしないこと。

h）複数のサービスで、同一のパスワードを設定しないこと。

10.9.2　サーバー管理

情報システム管理者は、社内で利用するネットワークについて**RA1092情報ネットワーク構成図**を作成して、最新の状態を維持します（図表R.A.10-3参照）。

図表R.A.10-3　RA1092情報ネットワーク構成図（一部）

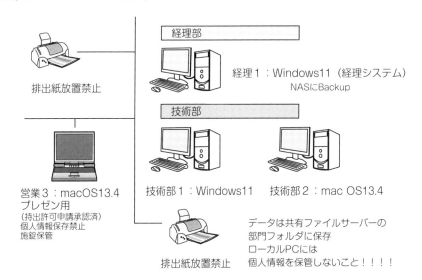

安全管理措置（法第23条） **R.A.10**

RA1000安全管理規程　9.2サーバー管理

情報システム管理者は、以下の要領でサーバーを管理する。

a）情報システム管理者は、社内で利用するネットワークについて**RA1092情報ネットワーク構成図**を作成し、最新の状態に維持する。

b）情報システム管理者は、サーバー管理手順、PC利用手順、及び緊急時の連絡体制及び復旧手順を確立し、従業者に周知徹底する。

c）情報システム管理者は、サーバー管理上知り得た情報の秘密を守らなければならない。

d）サーバー管理業務を遂行する上で、情報システム管理者のデータ閲覧権限は、最小限とする。

10.9.3　ネットワーク・セキュリティ設定

　最近は、電子媒体を使用しないことが増え、脅威はインターネット経由がほとんどです。最小限の対策として以下のすべてに対応する必要があります。

a）インターネット接続：ファイヤーウォール設置

b）ウイルス対策ソフトウェアの導入

c）OSのセキュリティ・パッチの自動更新設定

RA1000安全管理規程　9.3ネットワーク・セキュリティ設定

ネットワーク・セキュリティについて、下記の基準を維持し管理する。

a）インターネット接続対策として、社内LANには、ファイヤーウォールを設置する。その手段は、ルーター内蔵アドレス変換機能（NAT）、Windowsまたは、ウイルス対策ソフトウェアのいずれか1つ以上を有効に設定すること。

b）PC及びサーバーには、ウイルス対策ソフトウェアを導入し、自動更新により最新版を維持する。

c）OS（Windows、macOSなど）は、セキュリティ・パッチの自動更新設定とする。

d）情報機器には、ファイル交換ソフトウェア（Winny、Shareなど）をはじめ、許可された以外のソフトウェアのインストールを禁止する。情報システム管理者は、毎年3月、9月に**RA1010システムID管理台帳**を用いて、許可された以外のソフトウェアが存在しないことを、サンプリング検査する。

e）「guest」など不特定多数が利用できるユーザーIDは無効に設定する。

f）会議室、応接室のLANアクセスポートは、通常は配線を無効化して無権限者のアクセ

173

個人情報保護に関する管理策

スから保護する。
g）無線LANを使用する場合は、下記の暗号化対策を講じる。

1）	SSID認証は、WPA2-AES以上で暗号化し、かつステルス設定する。
2）	接続機器をMACアドレスで限定する。

h）リモートアクセスを使用する場合は、下記の手順で行う。

1）	外部からのアクセスは、接続許可された当社従業者、及びRA1202委託先調査表Aに合格した者のみとする。
2）	リモートアクセスの開始時に、事前で電話連絡の上画面に表示されるキー番号を伝達する。
3）	リモートアクセス終了後は、いったんPCをシャットダウンし、再起動することにより、回線を完全に遮断する。

i）遠隔地の情報システムとの間で通信する場合は、下記のいずれかによって漏えい防止措置を講じる。

1）	SSL/TLS、POP Over SSL/TLS通信、Secure Shell（SSH）などの秘匿化
2）	IP-VPN回線、インターネットVPN回線
3）	インターネット以外の専用線
4）	FTPS通信

10.9.4　アクセスログの取得と点検

　アクセスログは、情報システムごとにRA1094アクセスログ・Web点検記録によって毎月1回以上点検し個人情報保護管理者に報告します。

RA1000安全管理規程　9.4アクセスログの取得と点検

a）安全管理上の利用目的で、アクセスログを取得し点検することについて、従業者に通知し同意を得る。
b）情報システム管理者は、下記の情報システムのアクセスログを取得し、保存する。

1）	共有ファイルサーバー
2）	人事管理・給与PC

c）アクセスログは、取得周期、チェック項目を明確にし、R07512PMS記録台帳に従い保管する。
d）アクセスログは、毎月1回以上点検し、RA1094アクセスログ・Web点検記録に結果を記入して、個人情報保護管理者に報告する。

安全管理措置（法第23条） **R.A.10**

e）アクセスログ点検の結果、不正アクセス等が疑われた場合は、**R01000個人情報取扱規程**R.7.4.3（緊急事態への準備）の手順に従う。

10.9.5　バックアップ

　個人情報のバックアップは、情報システムごとにバックアップの媒体、頻度、方法（手動か自動か）などを規定します。情報システム管理者は、バックアップから復元できることをあらかじめ確認しなければなりません。

RA1000安全管理規程　9.5バックアップ

a）個人情報の取扱責任者は、電子データ形式の個人情報について、情報システム管理者の指示に従い、バックアップを定期的に取得する。

b）情報システム管理者は、バックアップから復元できることをあらかじめ確認する。

c）バックアップ媒体は、情報機器とは距離的に離れた場所に、アクセス権限を最小限に設定して保管する。

	情報機器	媒体	頻度	方法
1）	人事管理・給与PC（総務部設置）	外付HDD	月〜金	人事システム終了時に自動バックアップ 外付HDDは総務部金庫に施錠保管
2）	経理PC（経理部設置）	USBメモリ	月〜金	経理システム終了時に自動バックアップ USBメモリは総務部金庫に施錠保管
3）	共有ファイルサーバー(サーバー室設置)	NAS	月〜金	22:00：自動・差分5世代 24:00〜7:00：停止・自動再起動
		DAT	土	22:00：自動・フル4世代 24:00〜月7:00：停止・自動再起動 DATは委託先倉庫に保管

10.9.6　情報機器、体制の冗長性

RA1000安全管理規程　9.6情報機器、体制の冗長性

a）重要な個人情報を取扱う情報システムは、機器の故障に備えて、必要最小限の代替機を準備する。

b）機器の故障発生時の連絡先を**RA1010システムID管理台帳**に記載する。

c）個人情報を取扱う業務の担当者は複数体制とし、互いに協力して情報共有し代替機能

個人情報保護に関する管理策

を維持する。

10.9.7　自社が運営するWebサイトの管理

　自社ホームページについては、常に世間の目にさらされ評価を受ける対象となるため、厳密に管理する必要があります。

RA1000安全管理規程　9.7自社が運営するWebサイトの管理
a）Webサイトを委託する場合は、**RA1203委託先調査表B（詳細）**を用いて委託先評価選定する。
b）Webサイトは、常時SSL/TLSにより暗号化対策を講じる。
c）個人情報のデータベースと連携する場合は、SQLインジェクション対策を講じる。
d）Webサイトで入力を要求する場合は、悪意を持ったサイトに誘導されないため、クロスサイトスクリプティング（XSS）対策を講じる。
e）Webサイト上の入力テストを実施する場合は、必ずダミーデータを使用し、個人情報を使用してはならない。
f）Webサイトの委託先から、アクセスログの点検結果の報告を受けて確認し、**R07512PMS記録台帳**に従い保管する。
g）安全管理責任者はWebサイトが改ざんされていないか、少なくとも月末には点検し、**RA1094アクセスログ・Web点検記録**に記録し、毎月個人情報保護管理者に報告する。

10.9.8　外部のサーバーを利用する場合の管理

　ASPサーバー、ファイルサーバー等を外部に委託する場合は、ホームページ委託時の注意に加えて、以下の注意が必要です。

RA1000安全管理規程　9.8外部のサーバーを利用する場合の管理
a）ASPサーバー、ファイルサーバー等を委託する場合は、**RA1202委託先調査表A**を用いて評価する。
b）個人情報を保管する場合は、アクセス権限を最小限に設定する。
c）個人情報を閲覧する画面は、SSL/TLS対策を講じる。
d）個人情報のデータベースと連携する場合は、SQLインジェクション対策を講じる。
e）サーバーの委託先から、アクセスログの点検結果の報告を受けて確認し、**R07512PMS記録台帳**に従い保管する。

安全管理措置（法第23条） **R.A.10**

f）安全管理責任者は、閲覧できる画面が改ざんされていないか、少なくとも月末には点検し、**RA1094アクセスログ・Web点検記録**に記録し、毎月個人情報保護管理者に報告する。

10.10　個人情報の移送、送受信時の管理

10.10.1　個人情報の移送の原則

RA1000安全管理規程　10.1個人情報の移送の原則

a）個人情報を送付する場合は、その内容の重要度に応じて記録の残る方式（宅配便、セキュリティ便、簡易書留、書留、特定記録、本人限定郵便等）で送付する。

b）重要な個人情報の送受信については、業務ごとに**RA1051個人情報取得返却廃棄消去管理表**に処理を行った日付を記載し、9月末及び3月末に個人情報保護管理者が点検する。ただしメール受発信などを、送受信の記録として保管する場合は、**RA1051個人情報取得返却廃棄消去管理表**に記載する必要はない。

c）個人情報を持ち運ぶ場合は、交通機関等途中での書類の置き忘れ、書類の出し入れ等による紛失等のないよう、施錠可能な鞄に入れて、移動中は手元から離さないなど十分注意を払うこと。

d）個人情報を持ち運び、移送先に引き渡す場合は、受領書（例：**RA1209委託業務指示書**）によって、受領者のサイン等を受領すること。

e）書類、媒体、ノートPC、携帯端末等の移送時に紛失、盗難等にあった場合は、直ちに部門管理者もしくは個人情報保護管理者に報告し指示を仰ぐこと。

10.10.2　紙媒体個人情報の送付

　宛先と異なる他人の文書が到着する事故が多く発生しています。窓あき封筒の使用をお勧めします。

RA1000安全管理規程　10.2紙媒体個人情報の送付

a）見積書、請求書等を送付する場合は、窓あき封筒を用いる。

b）一般郵便物、レターパック等、を送付する場合は、宛名と内容物の誤封入防止のため、封緘する前に、封入した者以外の者が、再度内容物を確認する。

177

個人情報保護に関する管理策

10.10.3　メールの利用

　ビジネスメールは文書送付に代わり、ますます活用されるようになりました。それにつれて誤送信などのヒューマンエラーも頻度が高くなってきています。従業者への注意喚起を促すためにもルールを規定に明文化します。

　また、HTMLメールを介して、悪意のプログラムに感染する事象が多く発生しています。自分が感染しないよう注意をするとともに、自分が踏み台になって悪意のプログラムを転送しないよう注意してください。

RA1000安全管理規程　10.3メールの利用

＜全体注意事項＞
a）メールサーバーを委託する場合は、**RA1202委託先調査表A**を用いて評価する。
b）業務に無関係のメールの授受は禁止する。ただし、家族との連絡など最小限の利用に限定して容認することがある。
c）送受信に使用した個人情報が含まれている添付ファイルは、アクセス権限を設定したサーバーのみに保管し、メールソフトからは削除すること。

＜送信時＞
d）メール本文には必ず、宛先、差出人を記述し、内容は冗長にならないよう整理して送信すること。
e）本人からの同意（暗黙の同意を含む）が無い場合に、業務用メールを送信する場合は、**R01000個人情報取扱規程**R.A.8（本人に連絡又は接触する場合の措置）の手順に従って事前に同意を取得する。
f）送信メールは、テキスト形式とする。やむをえずHTML形式とする場合は、その理由をメール本文の先頭に記述すること。
g）社外にメールを送信する時は、複数の人に同時に送信してはならない。やむを得ず外部の複数の人にメールを送信する時は、BCCで送信する。
h）件名に、顧客の個人情報を記載してメールを送信してはならない。
i）個人情報をメール添付ファイルで送信する場合は、事前に送信先とパスワードを取り決めておき送信する。

＜着信時＞
j）メールソフトの設定では、HTMLメールのテキスト部分以外を自動的にダウンロードしない設定とする。

安全管理措置（法第23条） **R.A.10**

k）発信者が不明な着信メールに添付ファイルが含まれている場合は、開いて閲覧してはならない。迷惑メールに退避し、相談が必要と判断した場合は、安全管理責任者に報告して指示を仰ぐこと。

10.10.4　FAXによる個人情報の送受信管理

　FAXによる個人情報の発信は誤送信を避けるため、事前にFAX番号短縮登録機能を使用して行うことを原則とします。通常取引の無い宛先に個人情報をFAX送信する場合は、複数人でFAX番号を読み上げ、確認の上送信します。

RA1000安全管理規程　　10.4FAXによる個人情報の送受信管理

a）FAXによる個人情報の発信は誤送信を避けるため、事前にFAX番号短縮登録機能を使用して行うことを原則とする。

b）通常取引のない宛先に個人情報をFAX送信する場合は、複数人でFAX番号読み上げ確認の上送信する。

c）FAXにて個人情報を送る場合は、送る前に相手に電話連絡し、在席であることを確認する。

d）FAXが届いたら直ちに回収し、FAX機に放置したままにしない。また、受け取った個人情報は、席を離れる場合には机の引き出しにしまうか、机の上等に置く場合は裏面を上にして置き、取扱者以外の者の目にふれないように心がけること。

e）本人からの同意（暗黙の同意を含む）が無い場合に、FAXを送信する場合は、**R01000個人情報取扱規程**R.A.8（本人に連絡又は接触する場合の措置）の手順に従って事前に同意を取得する。

10.11　「RA1000安全管理規程」の見直し

RA1000安全管理規程　　11.「RA1000安全管理規程」の見直し

　PMS事務局は、毎年**R06000PMS年間計画書（兼運用確認記録）**に従ってPMSを運用する、リスク分析の見直しの結果、新たな安全対策が必要となった場合は、**R10201是正処置報告書**によって、**RA1000安全管理規程**の見直しを図る。

　本規程の改廃は、トップマネジメントの承認を得なければならない。

179

個人情報保護に関する管理策

R.A.11 従業者の監督（法第24条）

11.1 機密保持誓約書

　従業者は入社時に、業務で知り得た個人情報を含む機密情報の守秘義務を課せられ、その証として**RA1101機密保持誓約書**に署名します。

> R01000個人情報取扱規程　R.A.11　従業者の監督（法第24条）(J.9.3)
>
> 　当社は従業者に個人情報を取り扱わせるに当たって、必要な力量を決定し、その力量を備えていることを確実にするため適切な監督を行う。そのため本規程及び**RA1000安全管理規程**を定め、従業者に周知し、力量を身につけるための処置を取り、とった処置の有効性を評価する。
> 2　従業者との雇用契約時に、個人情報を含む機密保持義務遵守のため、雇用契約終了後も一定期間有効とする**RA1101機密保持誓約書**を締結する。

　RA1101機密保持誓約書は、雇用契約のある従業者のみを対象とします。派遣元との守秘義務契約を締結している受入派遣社員に対しては「誓約書」を取得する必要はありません。

11.2 罰則

> R01000個人情報取扱規程　R.A.11　従業者の監督（法第24条）(J.9.3)
>
> 3　当社のPMSに故意に違反した者、あるいは自らの職務を適正に遂行しなかった従業者（協力会社員は除く）は「就業規則」に従い懲戒の対象となるとともに、会社に損害を与えた場合は、損害賠償請求を行うことがある。

　「就業規則」に、3項と同等の規定がある場合は、3項を削除してもかまいません。

委託先の監督（法第25条） **R.A.12**

R.A.12 委託先の監督（法第25条）

　個人情報を委託した場合、個人情報の取扱いの責任はすべて委託元である自社にあります。

　委託先や再委託先が外国にある場合、本人からの同意など、特別の措置が必要となります。詳しくは、「R.A.15外国にある第三者への提供の制限（法第28条）」を参照してください。

12.1　委託先管理台帳

> **R01000個人情報取扱規程　R.A.12委託先の監督（法第25条）**
>
> 　当社は、個人情報の取扱いの全部又は一部を委託する場合（以下委託という）、法令に基づき委託先の監督を行う。
> 2　個人情報を委託する場合、十分な個人情報の保護水準を満たしている者を選定し、全社の委託先についてRA1201委託先管理台帳に漏れなく特定し管理する。

　契約の有無にかかわらず、すべての個人情報の委託先をRA1201委託先管理台帳に特定します。個人情報保護管理者は、部門ごとに作成されたRA1201委託先管理台帳を取りまとめて、全社の一覧表を作成して管理します。

図表R.A.12-1　RA1201委託先管理台帳（一部）

	①部門	②種類	委託先会社名（業務内容）	国内外	③書類区分	契約書以外確認書類	④当社契約者名	⑤相手先契約者	委託する個人情報	⑥再委託の有無
例	総務	6従業者関連	○○の再委託先：○○運輸（機密文書リサイクルサービス）	1国内	2相手先契約書	宅配便約款	2総務部長	2組織責任者	従業者履歴書、給与台帳他	無

※翌年度以降、「R06000PMS年間計画書（兼運用確認記録）」に従い再評価を実施すること。（20★年度は　★月）
　本台帳は、毎年★月に改定し、旧版は3年間保管すること。
　①～⑥の内容は、表欄外の選択肢から該当するものを選択する。
　再委託＝有の場合は、委託先の次行に再委託先情報を入力

個人情報保護に関する管理策

図表R.A.12-2　　委託先の認識から漏れやすい事例

Webサーバー	個人情報を取得する画面がある場合
メールサーバー	個人情報をメールで送受信する場合、サーバーに一時保管される
従業者の名刺印刷	名刺の漏えいは、悪用されるリスクがある
配送	宅配、郵送、バイク便など
複合機の保守	コピーや印刷した結果が機器のメモリーに保管される

12.2　委託先の選定

RA1201委託先管理台帳に特定したすべての委託先について、自社と同等の安全管理対策が講じられているかどうかを調査します。

R01000個人情報取扱規程　R.A.12委託先の監督（法第25条）（J.9.4）

3　委託先選定基準として以下を定める。個人情報保護管理者は、委託先選定基準の内容が社会情勢や環境の変化に適合しているかどうか、毎年実施する委託先の再評価の前に点検する。

1）	RA1202委託先調査票（A：シンプル）
2）	RA1203委託先調査票（B：詳細）
3）	RA1204委託先調査票（C：個人番号）
4）	RA1205委託先調査票（D：自己評価）

4　各部門長は、個人情報を委託する前に、前項に規定するA～Dの「委託先調査票」のいずれかに必要事項を記載し、RA0101個人情報取得変更申請書に添付して、個人情報保護管理者の承認を得る。

評価結果には、客観的に妥当性を示すレベルが明記されている必要があります。また、調査にあたっては、個人情報のリスクに応じて、立ち入り調査が必要なケースもあります。

委託先の監督（法第25条） **R.A.12**

図表R.A.12-3　RA1202委託先調査表（A：シンプル）（一部）

20　年　月　日申請

委託先会社名	○○会社
委託先の地域	☑国内　　　　□国外：
委託内容	総会案内状の発送
契約期間	20　年　月　日契約締結　期間1年間
再契約	期間満了後自動継続の予定
その他留意事項	委託後の原票は回収する

No.	評価項目A：下記が○の場合、合格とする。（以降評価不要。）	評価 （○×）
1	委託先は、プライバシーマークを取得している。	×
	□国外の場合：アジア太平洋経済協力（APEC）越境プライバシールール（CBPR）の認証を取得	－

No.	評価項目B：　■現地調査　　□電話　　□アンケート	評価 （○×）
1	個人情報保護方針を制定し、公表していること <必須>確認した内容：　ホームページ　http://www.　を確認した。	○
2	社員は、個人情報の取扱いについて、責任者から教育を受けていること <必須>確認した内容：　20★年5月の教育記録を確認した。	○
3	受託した個人情報は施錠された書庫等に保管していること <必須>確認した内容：　現地調査で施錠を確認した。	○
4	事務所への入退室について記録していること 確認した内容：　20★年6月の入退室記録を確認した。	○
5	受託した個人情報をファイルサーバー等に保管している場合、アクセス制限として個別のユーザーID、パスワードを設定していること 確認した内容：　システム管理者にヒアリングした。	○

12.3　委託先との契約締結

R01000個人情報取扱規程　R.A.12委託先の監督（法第25条）（J.9.4）

5　個人情報を委託する場合は、特定した利用目的の範囲内で委託契約を締結しなければならない。そのため部門長は、次に示す事項を契約によって規定し、十分な個人データの保護水準を担保するため、**RA1207業務委託契約書（標準）**又は、**RA1208業務委託契約**

183

個人情報保護に関する管理策

書（個人番号）を締結し、原本を個人情報保護管理者宛に提出する。

a)	委託者及び受託者の責任の明確化
b)	個人情報の安全管理に関する事項 ・漏えい防止及び盗用禁止 ・委託範囲外の加工及び利用の禁止 ・委託先契約範囲外の複写及び複製の禁止 ・委託契約期間
c)	再委託を行うに当たっての委託者への文書による報告
d)	個人情報の取扱状況に関する委託者への報告の内容及び頻度
e)	契約内容が遵守されていることを委託者が、定期的に及び適宜に確認できる事項
f)	契約内容が遵守されなかった場合の措置
g)	事件・事故が発生した場合の報告・連絡に関する事項
h)	委託契約終了後の個人情報の返還・消去・廃棄に関する事項

　委託先との間で契約が締結できるとは限りません。例えばデータセンターや宅配事業者とは、利用条件を示す「約款」の内容に問題がないことを確認することが一般的です。その場合は、**RA1202委託先調査票A（シンプル）**に委託先のホームページ等に掲示されている「約款」を印刷して添付し、個人情報保護管理者の承認を得ることになります。

12.4　委託先の定期的な再評価

　委託先における安全管理措置が、維持されているかどうかを定期的に評価する必要があります。

R01000個人情報取扱規程　R.A.12委託先の監督（法第25条）（J.9.4）

6　部門長は、R06000PMS年間計画書（兼運用確認記録）に従い、委託先について毎年1回以上及び、委託先について安全管理上の懸念があった場合に再調査を実施し、個人情報保護管理者へ提出する。再評価は原則として、2項に規定するA）～D）のうち、初回に使用した委託先選定基準を使用するが、状況に応じて**RA1205委託先調査票D（自己評価）**を用いることも差し支えない。

184

委託先の監督（法第25条） R.A.12

12.5 委託先との個人情報の授受記録

委託先との個人情報の授受が発生する都度、記録が不可欠です。委託先に廃棄・消去までを依頼した場合は、廃棄証明書の取得まで確実に記録しなければなりません。

R01000個人情報取扱規程　R.A.12委託先の監督（法第25条）（J.9.4）

部門長は、個人情報を委託する都度、RA1211委託業務指示書及びRA1212委託業務指示書管理台帳若しくはそれにかわる個人情報の授受記録によって個人情報の所在を管理する。

8　部門長は、RA1212委託業務指示書管理台帳を毎月点検し、必要に応じて委託先の現地点検を実施し、不適合を発見した場合は是正処置を講じる。

9　個人情報保護管理者は、委託契約に係る個人情報の保有期間にわたって、当該契約書を保管する。

図表R.A.12-4　RA1211委託業務指示書（一部）

◆情報の名称・媒体			
情報資産の名称：	該当するものに■チェック（複数可）		情報の件数
	□文書（紙）　□リスト（紙）　□電子データ □写真（紙）　□フィルム　　□画像データ □CD/DVD　　□USBメモリ　□ICメモリ　□MT □その他：		件
機密区分：　社外秘			

◆特定個人情報、要配慮個人情報、匿名加工情報の有無

□あり	□「特定個人情報」の内容：
■なし	□「要配慮個人情報」の内容：
	□「匿名加工情報」の内容：

◆委託先会社における、安全管理措置

□作業担当者の限定　□作業中以外の施錠保管　□入退出の記録　□作業場への携帯等の持込禁止
□情報処理機器のアクセスログ取得　□移送時のデータにパスワード「　　」付加 □

◆情報資産返却方法

返却予定日　20　年　　月　　日　□委託元に持参　□特定記録／書留等返却　□廃棄し廃棄証明書を提出

◆授受確認欄

委託開始日：　20★年　月　　日

委託元　「授」担当者　サイン	⇒	委託先　「受」担当者サイン
氏名		氏名

返却日：　20　年　月　　日

データ返却	□返却あり	□なし	
廃棄証明書	□廃棄証明書あり	□なし	必ずいずれかが「あり」

委託元　「受」担当者　サイン	⇐	委託先　「授」担当者サイン
氏名		氏名

委託元　　返却の確認	（郵送返却時には上記欄にサインの上返却書類に同封願います）
委託元責任者　○○○○　　印	⇒　　□　　完了

※本連絡票は「RA1212委託指示管理台帳」にて管理のこと。

185

② 個人情報保護に関する管理策

R.A.13 漏えい等の報告等（法第26条）

R.A.13.1　漏えい等発生時の措置

　緊急事態が発生、もしくはそのおそれが発生した直後は、被害の規模、影響の範囲が不明な状態がほとんどです。通則ガイドライン3-5-1-1には、漏えい等について、以下の事例を掲載しています。

図表R.A.13-1　漏えい、滅失、毀損とは

「漏えい」とは、個人データが外部に流出することをいう。	
事例1）	個人データが記載された書類を第三者に誤送付した場合
事例2）	個人データを含むメールを第三者に誤送信した場合
事例3）	システムの設定ミス等によりインターネット上で個人データの閲覧が可能な状態となっていた場合
事例4）	個人データが記載又は記録された書類・媒体等が盗難された場合
事例5）	不正アクセス等により第三者に個人データを含む情報が窃取された場合
「滅失」とは、個人データの内容が失われることをいう。	
事例1）	個人情報データベース等から出力された氏名等が記載された帳票等を誤って廃棄した場合
事例2）	個人データが記載又は記録された書類・媒体等を社内で紛失した場合
「毀損」とは、個人データの内容が意図しない形で変更されることや、内容を保ちつつも利用不能な状態となることをいう。	
事例1）	個人データの内容が改ざんされた場合
事例2）	暗号化処理された個人データの復元キーを喪失したことにより復元できなくなった場合
事例3）	ランサムウェア等により個人データが暗号化され、復元できなくなった場合

> **R01000個人情報取扱規程**　R.A.13漏えい等の報告等（法第26条）（J.4.4.2）
> 　漏えい等又はそのおそれのある事案（「漏えい等事案」という。）が発覚した場合は、漏えい等事案の内容等に応じて、次の1.から5.に掲げる事項について必要な措置を講じなければならない。

漏えい等の報告等（法第26条） **R.A.13**

1）	当社内部における報告及び被害の拡大防止
2）	事実関係の調査及び原因の究明
3）	影響範囲の特定
4）	再発防止策の検討及び実施
5）	個人情報保護委員会への報告及び本人への通知

　緊急事態が発生したことは、上記1.に基づき、全従業者に「メール通知文」や「社内掲示板」にて、情報共有します。従業者が外部からの問い合わせに、「緊急事態発生を知らない」と回答することのないよう注意してください。

　なお、通則ガイドライン3-5-1-1では、個人データを第三者に閲覧されないうちにすべてを回収した場合は、漏えいに該当しない、としています。取り扱う個人情報の件数など、個人情報のライフサイクルに応じた取扱いが、適切に把握されていることではじめて、"すべてを回収した"といえることになるため、「個人情報管理台帳」の定期的な見直しなど、日常的な管理が重要になります。

R.A.13.2　事故報告書の作成

　緊急事態の発見者から、個人情報保護管理者に報告する場合、口頭の報告では伝言ゲームになりがちなため、個人情報保護管理者は、**R07432事故報告書**での報告をするよう指示します。

R01000個人情報取扱規程　R.A.13漏えい等の報告等（法第26条）（J.4.4.2）

2　事故報告書の作成

　緊急事態の発見者、もしくは緊急事態発生の部門長は、**R07432事故報告書**を作成し、個人情報保護管理者に報告すること。また、個人情報保護管理者は、以下の措置を確実に実施し、その記録や結果を**R07432事故報告書**に追記する。

a）	本人への連絡 （必須）	当該漏えい、滅失又は毀損が発生した個人情報の内容を本人に速やかに通知（訪問、電話、メール、郵送など）し、又は本人が容易に知り得る状態（HP掲載など）におく。

b）	公表	二次被害の防止、類似事案の発生回避などの観点から、可能な限り事実関係、発生原因及び対応策について、「謝罪文」「公表文」などを作成し、遅滞なく公表する。 ・社内通知 ・自社ＨＰ公表 ・マスコミ発表
c）	関係機関 （必須）	以下の関係機関への連絡先は**R07431緊急連絡網**に記載する。 ・一般財団法人日本情報経済社会推進協会（JIPDEC）プライバシーマーク推進センター　事故対応グループ ・個人情報保護委員会
d）	利害関係者	親会社、取引先、委託元／委託先、企業グループ各社など
e）	警察	サイバーテロ等のおそれがある場合

R.A.13.3　本人への連絡

本人への連絡は、二次被害防止のため、速やかに実施する必要があります。

R01000個人情報取扱規程　R.A.13漏えい等の報告等（法第26条）（J.4.4.2）

3　本人への連絡は、施行規則第十条に従い、以下の事項を通知する。はじめは、メールもしくは電話で連絡し、了解を得て、本人の希望する連絡手段で、代表者名の「謝罪文」を発行する。なお、本人への通知が困難な場合であって、本人の権利利益を保護するため必要なこれに代わるべき措置をとるときは、この限りではない。

1）	概要
2）	漏えい等が発生し、又は発生したおそれがある個人データの項目
3）	原因
4）	二次被害又はそのおそれの有無及びその内容
5）	その他参考となる事項

謝罪文には、発生した緊急事態について、その時点で判明している事実をできる限り記載します。

漏えい等の報告等（法第26条） **R.A.13**

図表R.A.13-2　謝罪文の事例

■■

1．事故発生日時：
2．漏えい等の概要：○○情報を郵送時に、Ａ宛の情報を、Ｂ宛に誤送付
3．漏えい等が発生し、又は発生したおそれがある個人データの項目：
　　・○○情報：氏名、ふりかな、自宅住所、電話番号、学歴、職歴など。
4．事故発生の経緯：
　　・発生場所（住所、店舗、交通機関、URLなど）：
　　・事故に至った詳細：誰が、何をしようとして、何が起きたか。
　　・初期対応詳細：誰に連絡して、どのような対応を取ったか
　　・漏えいした個人情報は回収できたかどうか
5．原因：
　　・窓開き封筒を使用していたが、Ａ宛の住所氏名と、2枚目の情報が宛先とは異なっていた。
6．二次被害又はそのおそれの有無及びその内容：
　　・漏えいした個人情報について悪用の可能性
　　・ID、パスワード等の変更
　　・金融機関への連絡、クレジットカード停止等の処置の必要性
7．今後の対応について：
　　・個人情報保護委員会への報告
　　・審査機関への報告
　　・マスコミ発表の有無
　　・緊急の再発防止策
　　・事故を起こした者に対する措置（教育、処罰等）
　　・組織的な再発防止策（手順の変更、全社教育等）
8．その他参考となる事項

■■

R.A.13.4　個人情報保護委員会及び審査機関への「速報」の報告

　保護法第26条（漏えい等の報告等）では、個人データの漏えい、滅失、毀損その他、個人の権利利益を害するおそれが大きい事態が発生した場合は、個人情報保護委員会への報告「速報」を義務付けています。

R01000個人情報取扱規程　R.A.13漏えい等の報告等（法第26条）

4　個人情報保護委員会及び審査機関への「速報」の報告

　次のいずれかに該当する事故等が発生した場合、「速報」として、発見日から概ね3～5日以内に、トップマネジメントの承認を得た上で、**R07431緊急連絡網**に従い、個人情報

189

② 個人情報保護に関する管理策

保護委員会、及び審査機関(一般財団法人 日本情報経済社会推進協会(JIPDEC)プライバシーマーク推進センター事故対応グループ)に報告する。

「速報」対象となる事故等:個人の権利利益を害するおそれが大きいもの	
a)	要配慮個人情報が含まれる事故等
b)	不正に利用されることにより財産的被害が生じるおそれがある事故等
c)	不正の目的をもって行われたおそれがある事故等
d)	個人データに係る本人の数が1,000人を超える事故等
e)	付与機関(JIPDEC)がPマーク付与適格性審査基準における重大な違反があると認めた事態
「速報」対象となる特定個人情報に関する事故等の内容	
f)	情報提供ネットワークシステム等からの漏えい、滅失、毀損
g)	不特定多数の者に閲覧された場合
h)	不正の目的による漏えい、滅失、毀損
i)	100人を超える場合

　個人の権利利益を害するおそれが大きい「速報」対象となる事故等は、施行規則第七条に規定されています。

　個人情報保護委員会への報告は、次の事項(報告をしようとする時点において把握しているものに限る)としています。

1) 概要
2) 漏えい等が発生し、又は発生したおそれがある個人データの項目
3) 漏えい等が発生し、又は発生したおそれがある個人データに係る本人の数
4) 原因
5) 二次被害又はそのおそれの有無及びその内容
6) 本人への対応の実施状況
7) 公表の実施状況
8) 再発防止のための措置
9) その他参考となる事項

漏えい等の報告等（法第26条）　**R.A.13**

R.A.13.5「確報」の報告

「確報」を、個人情報保護委員会及び審査機関に報告しますが、審査機関に報告の際に、審査機関の様式で「改善報告書」を提出するよう指示された場合は、「確報」に添えて提出します。審査機関では、「速報」「確報」及び、「改善報告書」に基づき、Pマークの維持について、審査されます。

> R01000個人情報取扱規程　R.A.13漏えい等の報告等（法第26条）
>
> 5　「速報」報告後、発覚日から30日以内（不正の目的をもって行われたおそれがある事故等の場合は60日）に「確報」（続報）を、個人情報保護委員会及び審査機関に報告する。また、「審査機関」から指示された場合は、「改善報告書」を作成して審査機関に提出する。

R.A.13.6「速報」対象事故でなかった場合の報告

「速報」対象事故でなかった場合でも、審査機関には30日以内に「確報」を提出します。この場合においても、審査機関の様式で「改善報告書」を提出するよう指示される場合があります。

> R01000個人情報取扱規程　R.A.13漏えい等の報告等（法第26条）
>
> 6　「速報」対象事故でなかった場合の報告
>
> 　発覚日から30日（不正の目的をもって行われたおそれがある事故等の場合は60日）以内に、審査機関に「確報」として報告する。

R.A.13.7　再発防止措置

再発防止策は、R10201是正処置報告書によって、緊急事態発生部門長が立案し、以下のPDCAを実施します。

1）手順の見直しと規定
2）事故発生部門、同様の事態が発生する可能性のある部門への教育
3）手順の実施
4）一定期間経過後に効果を確認
5）マネジメントレビュー

191

個人情報保護に関する管理策

R01000個人情報取扱規程　R.7.4.3緊急事態への準備

7　再発防止措置
　個人情報保護管理者は、緊急事態が収まり又は最悪の状態から脱した時期に、類似案件が再発しないよう、緊急事態発生部門長にR10201是正処置報告書の作成を指示し、緊急事態発生部門長は、緊急事態発生の真の原因を追求し、対策を立案し、必要に応じて、手順を見直して規定し、代表者の承認を得る。

R.A.13.8　従業者への教育

　緊急事態が発生した場合、できる限り迅速に社内で情報共有しますが、真の原因が判明し、再発防止対策が決定した時点で、可能な限り速やかに、従業者への教育を実施します。

R01000個人情報取扱規程　R.7.4.3緊急事態への準備

8　従業者への教育
　前項で策定された再発防止策について、事故発生部門、同様の事態が発生する可能性のある部門への教育を実施する。

　教材は、「事故報告書」、「改善報告書」を利用します。できる限りリアルであることで教育効果が上がります。

R.A.13.9　緊急事態に関するマネジメントレビュー

R01000個人情報取扱規程　R.7.4.3緊急事態への準備

9　緊急事態に関するマネジメントレビュー
　個人情報保護管理者は、1年間に発生した緊急事態の発生の内容と対応結果、サイバーテロなどの外部環境の変化、技術の進歩などを踏まえ、緊急事態への準備・対応に関する手順について有効性を評価し、マネジメントレビューのインプットとして報告し、次年度に向けて継続的改善に繋げる。

第三者提供の制限（法第27条） **R.A.14**

R.A.14 第三者提供の制限（法第27条）

　第三者提供とは、個人情報の管理について、一切の権限が第三者に渡り、提供者からの指示や関与が一切及ばなくなる状況をいいます。

　個人情報保護法第27条には、"あらかじめ本人の同意を得ないで、個人データを第三者に提供してはならない。"と定めています。既に取得している個人情報でも、第三者提供について同意を得ていない場合は、あらためて第三者への提供を利用目的とすることなどの必要事項を明示又は通知し、本人からの明示的な同意を得なければなりません。

図表R.A.14-1　第三者提供にあたるが、見過ごされがちな事例

1）	社員を他社に派遣、常駐、出向させる	社員のプロフィールや、スキルシート、入館証発行のための個人情報を受注先に提出する場合
2）	ホームページに社員の顔写真やプロフィールを掲載	ホームページは第三者が閲覧可能なため、第三者提供にあたる

R01000個人情報取扱規程　R.A.14第三者提供の制限（法第27条）（J.8.8）

　当社は、個人情報を第三者に提供する場合には、法令に基づき、第三者の制限等に係る措置を行わなければならない。

2　個人情報を第三者提供する場合は、あらかじめ、本人に対して、R.A.2（利用目的による制限）2項のa）～d）に示す事項又はこれらと同等以上の内容の事項、及び取得方法を記載した「明示して同意を得るための書面」によって本人から同意を得る。

3　個人情報を第三者に提供する際に、本人の同意を省略できるときとは、以下の場合に限定する。その場合は**RA2901PMS例外処理申請書**によって、個人情報保護管理者の承認を得る。

1）	法令に基づく場合
2）	人の生命、身体又は財産の保護のために必要がある場合であって、本人の同意を得ることが困難であるとき。

193

個人情報保護に関する管理策

	3）	公衆衛生の向上又は児童の健全な育成の推進のために特に必要がある場合であって、本人の同意を得ることが困難であるとき。
	4）	国の機関若しくは地方公共団体又はその委託を受けた者が法令の定める事務を遂行することに対して協力する必要がある場合であって、本人の同意を得ることにより当該事務の遂行に支障を及ぼすおそれがあるとき。
	5）	当該個人情報取扱事業者が学術研究機関等である場合であって、当該個人データの提供が学術研究の成果の公表又は教授のためやむを得ないとき（個人の権利利益を不当に侵害するおそれがある場合を除く。）。
	6）	当該個人情報取扱事業者が学術研究機関等である場合であって、当該個人データを学術研究目的で提供する必要があるとき（当該個人データを提供する目的の一部が学術研究目的である場合を含み、個人の権利利益を不当に侵害するおそれがある場合を除く。）（当該個人情報取扱事業者と当該第三者が共同して学術研究を行う場合に限る。）。
	7）	当該第三者が学術研究機関等である場合であって、当該第三者が当該個人データを学術研究目的で取り扱う必要があるとき（当該個人データを取り扱う目的の一部が学術研究目的である場合を含み、個人の権利利益を不当に侵害するおそれがある場合を除く。）。
a）	\multicolumn{2}{l	}{R.A.7（本人から直接書面によって取得する場合の措置）、又はR.A.8（本人に連絡又は接触する場合の措置）の規定によって、既にR.A.7の1項a）～d）の事項又はそれと同等以上の内容の事項を本人に明示し、本人の同意を得ているとき。}
b）	\multicolumn{2}{l	}{本人の同意を得ることが困難な場合、かつ本人の求めに応じて当該本人が識別される個人データの第三者への提供を停止することとしている場合（オプトアウト）であって、法令等が定める手続に基づいた上で、次に示す事項又はそれと同等以上の内容の事項を、あらかじめ、本人に通知し、又は本人が容易に知り得る状態に置くとともに、個人情報保護委員会に届け出たとき。}
	1）	当社の名称及び住所並びに代表者の氏名
	2）	第三者への提供を利用目的とすること
	3）	第三者に提供される個人データの項目
	4）	第三者に提供される個人データの取得の方法
	5）	第三者への提供の方法
	6）	本人の求めに応じて当該本人が識別される個人データの第三者への提供を停止すること
	7）	本人の求めを受け付ける方法
	8）	個人の権利利益を保護するために必要なものとして個人情報保護委員会規則第十一条4項で定める事項 1．第三者に提供される個人データ等の更新の方法 2．個人データの第三者への提供を開始する予定日

第三者提供の制限（法第27条） **R.A.14**

	・オプトアウトの内容に変更があったとき、又は個人情報の提供をやめたときは、遅滞なくb）項の3）～5）を、本人に通知し、又は本人が容易に知り得る状態に置くとともに、個人情報保護委員会に届け出なければならない。 ・また、b）項の7）、8）を変更しようとするときは、あらかじめ、本人に通知し、又は本人が容易に知り得る状態に置くとともに、個人情報保護委員会に届け出なければならない。
c）	特定した利用目的の達成に必要な範囲内において、個人データの取扱いの全部又は一部を委託することに伴って当該個人データが提供されるとき
d）	合併その他の事由による事業の承継に伴って個人データが提供される場合であって、承継前の利用目的の範囲内で当該個人データを取り扱うとき
e）	R.A.8（本人に連絡又は接触する場合の措置）のd）によって、特定の者との間で共同して利用される個人データが当該特定の者に提供されるとき

法第27条1項に基づく適用除外

f）	法令（条例を含む）に基づく場合
g）	人の生命、身体又は財産の保護のために必要がある場合であって、本人の同意を得ることが困難であるとき。
h）	公衆衛生の向上又は児童の健全な育成の推進のために特に必要がある場合であって、本人の同意を得ることが困難であるとき
i）	国の機関若しくは地方公共団体又はその委託を受けた者が法令の定める事務を遂行することに対して協力する必要がある場合であって、本人の同意を得ることによって当該事務の遂行に支障を及ぼすおそれがあるとき。
j）	個人情報取扱事業者が学術研究機関である場合であって、個人データの提供が学術研究の成果の公表又は教授のためやむを得ないとき（個人の権利利益を不当に侵害するおそれがある場合を除く。）
k）	個人情報取扱事業者が学術研究機関等である場合であって、個人データを学術研究目的で提供する必要があるとき（個人データを提供する目的の一部が学術研究目的である場合を含み、個人の権利利益を不当に侵害するおそれがある場合を除く。）（個人情報取扱事業者と第三者が共同して学術研究を行う場合に限る。）
l）	第三者が学術研究機関等である場合であって、第三者が個人データを学術研究目的で取り扱う必要があるとき（個人データを取り扱う目的の一部が学術研究目的である場合を含み、個人の権利利益を不当に侵害するおそれがある場合を除く。）

4　オプトアウト

当社は、b）項の規定にかかわらず、オプトアウトを行わない。また、第三者に提供される個人データが以下の場合、オプトアウトを適用することはできない。

m）	要配慮個人情報
n）	偽りその他の不正の手段により取得された個人情報
o）	オプトアウトで取得、又は、オプトアウトで提供された個人データ等（その全部又は一部を複製し、又は加工したものを含む）

195

② 個人情報保護に関する管理策

R.A.15 外国にある第三者への提供の制限（法第28条）

外国にある第三者への提供の制限において、特に注意しなければならないことは、外国にある第三者提供先に「委託先」が含まれることです。外国にあるデータセンターや、情報処理事業者に個人情報を委託している場合は、本人に対して委託先の詳細情報の通知が必要です。

本書では、外国にある第三者へ提供する場合は、すべて個人情報保護管理者の承認を得るよう規定しています

> R01000個人情報取扱規程　R.A.15外国にある第三者への提供の制限（法第28条）（J.8.8.1）
>
> 外国にある第三者に個人データ等を提供（委託や共同利用を含む。以下同じ）する場合は、R.A.14（第三者提供の制限）に従い、本人の同意を得るものとする。
> 2　外国にある第三者に個人データ等を提供する場合は、以下のいずれかを満たすこと。
>
> | a) | あらかじめ外国にある第三者への提供を認める旨の本人の同意を得ること。 | |
> |---|---|---|
> | b) | 個人データの取扱いについて個人情報取扱事業者が講ずべきこととされている措置に相当する措置を継続的に講ずるために必要なものとして個人情報保護委員会規則第十六条で定める基準に適合する体制を整備している者へ提供する場合 | |
> | | 1) | 個人情報取扱事業者と個人データの提供を受ける者との間で、当該提供を受ける者における当該個人データの取扱いについて、適切かつ合理的な方法により、法第4章第2節（法第17条（利用目的の特定）～第40条（苦情の処理））の規定の趣旨に沿った措置の実施が確保されていること。 |
> | | 2) | 個人データの提供を受ける者が、個人情報の取扱いに係る国際的な枠組みに基づく認定を受けていること。 |
> | c) | 個人の権利利益を保護する上で我が国と同等の水準にある外国として個人情報保護委員会規則第十五条で定める国・地域にある第三者への提供をする場合 | |
> | | 1) | 法における個人情報取扱事業者に関する規定に相当する法令その他の定めがあり、その履行が当該外国内において確保されていると認めるに足りる状況にあること。 |

外国にある第三者への提供の制限（法第28条）**R.A.15**

2）	個人情報保護委員会に相当する独立した外国執行当局が存在しており、かつ、当該外国執行当局において必要かつ適切な監督を行うための体制が確保されていること。
3）	我が国との間において、個人情報の適正かつ効果的な活用と個人の権利利益の保護に関する相互理解に基づく連携及び協力が可能であると認められるものであること。
4）	個人情報の保護のために必要な範囲を超えて国際的な個人データの移転を制限することなく、かつ、我が国との間において、個人情報の保護を図りつつ、相互に円滑な個人データの移転を図ることが可能であると認められるものであること。
5）	前四号に定めるもののほか、当該外国を法第28条１項の規定による外国として定めることが、我が国における新たな産業の創出並びに活力ある経済社会及び豊かな国民生活の実現に資すると認められるものであること。

3　外国にある第三者に個人データ等を提供することについて、本人の同意を省略できる場合とは、R.A.14（第三者提供の制限）のｆ）～ｌ）のいずれかに限定する。

4　前項ａ）（本人の同意がある場合）によって外国にある第三者に個人データを提供する場合は、あらかじめ、次に掲げる事項について、当該本人に必要な情報を提供すること。

ｄ）	当該外国の名称
ｅ）	適切かつ合理的な方法により得られた当該外国における個人情報の保護に関する制度に関する情報（参考：以下に示す事項又はそれらと同等以上の内容の情報提供）
	1）　OECDプライバシーガイドライン８原則に対応する事業者の義務又は本人の権利の不存在
	2）　その他本人の権利利益に重大な影響を及ぼす可能性のある制度の存在
ｆ）	当該第三者が講ずる個人情報の保護のための措置に関する情報
ｇ）	ｄ）～ｆ）に定める事項が特定できない場合、その旨及びその理由
ｈ）	ｇ）に該当する場合であって、ｄ）～ｆ）の事項に代わる本人に参考となるべき情報がある場合には、当該情報
ｉ）	ｇ）及びｈ）に該当する場合について情報提供できない場合には、ｇ）及びｈ）に定める事項に代えて、その旨及びその理由

5　前項ｂ）（体制を整備している）によって外国にある第三者に個人データを提供する場合には、あらかじめ、次に掲げる事項について、必要な措置を講じること。

ｊ）	当該第三者による相当措置の実施状況並びに相当措置の実施に影響を及ぼすおそれのある当該外国の制度の有無及びその内容について、適切かつ合理的な方法による定期的な確認手順を策定し実施すること

197

個人情報保護に関する管理策

k）	当該第三者による相当措置の実施に支障が生じたときは、必要かつ適切な措置を講ずるとともに、当該相当措置の継続的な実施の確保が困難となったときは、個人データの当該第三者への提供の停止手順を策定すること
l）	本人の求めを受けた場合には、情報提供することにより当該事業者の業務の適正な実施に著しい支障を及ぼすおそれがある場合を除き、遅滞なく、以下の情報の提供
	1） 当該第三者による体制の整備の方法
	2） 当該第三者が実施する相当措置の概要
	3） j）による確認の頻度及び方法
	4） 当該外国の名称
	5） 当該第三者による相当措置の実施に影響を及ぼすおそれのある当該外国の制度の有無及びその概要
	6） 当該第三者による相当措置の実施に関する支障の有無及びその概要
	7） 6）の支障に関して、k）により講ずる措置の概要
	※本人の求めに係る情報の全部又は一部について提供しない旨の決定をしたときは、本人に対して、遅滞なく、その旨を通知するとともに、その理由を説明すること。

「共同利用先」についても同様で、グループ会社で共同利用している場合、国内では通知・公表で済ませられていた場合であっても、外国にあるグループ企業との共同利用については、明示的な本人の同意が必要となります。

外国にある第三者に個人データ等を提供する際に、本人の同意を省略できる類型は以下を参考にできます。

図表R.A.15-1　本人の同意を省略できる類型

	区分	外国にある者との関係
1）	同一法人格	当社の外国支店など
2）	SCC（標準契約条項）と同等の契約締結	データ移転元と移転先との間で、当該個人データの取扱いについて、契約により、個人情報の保護に関するルール（Standard Contractual Clauses）を連携して実施することが確保されていること
3）	BCR（拘束的企業準則）の整備	グループ企業全体でデータ保護に関するルール（Binding Corporate Rules）を整備し、個人情報保護委員会が承認して、グループ内でデータ移転を行う場合
4）	十分性認定が認められる者	個人データの提供を受ける者が、個人情報の取扱いに係る国際的な枠組みに基づく認定を受けていること

外国にある第三者から提供を受ける場合

2018年5月25日に施行された「一般データ保護規則（GDPR）」では、"法律に基づく場合"は適用されず、国や自治体への提供であっても、原則として本人の同意が必要です。

GDPRの対象はEU加盟国及び欧州経済領域（EEA）の一部の地域に子会社がある組織、サービスを提供している組織は、提供を受ける個人データについて、本人が同意しているかどうか確実でない場合には、前項の、SCCの締結、BCRの承認、もしくは十分性認定を得ていることを確認する必要があります。

② 個人情報保護に関する管理策

R.A.16 第三者提供に係る記録の作成等（法第29条）

　この規定は、個人情報の権利の観点から、トレーサビリティの確保を目的とするもので、不正な第三者提供が発生した時に、個人情報保護委員会からの調査が行われることがあります。

R01000個人情報取扱規程　R.A.16第三者提供に係る記録の作成等（法第29条）（J.8.8.2）

　個人データ等を第三者に提供した場合は、**RA1601第三者提供先（共同利用先）検証記録**を作成して、以下の情報を記録すること。

1)	個人データ等を第三者に提供した年月日
2)	当該第三者の組織名称及び住所、代表者の氏名
3)	当該第三者への提供の内容
4)	提供した担当者の氏名及び所属

2　反復継続する第三者提供の場合で以下の1）～3）に該当する場合は、都度記録の作成を省略することができる。その場合は**RA2901PMS例外処理申請書**によって、個人情報保護管理者の承認を得る。

1)	契約書、同意書等、文書を3年以上保管する場合
2)	反復継続する第三者提供で、授受記録を3年以上保管する場合
3)	物品又は、役務の提供に関連して作成された契約書等で、1年以上保管する場合

3　**RA1601第三者提供先（共同利用先）検証記録**に記載しなくてもよいのは、以下のa）～j）に限定する。その場合は**RA2901PMS例外処理申請書**によって、個人情報保護管理者の承認を得る。

a)	特定した利用目的の達成に必要な範囲内において、個人データの取扱いの全部又は一部を委託することに伴って当該個人データが提供されるとき
b)	合併その他の事由による事業の承継に伴って個人データが提供される場合であって、承継前の利用目的の範囲内で当該個人データを取り扱うとき
c)	R.A.8（本人に連絡又は接触する場合の措置）3のd）によって、特定の者との間で共同して利用される個人データが当該特定の者に提供されるとき

d)	法令（条例を含む）に基づく場合
e)	人の生命、身体又は財産の保護のために必要がある場合であって、本人の同意を得ることが困難であるとき
f)	公衆衛生の向上又は児童の健全な育成の推進のために特に必要がある場合であって、本人の同意を得ることが困難であるとき
g)	国の機関若しくは地方公共団体又はその委託を受けた者が法令の定める事務を遂行することに対して協力する必要がある場合であって、本人の同意を得ることによって当該事務の遂行に支障を及ぼすおそれがあるとき
h)	個人情報取扱事業者が学術研究機関等である場合であって、個人データの提供が学術研究の成果の公表又は教授のためやむを得ないとき（個人の権利利益を不当に侵害するおそれがある場合を除く。）
i)	個人情報取扱事業者が学術研究機関等である場合であって、個人データを学術研究目的で提供する必要があるとき（個人データを提供する目的の一部が学術研究目的である場合を含み、個人の権利利益を不当に侵害するおそれがある場合を除く。）（個人情報取扱事業者と第三者が共同して学術研究を行う場合に限る。）
j)	第三者が学術研究機関等である場合であって、第三者が個人データを学術研究目的で取り扱う必要があるとき（個人データを取り扱う目的の一部が学術研究目的である場合を含み、個人の権利利益を不当に侵害するおそれがある場合を除く。）

4　個人情報を提供したときに、提供先が実施する第三者提供を受ける際の確認等に対し、取得経緯についての情報提供など、適切に応じること。

5　RA1601第三者提供先（共同利用先）検証記録は、PMS事務局でR07512PMS記録台帳に規定した期間保管する。

　個人番号を税務署や市区町村に提供する際など、ただし書きを適用して**RA1601第三者提供先（共同利用先）検証記録**の作成を省略できる場合は多いのですが、**RA2901PMS例外処理申請書**の個人情報保護管理者の承認は必須です。

　また、授受記録や各種伝票などについては、個人情報保護委員会規則で、1年超から3年超の期間保管するよう規定されています。

R.A.17 第三者提供を受ける際の確認等（法第30条）

　2019年1月に個人情報保護委員会から公表された「個人情報の保護に関する法律に係るEU及び英国域内から十分性認定により移転を受けた個人データの取扱いに関する補完的ルール」において、"EU及び英国域内から当該個人データの提供を受ける際に特定された利用目的を含め、その取得の経緯を確認し、記録すること"と規定されました。

R01000個人情報取扱規程　R.A.17第三者提供を受ける際の確認等（法第30条）

　当社は、個人情報を受託する場合、及び第三者から個人情報の提供を受ける場合は、**RA0401適正な取得チェックリスト**によって、委託元又は提供元が個人情報を適正に取り扱っていることを確認・選定し、個人情報保護管理者の承認を得る。

2　第三者から個人データの提供を受ける場合には、特定された利用目的を確認して記録し、特定された利用目的の範囲内で当該個人情報を利用する。

3　取得の経緯を示す契約書等の書面によっても当該個人情報が適法に取得されたことが確認できない場合は、個人情報保護管理者はその取得を自粛することを含め、慎重に判断し、対応すること。

4　第三者から個人データの提供を受けるに際して、確認を要しないのは、以下の場合に限定する。その場合は**RA2901PMS例外処理申請書**によって、個人情報保護管理者の承認を得る。

a）	特定した利用目的の達成に必要な範囲内において、個人データの取扱いの全部又は一部を委託されることに伴って当該個人データの提供を受けたとき
b）	合併その他の事由による事業の承継に伴って個人データの提供を受けた場合であって、承継前の利用目的の範囲内で当該個人データを取り扱うとき
c）	R.A.8（本人に連絡又は接触する場合の措置）のd）によって、特定の者との間で共同して利用される個人データを当該特定の者から提供を受けたとき
d）	法令（条例を含む）に基づく場合
e）	人の生命、身体又は財産の保護のために必要がある場合であって、本人の同意を得ることが困難であるとき

第三者提供を受ける際の確認等（法第30条） **R.A.17**

f）	公衆衛生の向上又は児童の健全な育成の推進のために特に必要がある場合であって、本人の同意を得ることが困難であるとき
g）	国の機関若しくは地方公共団体又はその委託を受けた者が法令の定める事務を遂行することに対して協力する必要がある場合であって、本人の同意を得ることによって当該事務の遂行に支障を及ぼすおそれがあるとき
h）	個人情報取扱事業者が学術研究機関等である場合であって、個人データの提供が学術研究の成果の公表又は教授のためやむを得ないとき（個人の権利利益を不当に侵害するおそれがある場合を除く。）
i）	個人情報取扱事業者が学術研究機関等である場合であって、個人データを学術研究目的で提供する必要があるとき（個人データを提供する目的の一部が学術研究目的である場合を含み、個人の権利利益を不当に侵害するおそれがある場合を除く。）（個人情報取扱事業者と第三者が共同して学術研究を行う場合に限る。）
j）	第三者が学術研究機関等である場合であって、第三者が個人データを学術研究目的で取り扱う必要があるとき（個人データを取り扱う目的の一部が学術研究目的である場合を含み、個人の権利利益を不当に侵害するおそれがある場合を除く。）

5　RA0401適正な取得チェックリストは、PMS事務局でR07512PMS記録台帳に規定した期間保管する。

　国内と同様に、外国から第三者提供を受ける場合も、**RA0401適正な取得チェックリスト**等によって適正な取得であることを記録し、3年超保管する必要があります。

203

② 個人情報保護に関する管理策

R.A.18 個人関連情報の第三者提供の制限等（法第31条）

　個人関連情報とは、生存する個人に関する情報であって、それだけでは個人を識別できないが、他の情報と組み合わせて個人を特定できる可能性のある情報をいい、個人情報、仮名加工情報及び匿名加工情報のいずれにも該当しないものをいいます。

　法第31条においては、あらかじめ個人情報保護委員会規則（第二十六条一項）で定めるところにより、この項で述べる「確認」をしないで、当該個人関連情報を当該第三者に提供してはならないと規定しています。

　例えば、採用応募者に一定のコード番号を振り、スキル評価をした「応募者評価リスト」を保有している場合、別途第三者が、個人名とコード番号の「学生リスト」を所有していることを知って、その所有者に「応募者評価リスト」を提供するケースなどが、個人関連情報の第三者提供にあたります。当該第三者は、「学生リスト」と「応募者評価リスト」を紐付けることにより、個人のスキル評価を特定することができることになります。

　Cookieなど、Webサイトを閲覧したときに、入力したデータ、利用環境、機器のIPアドレスなどの情報が記録された仕組みもしくはデータも同様です。ただし、サイトの内部だけで受け渡しするだけでは、個人関連情報の第三者提供にはあたりません。別組織（第三者）に受け渡しする場合に、「本人の同意」や「確認」が必要となります。

R01000個人情報取扱規程　R.A.18個人関連情報の第三者提供の制限等（法第31条）（J.8.8.4）
　個人関連情報を利用する場合は、RA0101個人情報取得変更申請書を用いて、個人情報保護管理者の承認を得ること。
2　当社は、第三者が個人関連情報を個人データとして取得することが想定される場合、

個人関連情報の第三者提供の制限等（法第31条）

次に示す事項又はそれと同等の事項を、あらかじめ、本人に対して通知又は明示し、本人が識別される個人データとして取得することを認める旨の同意を得ること。

No.1《同意を取得する主体が個人関連情報の提供先である場合に、提供先が本人に対して通知又は明示する事項》	
1)	提供先の事業者の名称又は氏名
2)	提供先の事業者の個人情報保護管理者（若しくはその代理人）の氏名又は職名、所属及び連絡先
3)	個人関連情報の提供を受けて個人データとして取得した後の利用目的
4)	個人関連情報の項目
5)	個人関連情報の取得方法
6)	個人関連情報の取扱いに関する契約がある場合はその旨

No.2《同意を取得する主体が個人関連情報の提供元である場合に、提供元が本人に対して通知又は明示する事項》	
1)	提供元の事業者の名称又は氏名
2)	提供元の事業者の個人情報保護管理者（若しくはその代理人）の氏名又は職名、所属及び連絡先
3)	個人関連情報の提供を受けて個人データとして取得した後の利用目的
4)	個人関連情報の項目
5)	提供する手段又は方法
6)	個人関連情報の提供を受けて個人データとして取得する者
7)	個人関連情報の取扱いに関する契約がある場合はその旨

3　第三者が個人関連情報を個人データとして取得することが想定される場合、あらかじめ、次に掲げる事項又はそれと同等以上の内容の事項について、確認を行うこと。

a)	同意を取得する主体が個人関連情報の提供先である場合、当該第三者が、個人関連情報取扱事業者から個人関連情報の提供を受けて本人が識別される個人データとして取得することを認める旨の当該本人の同意が得られていること。	
b)	外国にある第三者への提供にあっては、a)の本人の同意を得ようとする場合において、法令等で定めるところによって、あらかじめ、以下の1)～3)に示す事項について、当該本人に提供されていること。	
	1)	当該外国の名称
	2)	当該外国における個人情報の保護に関する制度に関する情報
	3)	当該第三者が講ずる個人情報の保護のための措置に関する情報

4　前項の規定は、R.A.14のf)～l)のいずれかに該当する場合を除く。その場合はRA2901PMS例外処理申請書によって、個人情報保護管理者の承認を得る。

205

個人情報保護に関する管理策

> 5　個人関連情報を外国にある第三者に提供した場合には、R.A.15（外国にある第三者への提供の制限）で定めるところによって、当該第三者による相当措置の継続的な実施を確保するために必要な措置を講じること
> 6　個人関連情報を第三者に提供するに際しては、RA1601第三者提供先（共同利用先）検証記録に記録する。
> 7　RA1601第三者提供先（共同利用先）検証記録は、PMS事務局でR07512PMS記録台帳に規定した期間保管する。

　第三者が個人関連情報を個人データとして取得することが「想定される場合」とは、現に想定している場合、又は同種の事業を営む事業者の一般的な判断力・理解力を前提とする認識を基準として通常想定できる場合を指します。

　No.1の場合、提供先の第三者が、個人関連情報を直接個人データに紐付けて利用しない場合は、提供先の第三者が保有する個人データとの容易照合性が排除しきれないとしても、直ちに"個人データとして取得する"には該当しません。

　またNo.1の場合、同意を取得する主体は本来は提供先ですが、本人の権利利益の保護が図られることを前提に、提供元が代行してもよいと考えられます。

　No.2の場合、提供元が本人の同意を得ていることを確認する場合、提供先の第三者からの申告内容を、一般的な注意力をもって確認することで足りるとされています。

R.A.19 保有個人データ等に関する事項の公表等（法第32条）

　法第16条4項には、保有個人データとは、開示、内容の訂正、追加又は削除、利用の停止、消去及び第三者への提供の停止を行うことのできる権限を有する個人データであって、政令第五条で定める、その存否が明らかになることにより、図表R.A.19-1のa）〜d）のおそれがあるもの以外と規定しています。

図表R.A.19-1　保有個人データ等から除外できるもの

	当該個人情報の存否が明らかになることによって…
a)	本人又は第三者の生命、身体又は財産に危害が及ぶおそれがあるもの
b)	違法又は不当な行為を助長し、又は誘発するおそれがあるもの
c)	国の安全が害されるおそれ、他国若しくは国際機関との信頼関係が損なわれるおそれ又は他国若しくは国際機関との交渉上不利益を被るおそれがあるもの
d)	犯罪の予防、鎮圧又は捜査その他の公共の安全と秩序の維持に支障が及ぶおそれがあるもの

　2021年法改正において、「保有個人データ」について、消去する期間を6月以内と定めていた旧施行令第五条が削除され、消去まで短期間であっても、保有個人データとしての取扱いが求められることになりました。

　一方、JIS規格においては、電子データだけでなく、媒体、件数に関係なく保有個人情報についても、保有個人データとして取り扱います。

　本書では、R.A.16第三者提供に係る記録の作成等（法第29条）で取り扱う、第三者提供記録を含めて、保有個人情報、保有個人データを、「保有個人データ等」と総称します。

　なお、受託する個人情報は、委託元に管理権限があるため、保有個人データ等に該当しません。

207

個人情報保護に関する管理策

R01000個人情報取扱規程　R.A.19保有個人データ等に関する事項の公表等（法第32条）（J.10.1、J.10.3）

　当社は、保有個人情報、及び保有個人データ並びに、R.A.16（第三者提供に係る記録の作成等）、及びR.A.17（第三者提供を受ける際の確認等）で作成した第三者提供記録（以後、保有個人データ等）に関して、利用目的の通知、開示、訂正等、利用停止等（以下「開示等の請求等」）を受けた場合に、遅滞なくこれに応じるための責任者及び権限をR05320PMS役割責任一覧表に定める。

2　保有個人データ等に関し、公表文書RA0601個人情報の取扱いについてに、次に掲げる事項について、個人情報保護管理者の承認を得て、事務局がホームページに公開する。ホームページを閲覧できない本人からの問い合わせがあった場合は、RA0601個人情報の取扱いについてを印刷して郵送、若しくはメールにRA0601個人情報の取扱いについてのPDFファイルを添付送信するなど、本人の希望する手段で送付する。

a)	会社名及び住所、代表者氏名
b)	個人情報保護管理者の氏名、所属及び連絡先
c)	すべての保有個人データ等の利用目的（R.A.6の8項a）～c）まで該当する場合を除く）
d)	保有個人データ等の取扱いに関する苦情の申し出先
e)	認定個人情報保護団体の名称及び苦情の解決の申し出先
f)	R.A.24（開示等の請求等に応じる手続）によって定めた、下記の手続
	1) 開示等の請求等の申し出先
	2) 開示等の請求等に際して提出すべき書面の様式その他の開示等の請求等の方式
	3) 開示等の請求等をする者が、本人又は代理人であることの確認の方法
	4) 利用目的の通知、又は開示の場合の手数料を定めたときはその額及び徴収方法
g)	保有個人データ等の安全管理措置のために講じた措置（本人の知り得る状態に置くことにより当該保有個人データ等の安全管理に支障を及ぼすおそれがあるものを除く。）

3　保有個人データ等に当たらないものとして、次に掲げるいずれかに限定する。

a)	当該個人データ又は当該第三者提供記録の存否が明らかになることによって、本人又は第三者の生命、身体又は財産に危害が及ぶおそれのあるもの
b)	当該個人データ又は当該第三者提供記録の存否が明らかになることによって、違法又は不当な行為を助長する、又は誘発するおそれのあるもの

保有個人データ等に関する事項の公表等（法第32条）**R.A.19**

c）	当該個人データ又は当該第三者提供記録の存否が明らかになることによって、国の安全が害されるおそれ、他国若しくは国際機関との信頼関係が損なわれるおそれ又は他国若しくは国際機関との交渉上不利益を被るおそれのあるもの
d）	当該個人データ又は当該第三者提供記録の存否が明らかになることによって、犯罪の予防、鎮圧又は捜査その他の公共の安全及び秩序維持に支障が及ぶおそれのあるもの

4　社内での人事考課に類する個人情報や、高度に暗号化されて開示等の請求等に応じられないバックアップ等の個人情報については、保有個人データ等から除外することができる。

5　保有個人データ等かどうかの識別については、**R06101個人情報管理台帳**の「開示区分」に記入して管理する。

6　本人から、当該本人が識別される保有個人データ等について、利用目的の通知を求められた場合、R.A.24（開示等の請求等に応じる手続）の手順によって、遅滞なくこれに応じる。

7　利用目的の通知を必要としないのは以下の場合に限定し、R.A.23（理由の説明）の手順により本人に遅滞なくその旨を通知し、その理由を説明する。

a）	利用目的を本人に通知し、又は公表することによって本人又は第三者の生命、身体、財産その他の権利利益を害するおそれがある場合
b）	利用目的を本人に通知し、又は公表することによって当社の権利又は正当な利益を害するおそれがある場合
c）	国の機関又は地方公共団体が法令の定める事務を遂行することに対して協力する必要がある場合であって、利用目的を本人に通知し、又は公表することによって当該事務の遂行に支障を及ぼすおそれがある場合
d）	R.A.19（保有個人データに関する事項の公表等）のc）によって、当該本人が識別される保有個人データの利用目的が明らかな場合

　　d）苦情の申し出先、e）認定個人情報保護団体、g）安全管理のために講じた措置は、施行令第十条（保有個人データの適正な取扱いの確保に関し必要な事項）に規定されている公表事項です。

　　「利用目的の通知」を求められた場合は、本人に個別に明示して同意を得た文書を再通知します。ホームページ等に公表している内容を提示することで納得される場合もあります。

209

個人情報保護に関する管理策

図表R.A.19-2　RA0601個人情報の取扱いについて（一部）

2．個人情報の開示等の請求について
　当社が保有する保有個人データ等について、利用目的の通知・開示・内容の訂正・追加または削除・利用の停止・消去及び第三者への提供の停止（以下、開示等という）に応じます。また、第三者提供に係る記録、第三者提供を受ける際の確認の記録についても、開示等の請求に応じます。
(1) 組織情報：株式会社　○○　代表取締役　○○○○
　　〒103-0025　東京都中央区日本橋茅場町2丁目○○○○
(2) 個人情報保護管理者：取締役管理部長　★★
(3) 保有個人データ等の利用目的：前項に記載。ただし、受託業務に係わる個人情報については、当社は開示等の権限を持っていないため、委託元に直接お問い合わせください。
(4) 個人情報の第三者提供：取得時に同意を得た利用目的以外に、法律等に基づく行政機関等への提供、犯罪捜査、保健衛生上の理由で個人情報を提供することがあります。それ以外の第三者に提供することはありません。
(5) 個人情報の取扱いの委託：取得した個人情報は、当社と同等以上の安全管理措置が講じられていると評価し契約した事業者に委託することがあります。
(6) 開示等の請求等の申出先：
　個人情報保護管理者　取締役管理部長　★★
　〒103-0025　東京都中央区日本橋茅場町2丁目○○○○
　TEL：03-3666-★★★　電子メール：★★★@★★.jp
　※なお、回答に最長で10日間かかることがありますのでご了承ください。
(7) 開示等の請求方法
　「個人情報開示等請求書兼回答書」をダウンロードし、メール添付ファイル、もしくは郵送でお送りください。開示等請求の到着後、ご本人の記録と照合し、メール、電話等でご本人確認させていただくことがありますので、ご了承ください。
(8) 代理人からのご請求の場合
　代理人からのご請求の場合は、以下の書類を添付してください。
　・ご本人からの委任を受けた代理人であることを証明する書類
　・代理人の証明書類：運転免許証、パスポート、番号カード等顔写真のある書類のコピー（個人番号、本籍の記載がある場合は、黒塗りしてご提出ください。）
(9) 手数料：利用目的の通知・開示の場合は、手数料1,100円を申し受けます。個人情報開示等請求書兼回答書に記載のいずれかの方法でお支払いください。
(10) 法令の規定によって特別の手続が定められている場合は、その法令に従います。
(11) 次の場合は開示等の求めに応じられない場合があります。
　a．本人または第三者の生命、身体または財産に危害が及ぶおそれのある場合
　b．違法または不当な行為を助長し、または誘発するおそれのある場合
　c．国の安全が害されるおそれ、他国もしくは国際機関との信頼関係が損なわれるおそれ、または他国もしくは国際機関との交渉上不利益を被るおそれのある場合
　d．犯罪の予防、鎮圧又は捜査その他の公共の安全と秩序維持に支障が及ぶおそれのあるもの
　e．国の機関または地方公共団体が法令の定める事務を遂行することに対して協力する必要がある場合であって、利用目的を本人に通知し、または公表することによって当該事務の遂行に支障を及ぼすおそれがある場合
　f．当社の権利又は正当な利益を害するおそれがある場合
　g．当社の業務の適正な実施に著しい支障を及ぼすおそれがある場合
　h．法令に違反することとなる場合
　i．訂正等の対象が事実ではなく、評価等に関する情報である。

3．全ての個人データ等の安全管理措置のために講じた措置
　全ての個人データ等は、その利用目的に応じた適切な安全管理措置として、例えば以下の対策を講じます。
(1) 「個人情報保護方針」「公表文書」「個人情報取扱規程」「安全管理規程」の策定と周知
(2) 組織的安全管理措置：取扱責任者・担当者の限定、報告連絡体制の明確化、点検監査の実施
(3) 人的安全管理措置：全従業者への定期的な研修、新任者への初期研修、秘密保持契約締結
(4) 物理的安全管理措置：管理区域・取扱区域の設定、施錠管理、復元不可能な消去・廃棄
(5) 技術的安全管理措置：アクセス権限の最小化、外部からの不正アクセス防止
(6) 外国において個人データを取り扱う場合：当該外国の外的環境の把握と措置

開示（法第33条） **R.A.20**

R.A.20 開示（法第33条）

　「開示」を求められた場合は、本人から取得した個人情報について、どのように登録されているのかをできる限り開示します。

R01000個人情報取扱規程　R.A.20利用目的の通知及び開示（法第33条）（J.10.4、J.10.5）

　本人から、保有個人データ等の開示若しくは、保有個人データ等が存在しないことの確認の請求等があった場合は、R.A.24（開示等の請求等に応じる手続）の手順に従いこれに応じる。

2　開示請求に応じない場合は、下記の場合に限定し、R.A.23（理由の説明）の手順により本人に遅滞なく、その旨を通知するとともに、理由を説明する。

a）	本人又は第三者の生命、身体、財産その他の権利利益を害するおそれがある場合
b）	当社の業務の適正な実施に著しい支障を及ぼすおそれがある場合
c）	法令に違反する場合

3　本人が請求した方法による開示が困難であるときは、その旨を知らせるとともに、それに代わる適切な方法により開示する。

　開示対象となる個人情報がリスト形式となっており、本人以外の情報が含まれている場合は、トリミングして開示します。

　開示請求に応じないとする保有個人データ等は、あらかじめ、**RA0101個人情報取得変更申請書**の開示区分を非開示とし、該当する但し書き番号を明記して、個人情報保護管理者の承認を得、**R06101個人情報管理台帳**の開示区分に非開示であることを明記します。

　ｇ）の法令に違反する場合の事例としては、金融機関が「組織的な犯罪の処罰及び犯罪収益の規制等に関する法律」第54条１項に基づいて主務大臣に取引の届出を行っていたときに、その記録を組織的犯罪に関わる本人に開示することが、法律で違反とされている場合などです。

211

個人情報保護に関する管理策

R.A.21 訂正等(法第34条)

> R01000個人情報取扱規程　R.A.21訂正等(法第34条)(J.10.6)
> 　本人から、当該本人が識別される保有個人データ等の内容が事実でないという理由によって訂正、追加又は削除(以下「訂正等」)の請求等があった場合は、利用目的の達成に必要な範囲内において、遅滞なく必要な調査を行い、その結果に基づいて、当該保有個人データ等の訂正等を行い、R.A.24(開示等の請求等に応じる手続)の手順に従い、無料でこれに応じる。
> 2　法令の規定によって特別の手続が定められている場合は、その法令に従う。
> 3　日常的に実施する顧客情報の訂正等についても「RA2401個人情報開示等請求書兼回答書」の手順に従う。
> 4　本人から保有個人データの訂正等の請求を受けたが応じなかった場合、R.A.23(理由の説明)の手順により本人に遅滞なく、その旨を通知するとともに、理由を説明する。

　訂正等の処理は、無料で応じなければなりません。

　法令の規定によって特別の手続きが決められている場合とは、例えば行政機関情報公開法第15条で、有価証券届出書等や宅地取引業者名簿の開示の方法が定められている場合などを指します。

利用停止等（法第35条）　**R.A.22**

R.A.22 利用停止等（法第35条）

「利用停止等」への対応についても、無料で実施しなければなりません。

R01000個人情報取扱規程　R.A.22利用停止等（法第35条）（J.10.7）

　本人から、保有個人データ等の利用の停止、消去又は第三者への提供の停止（以下「利用停止等」）の請求等があった場合は、遅滞なく措置を講じ、R.A.20（開示）及び、R.A.23（理由の説明）の手順に従い、無料でこれに応じる。

2　利用停止等に応じない場合は、下記の場合に限定し、R.A.23（理由の説明）の手順により本人に遅滞なくその旨を通知するとともに、理由を説明する。

a)	当該保有個人データの利用停止等に多額の費用を要する場合等の理由により、利用停止等を行うことが困難な場合であって、本人の権利利益を保護するため必要なこれに代わるべき措置をとるとき
b)	本人又は第三者の生命、身体、財産その他の権利利益を害するおそれがある場合
c)	当社の業務の適正な実施に著しい支障を及ぼすおそれがある場合
d)	法令に違反する場合

　法第35条2項でも、"本人の権利利益を保護するため必要なこれに代わるべき措置をとるときは、この限りでない。"と規定しています。例えば、遠隔地の倉庫に保管している場合など、請求等に応じるには業務に著しく支障を及ぼすような場合等では、本人の権利を尊重するという理念で本人が納得できるよう理由を説明し、実際に利用停止状態であることを回答することになります。

　なお、個人情報保護法、及びJIS規格では、GDPR第20条で規定する、「データポータビリティーの権利」についての規定はありません。今後日本においても、利用停止を求めるだけでなく、保有個人データ等を一般的なデータ形式（例：CSV形式）で本人に受け渡す対応が求められる可能性があります。

213

② 個人情報保護に関する管理策

R.A.23 理由の説明（法第36条）

> **R01000個人情報取扱規程　R.A.23理由の説明（法第36条）**
>
> 　次に示す場合に、本人から求められ又は請求された措置の全部又は一部について、その措置をとらない旨を通知する場合、又はその措置と異なる措置をとる旨を通知する場合には、**RA2401個人情報開示等請求書兼回答書**の、回答できない理由欄にその旨記入し、個人情報保護管理者の承認を得た後に、書面若しくは電磁的記録など本人が指定した方法によって回答する。
>
> | | | |
> |---|---|---|
> | 1) | R.A.19 | 利用目的を通知しない旨を決定した場合 |
> | 2) | R.A.20 | 保有個人データの等全部若しくは一部について開示しない旨を決定した場合、保有個人データ等が存在しない場合、又は本人が請求した方法が困難である場合 |
> | 3) | R.A.21 | 保有個人データ等の全部若しくは一部について訂正等を行った場合又は訂正等を行わない旨を決定した場合 |
> | 4) | R.A.22 | 保有個人データ等の全部若しくは一部について利用停止等を行った場合又は利用停止等を行わない旨を決定した場合 |
>
> 2　本人が指定した方法での回答が困難であるとして、書面での交付など異なる措置をとる場合は、RA2401個人情報開示等請求書兼回答書にその理由を記載し、本人に遅滞なく通知する。

　JIS Q 15001:2023から、"理由の説明"が単独の項目となりました。

開示等の請求等に応じる手続（法第37条） R.A.24

R.A.24 開示等の請求等に応じる手続（法第37条）

R01000個人情報取扱規程　R.A.24開示等の請求等に応じる手続（法第37条）（J.10.2）

　本人から開示等の請求等があった場合は、以下の手順に従い遅滞なく（10日以内をめどとする）これに応じる。

2　当社は、開示等の請求等に応じる手続きとして、次の事項を定めて、ホームページ**RA0601個人情報の取扱いについて**に公表する。

1）	開示等の請求等の申し出先
2）	開示等の請求等に際して提出すべき書面の様式その他の開示等の請求等の方式
3）	開示等の請求等をする者が、本人又は代理人であることの確認の方法
4）	利用目的の通知、又は開示の場合の手数料を定めたときはその額及び徴収方法

3　開示等の請求等に応じる手続は、本人に過重な負担を課さないよう配慮すること。

4　本人から、**RA2401個人情報開示等請求書兼回答書**によって開示等の請求があった場合は、記載された氏名、住所、電話番号によって、当社が保有している個人情報と照合して行う。当社が保有している個人情報と異なる場合は、運転免許証、住民票など、本人確認できる書類の提示を求める。

5　代理人からの開示等の請求等については、以下のa）代理人であることを証明する書類、及び代理人の身許を証明するb）のいずれかの書類の提示を求める。

a）	代理人であることを証明する書類（委任状等）
b）	・運転免許証、パスポート等の写真の写し（代理人の名前・住所が記載されたもの） ・住民票の写し（開示等の請求等をする日前30日以内に作成されたもの） ・代理人が弁護士の場合は、登録番号のわかる書類

6　問合せ窓口責任者は、本人から請求を受けた個人情報について、**R06101個人情報管理台帳**、**RA1601第三者提供先（共同利用先）検証記録**、**RA0101個人情報取得変更申請書**、及び実際の登録情報を調査する。

7　問合せ窓口責任者は**RA2401個人情報開示等請求書兼回答書**の、回答欄への記入及び必要に応じて添付資料を作成し、個人情報保護管理者の承認を得た後に、書面若しくは電磁的記録など本人が指定した方法によって回答する。本人が指定した方法での回答が困難であるとして、書面での交付とした場合は、本人に遅滞なくその旨を通知するとと

215

個人情報保護に関する管理策

> もに、理由を説明する。
> 8 開示等の請求等に応じなかった場合は、R.A.23（理由の説明）の手順によってその旨及びその理由を本人に遅滞なく通知する。

　本人への回答内容については、本人の権利を侵害することのないよう、誠意をもって調査し、本人が納得できると思われる回答案を慎重に策定し、最終的に個人情報保護管理者の承認を得て回答します。
　開示等の求めに応じられないときについては RA2401 個人情報開示等請求書兼回答書の2ページ目にまとめて記載しています。
　1ページ目の回答できない理由欄に、開示等の求めに応じられない項目番号を明記して、2ページ目を含めて本人に回答します。

図表R.A.24-1　RA2401個人情報開示等請求書兼回答書（裏面一部）

```
====　以下　弊社使用欄　====================
※保有個人データ等とは：保有個人情報、保有個人データ、第三者提供記録を指します
□回答できない理由

(1) 法令の規定により特別の手続きが定められています。
　　該当する法令：ｘｘ法ｘｘ条

(2) A.19（利用目的を通知しない旨を決定した理由）
a）本人又は第三者の生命、身体、財産その他の権利利益を害するおそれがある場合
b）当社の権利又は正当な利益を害するおそれがある場合
c）国の機関又は地方公共団体が法令の定める事務を遂行することに対して協力する必要
　　がある場合であって、利用目的を本人に通知し、又は公表することによって当該事務の
　　遂行に支障を及ぼすおそれがある場合
d）当社ホームページに、既に保有個人データ等利用目的を公表しています。

(3) A.20（開示しない旨を決定した理由）
a）本人又は第三者の生命、身体、財産その他の権利利益を害するおそれがある場合
b）当社の業務の適正な実施に著しい支障を及ぼすおそれがある場合
c）法令に違反する場合（該当法令は1面もしくは別紙にて回答します）
d）本人が識別される保有個人データが存在しません。
e）全部若しくは一部について、本人が請求した方法による開示が困難（理由は1面もし
```

くは別紙にて回答します）

f）社内人事考課に類する個人情報のため、当社では開示対象としておりません。

(4) A.21（訂正等を行わない旨を決定した理由）

a）　理由は、1面もしくは別紙にて回答します。

(5) A.22（利用停止等を行わない旨を決定した理由）

a）当該保有個人データの利用停止等に多額の費用を要する場合（代替措置は1面もしく
　は別紙にて回答します）

b）本人又は第三者の生命、身体、財産その他の権利利益を害するおそれがある場合

c）当社の業務の適正な実施に著しい支障を及ぼすおそれがある場合

d）法令に違反する場合（該当法令は1面もしくは別紙にて回答します）

本人・代理人の確認について

　氏名だけでは、本人確認できることにはなりません。RA2401個人情報開示等請求書兼回答書記載の、氏名・住所等複数の情報と、保有個人データ等と照合します。同姓同名には十分注意が必要です。

　また、本人確認のためだけに、新たな個人情報を取得することは避けなければなりません。例えば、現住所を確認するためだけで、本籍記載の住民票を取得することのないよう、注意します。

　未成年や、成年被後見人の代理人については、以下のとおり対応することができます。

図表R.A.24-2　代理人の確認について

未成年の法定代理人	免許証、住民票等で、法定代理人であることを確認します。 民法第5条に、未成年が法律行為をするには、その法定代理人の同意を得なければならない旨定められています。2022年4月1日民法第4条において、年齢十八歳をもって、成年とする。とされました。
成年被後見人	確認は不要とされています。 民法第9条に、成年被後見人の法律行為は取り消すことができると定められていますが、本人が行った行為で不利益が起きた場合のための法律であり、本人が成年被後見人であるかどうかをわざわざ確認する必要はないとされています。
本人が委託した代理人	民法第99条〜第118条に定められており、委任状の書式に定めはありませんが、本人の氏名と代理人の氏名、委任する内容、委任の年月日が必要です。

② 個人情報保護に関する管理策

R.A.25 手数料（法第38条）

> R01000個人情報取扱規程　R.A.25手数料（法第38条）（J.10.2）
> 　当社は、R.A.19-3（利用目的の通知）又はR.A.20（開示）によって、本人からの請求などに応じる場合に、手数料を徴収するときは、実費を勘案して合理的であると認められる範囲内において、その額を定める。
> 2　手数料は、1,100円（税込）とし、RA2401個人情報開示等請求書兼回答書にその額及び徴収方法を記載する。

　手数料の徴収方法として、切手の同封や金融機関振込などを定めて公表します。R.A.19（利用目的の通知）及び、R.A.20（開示）の場合のみ手数料を徴収することができます。

　取り扱う個人情報が、主として従業者情報の場合、手数料を取らないとしている組織がよくあります。

　また、通販事業者の場合、サービスの一貫として手数料については無料としているケースがあります。もっとも会員DBを構築している場合、「マイページ」で本人の情報の確認、訂正ができ、また退会することで、利用停止となるケースがほとんどです。

　また、退会しても、会員DBから完全削除されるわけではなく、論理的にはいつでも復活することができますが、「利用規約」等で、退会後の利用はしないことを約束していれば、完全削除までは応じる必要はないとされています。

R.A.26 個人情報取扱事業者による苦情の処理（法第40条）

苦情が到着した場合の手順は、具体的に規定します。誰が電話を受けても適切に対応できるよう、教育等で周知します。

R01000個人情報取扱規程　R.A.26個人情報取扱事業者による苦情の処理（法第40条）（J.11.1）

当社は、個人情報の取扱い及びPMSに関して、本人からの苦情及び相談を受け付けて、適切かつ迅速な対応を行う。

2　本人からの苦情及び相談を受け付けて、適切かつ迅速な対応を行うための体制として、R05310個人情報保護体制を整備しRA0601個人情報の取扱いについてに、苦情の申出先として、問合せ窓口責任者の電話番号、メールアドレス、住所を掲載する。

3　Pマーク取得後は、RA0601個人情報の取扱いについてに、「認定個人情報保護団体」の名称及び苦情の解決の申出先を明示する。

4　電話で苦情・相談を受け付けた者は、概要と電話番号をヒアリングしてRA2600苦情相談報告書に記入し、対応が長引く案件の場合は、"責任ある者から折り返しする"ことについて了解を得ていったん電話を切り、問合せ窓口責任者に報告する。

5　問合せ窓口責任者は、本人に電話連絡の上、苦情・相談の内容をRA2600苦情相談報告書に追記して個人情報保護管理者に報告する。

6　個人情報保護管理者は、苦情・相談の内容を確認し、関係者に調査を依頼し、その結果及び回答案をRA2600苦情相談報告書に追記し、トップマネジメントに報告し、承認を得た上で、本人に回答する。ただし個人情報保護管理者が、比較的軽微な苦情又は相談と判断した場合は、個人情報保護管理者の承認のみで対応することができる。

7　対応終了後、RA2600苦情相談報告書をトップマネジメントに報告する。

8　個人情報保護管理者は、苦情及び相談の内容を基に、R10201是正処置報告書を策定し、真の発生原因を追究して改善策を講じる。

9　苦情・相談の内容が緊急事態発生と判断した場合は、R.7.4.3（緊急事態への準備）、及びR.A.13（漏えい等の報告等）の手順に従う。

個人情報保護に関する管理策

　RA2600苦情相談報告書は、誰でもいつでも使用できるよう、イントラネットからダウンロードできるようにしておきます。
　電話で苦情を受けた場合は、本人の電話番号を聞いてコールバックすることで冷静に対応することができます。
　また、苦情については、本人確認は必須ではありません。コールバックの了解を得られなければ、無理を通さず、そのまま相手から苦情の内容を尋ねることになります。
　苦情が明らかとなった場合に、文書で回答が必要な場合は、定型的な文書ではなく組織が一般で用いる文書様式を用いて回答します。いわゆる、「手紙」を書くと考えてください。

図表R.A.26-1　RA2600苦情相談報告書（一部）

業務名			受付年月日	20　年　月　日
			受付者	（内線：　　　）
苦情 相談者情報 （わかる範囲でよい）	氏名			
	住所			
	電話番号 メールアドレス			
本人からの連絡	□　来社　　□　メール　　□　電話　　□　郵便　　□　その他（　　　）			
苦情・相談の区分	□　強い苦情　　□　一般の苦情　　□　その他の相談 □　緊急　　　　□　緊急でない			
苦情相談の内容 （本人の言葉で具体的に） □　添付資料あり ■　添付資料なし				
苦情相談に関する対応	対応者：		対応日：20　年　月　日	
	発生原因：			
	対応：			

個人情報取扱事業者による苦情の処理（法第40条）**R.A.26**

「認定個人情報保護団体」について

　個人情報保護法第47条には、個人情報保護委員会の認定を受けた認定個人情報保護団体は、所属する対象事業者の個人情報等の取扱に関する苦情について解決の申出があったときは、その相談に応じ、申出人に必要な助言をし、その苦情に係る事情を調査するとともに、当該対象事業者に対し、その苦情の内容を通知してその迅速な解決を求めなければならないとしています。

図表R.A.26-2　認定個人情報保護団体の業務

1	業務の対象となる個人情報取扱事業者等の個人情報等の取扱いに関する第53条の規定による苦情の処理
2	個人情報等の適正な取扱いの確保に寄与する事項についての対象事業者に対する情報の提供
3	前二号に掲げるもののほか、対象事業者の個人情報等の適正な取扱いの確保に関し必要な業務

　認定個人情報保護団体として、例えばJIPDECに登録した事業者は、RA0601個人情報の取扱いについてに、下記の事項を公表します（2024年3月1日時点）。

図表R.A.26-3　認定個人情報保護団体の公表

****

【当社が所属する認定個人情報保護団体】一般財団法人日本情報経済社会推進協会

※個人情報の取扱いに関する苦情のみを受付けています

苦情の解決の申出先：認定個人情報保護団体事務局

住所：〒106－0032　東京都港区六本木一丁目９番９号　六本木ファーストビル内

電話番号　03-5860-7565　0120-700-779

https://www.jipdec.or.jp/project/protection_org.html

****

個人情報保護に関する管理策

相談について

　相談は、苦情の直前と捉え、苦情と同様の手順で対応します。相談内容が、過度の要求のために対応できない場合は、正当な理由を文書または、相談者が希望する方法で示して回答する必要があります。

是正処置

　苦情は、外部からの提言と捉えて、苦情を発生させた部門長にR10201是正処置報告書の作成を指示し、苦情に至った真の原因を追求し是正処置をとります。

仮名加工情報（法第41条） **R.A.27**

R.A.27 仮名加工情報（法第41条）

　仮名加工情報とは、個人情報等の全部又は一部を削除することにより、他の情報と照合しない限り特定の個人を識別することができないように加工した情報をいいます。匿名加工情報が外部に第三者提供されマーケティング等に利用されることを想定しているのに比べ、仮名加工情報は組織内の利用に限定し、法令に基づく場合を除くほか第三者に提供することができません。また仮名加工情報を用いて、本人に連絡又は接触してはならないとされています。

　組織内で仮名加工情報を取り扱う場合は、その利用目的などを公表し、加工前の情報と照合できないよう安全管理のための措置を手順化する必要があります。

　なお、情報システム開発時等で個人データをダミー化して作成されるテストデータは、仮名加工情報には当てはまりません。組織が仮名加工情報を取扱うことを公表してはじめて、仮名加工情報となるためです。

　本書では、仮名加工情報を取扱わない一般の組織における規定サンプルを提供します。

R01000個人情報取扱規程　R.A.27仮名加工情報（法第41条）（J.8.10）

　当社は、仮名加工情報の取扱いを行わない。

2　仮名加工情報の取扱いを開始する場合は、個人情報保護管理者はR05320PMS役割責任一覧表に仮名加工情報の取扱いに関する責任と権限を定め、代表者の承認を得る。

3　仮名加工情報を作成する場合には、他の情報と照合しない限り特定の個人を識別することができないようにするために必要なものとして、個人情報保護委員会規則第31条に規定する以下の基準に従い、個人情報を加工すること。

223

個人情報保護に関する管理策

a)	個人情報に含まれる特定の個人を識別することができる記述等の全部又は一部を削除すること（当該全部又は一部の記述等を復元することのできる規則性を有しない方法により他の記述等に置き換えることを含む。）。
b)	個人情報に含まれる個人識別符号の全部を削除すること（当該個人識別符号を復元することのできる規則性を有しない方法により他の記述等に置き換えることを含む。）。
c)	個人情報に含まれる不正に利用されることにより財産的被害が生じるおそれがある記述等を削除すること（当該記述等を復元することのできる規則性を有しない方法により他の記述等に置き換えることを含む。）。

4　仮名加工情報を作成したとき、又は仮名加工情報及び当該仮名加工情報に係る削除情報等を取得したときは、削除情報等の漏えいを防止するために必要なものとして個人情報保護委員会規則第32条で定める基準に従い、削除情報等の安全管理のための措置を講じる。

d)	削除情報等（前項により行われた加工の方法に関する情報にあっては、その情報を用いて仮名加工情報の作成に用いられた個人情報を復元することができるものに限る。）を取り扱う者の権限及び責任を明確に定めること。
e)	**RA1000安全管理規程**に規定する各措置に従って 削除情報等を適切に取り扱うとともに、その取扱いの状況について**R09101運用確認報告書**に項目を追加して評価を行い、その結果に基づき改善を図る場合は**R10201是正処置報告書**を使用して必要な措置を講ずる。
f)	削除情報等を取り扱う正当な権限を有しない者による削除情報等の取扱いを防止するために**RA1000安全管理規程**に規定する各措置に従って、必要かつ適切な措置を講ずる。

5　仮名加工情報を利用する場合には、以下を実施する。

g)	利用目的をできる限り特定し、法令に基づく場合を除くほか、その目的の達成に必要な範囲内において行う。
h)	あらかじめその利用目的を公表している場合、及びR.A.6（個人情報を取得した場合）のa）～d）のいずれかに該当する場合を除き、速やかに、その利用目的を公表する。
i)	仮名加工情報を取り扱うに当たっては、当該仮名加工情報の作成に用いられた個人情報に係る本人を識別するために、当該仮名加工情報を他の情報と照合しないこと。
j)	電話をかけ、郵便若しくは信書便により送付し、電報を送達し、ファクシミリ装置若しくは電磁的方法を用いて送信し、又は住居を訪問するために、当該仮名加工情報に含まれる連絡先その他の情報を利用しないこと。

仮名加工情報（法第41条） **R.A.27**

6　以下の場合を除き、仮名加工情報である個人データを第三者に提供しないこと。

k）	仮名加工情報の取扱いの全部又は一部を、R.A.12（委託先の監督）と同等の措置を講じた上で委託する場合	
l）	仮名加工情報が特定の者との間で適法かつ公正な手段によって、共同して利用される場合であって、以下の1）～5）に示す事項をあらかじめ公表するとともに、共同して利用する者との間で共同利用について契約によって定めているとき	
	1）	共同して利用すること
	2）	共同して利用される仮名加工情報の項目
	3）	共同して利用する者の範囲
	4）	共同して利用する者の利用目的
	5）	共同して利用する仮名加工情報の管理について責任を有する者の氏名又は名称及び住所並びに法人にあっては、その代表者の氏名
m）	合併その他の事由による事業の承継に伴って仮名加工情報を提供する場合	
n）	法令に基づく場合	

7　仮名加工情報の取扱いに関する苦情の対応については、R.7.4.2（苦情及び相談への対応）、及びR.A.26（個人情報取扱事業者による苦情の処理）の手順に従う。

8　仮名加工情報である個人データ及び削除情報等を利用する必要がなくなったときは、R.A.9（正確性の確保）に基づき、遅滞なく消去するよう努める。

225

② 個人情報保護に関する管理策

R.A.28 匿名加工情報（法第43条）

　2021年改正個人情報保護法第1条（目的）では、"デジタル社会の進展に伴い個人情報の利用が著しく拡大していることに鑑み"、"個人情報の適正かつ効果的な活用が新たな産業の創出並びに活力ある経済社会及び豊かな国民生活の実現に資するものであることその他の個人情報の有用性に配慮しつつ、個人の権利利益を保護することを目的とする。"と謳っています。

　電子マネーが便利に利用される時代となり、インターネット上には、大量の消費者情報が蓄積されています。これらの消費者情報から、匿名加工情報取扱事業者等が個人を特定できない「ビッグデータ」に加工するためのルールとして、法第43条（作成等）、第44条（提供）、第45条（識別行為の禁止）、第46条（安全管理措置等）が規定されています。

　本書では、匿名加工情報を取り扱わない組織を前提に、**R01000個人情報取扱規程**には、以下のとおり規定しています。

R 01000個人情報取扱規程　　R.A.28匿名加工情報（法第43条）（J.8.9）

　当社は、匿名加工情報の取扱いを行わない。

2　匿名加工情報の取扱いを開始する際は、本人の権利利益に配慮し、かつ法令等の定めるところによって以下の事項に関する適切な取扱いについて**RA2800匿名加工情報取扱規程**を整備し、匿名加工情報を取り扱う場合には、定めた手順に従う。

a)	適切な加工方法の決定、及び加工の実施
b)	加工方法等情報の安全管理措置
c)	匿名加工情報を作成、及び提供することに関する公表
d)	匿名加工情報の取扱いにおいて識別行為を防止する措置
e)	匿名加工情報の安全管理、苦情処理、その他の適正な取扱いのための措置、及び当該措置の公表

匿名加工情報（法第43条） **R.A.28**

R.A.28.1 「RA2800匿名加工情報取扱規程」の策定

　もし、自社で匿名加工情報の作成、もしくは利用を行う場合は、R01000個人情報取扱規程R.A.28を、以下のとおり訂正してください。

R01000個人情報取扱規程　R.A.28匿名加工情報（法第43条）（J.8.9）

　匿名加工情報の取扱いについては、本人の権利利益に配慮し、かつ法令等の定めるところによって適切な取り扱いを行う手順として、RA2800匿名加工情報取扱規程に以下の手順を定め、これを維持する。

a)	適切な加工方法の決定、及び加工の実施
b)	加工方法等情報の安全管理措置
c)	匿名加工情報を作成、及び提供することに関する公表
d)	匿名加工情報の取扱いにおいて識別行為を防止する措置
e)	匿名加工情報の安全管理、苦情処理、その他の適正な取扱いのための措置、及び当該措置の公表

　本書では、RA2800匿名加工情報取扱規程のサンプルを提供しています。

　RA2800匿名加工情報取扱規程の構成は以下のとおりです。

図表R.A.28-1　RA2800匿名加工情報の構成

1)	本規程の目的	原則
2)	用語の定義	
3)	匿名加工情報取扱方針	
4)	匿名加工情報作成業務の責任体制	匿名加工情報を作成する場合
5)	匿名加工情報データベース等の作成	
6)	匿名加工情報等の提供を受ける場合の義務	匿名加工情報を利用する（事業の用に供している）場合
7)	苦情対応	必須

RA2800匿名加工情報取扱規程　1.本規程の目的

　本規程は、当社が個人情報の保護に関する法律に基づき、匿名加工情報の適正な取扱いを確保するために定める。

　当社が匿名加工情報データベース等を作成する場合については、4、5項、匿名加工情報の提供を受けて利用する場合については6項に定める。

227

個人情報保護に関する管理策

R.A.28.2　匿名加工情報関連用語の定義

> **RA2800匿名加工情報取扱規程　2．用語の定義**
> 　本規程で用いる用語の定義は、個人情報保護法第2条、第16条、及び、R01000個人情報取扱規程による。主な用語について以下に示す。
> 2.1　匿名加工情報（法第2条6項）
> 　個人情報に含まれる記述等の一部を、個人情報委員会規則に従って、復元することのできない方法により削除、あるいは他の記述等に置き換え、もしくは、個人識別符号の全部を削除することにより、特定の本人を識別することができないようにしたものをいう。本人同意の手続きを経ることなく、目的外利用や第三者提供が可能となる。
> 2.2　匿名加工方法等情報
> 　匿名加工情報の作成に用いられた個人情報から削除した記述等及び個人識別符号並びに加工の方法に関する情報のことをいう。
> 2.3　匿名加工情報データベース等
> 　匿名加工情報を含む情報の集合物であって、匿名加工情報を一定の規則に従って整理することにより特定の匿名加工情報を容易に検索することができるように体系的に構成した情報の集合物であって、目次、索引その他検索を容易にするためのものを有するもの。
> 2.4　匿名加工情報取扱事業者（法第16条6項）
> 　匿名加工情報データベース等を事業の用に供している者をいう。ただし、法第16条2項に掲げる国の機関、地方公共団体、独立行政法人等、地方独立行政法人等を除く。
> 2.5　匿名加工情報作成区域
> 　匿名加工方法等情報を作成、及び保管する情報システム等の管理区域をいう。
> 2.6　匿名加工情報に含まれる個人に関する情報
> 　性別、市区町村名、年齢区分、収入ランク、購入金額ランクなど、その情報及びその情報の組み合わせだけでは、特定の本人を識別することができない情報をいう。

R.A.28.3　匿名加工情報取扱方針

　規格では、"組織は、匿名加工情報の取扱いを行うか否かの方針を定めなければならない。"と規定しています。そのため、**RA2800匿名加工情報取扱規程**に以下のとおり定めます。

匿名加工情報（法第43条） **R.A.28**

RA2800匿名加工情報取扱規程　３．匿名加工情報取扱方針

　当社は、匿名加工方法等情報の取扱いを行うに際して、本人の権利利益に配慮し、かつ法令等の定めるところによって適切な取扱いを行う手順を本規程に定めて維持する。

R.A.28.4　匿名加工情報作成業務の責任体制

　規格では、"組織は、匿名加工情報を取り扱う場合には、本人の権利利益に配慮し、かつ法令等の定めるところによって適切な取扱いを行う手順を確立し、維持しなければならない。"とあります。

RA2800匿名加工情報取扱規程　４．匿名加工情報作成業務の責任体制

　匿名加工情報を作成する業務の責任体制については、**RA2801匿名加工情報取扱責任体制表及びRA2802PMSに関する責任と権限一覧表（匿名版）** に定める。

4.1　匿名加工情報作成責任者

　匿名加工情報を作成する業務の責任者として、個人情報の取得から、匿名加工情報作成担当者への指示、匿名加工情報の出力に至るまで、適切な安全管理のための措置を講じる。当社では、○○業務部長がその責務を負う。匿名加工情報作成責任者は、匿名加工情報等の利用業務に携わることはできない。

4.2　匿名加工情報作成担当者

　匿名加工情報を作成（設計を含む）する業務の担当者をいう。当社では、○○業務部○○課担当者がその業務を行う。匿名加工情報作成担当者は、匿名加工情報等の利用業務に携わることはできない。

4.3　匿名加工情報取扱いに関する認識

　個人情報保護管理者は、匿名加工情報作成責任者及び匿名加工情報作成担当者に対し、PMS定期教育とは別に、匿名加工情報の取扱いに関する教育を、**R06000PMS年間計画書（兼運用確認記録）** によって計画し、実施しなければならない。

　つまり、匿名加工情報を作成する事業者は、自社のPMSの枠組みの中で手順を追加して整備します。

個人情報保護に関する管理策

R.A.28.5　匿名加工情報データベース等の作成

　匿名加工情報データベース等を作成する場合は、"個人情報保護委員会規則で定める基準に従い、個人情報を加工しなければならない。"とされています。

RA2800匿名加工情報取扱規程　5.匿名加工情報データベース等の作成

5.1　匿名加工情報作成の承認
　匿名加工情報作成にあたっては、RA2803匿名加工情報取扱申請書を作成し、個人情報保護管理者の承認を得なければならない。また、原本となる個人情報を取得及び利用する際にはR01000個人情報取扱規程R.A.4（適正な取得）の手順に準じて、個人情報が適正に取得されることを確認しなければならない。

5.2　匿名加工情報作成に関する特定とリスクアセスメント
　匿名加工する前の個人情報については、R06101個人情報管理台帳に特定し、個人情報保護リスク軽減の観点から、匿名加工情報の取扱いの各局面における取得から作成及び、復元のリスクがないか、また匿名加工情報の保管や第三者提供ならびに消去、及び原本の保管、消去などについてR06221リスク分析表（兼監査ＣＬ）を用いてリスクアセスメント及びリスク対策を行うこと。

5.3　匿名加工情報の適正な加工
　匿名加工情報の作成時には、加工する個人情報の種類や目的ごとに、個人情報保護法施行規則第三十四条に規定する、以下の、ａ）～ｅ）の基準に従い、匿名化する個人情報の項目ごとに個々に検討する。

a)	個人情報に含まれる特定の個人を識別することができる記述等の全部又は一部を削除すること（当該 全部又は一部の記述等を復元することのできる規則性を有しない方法により他の記述等に置き換えることを含む。）。 例）□氏名、住所、生年月日、電話番号、会員IDを削除する。 　　□住所を○○県△△市に置き換える。 　　□生年月日を、生年月に置き換える。 　　□職業を、会社員、主婦、学生に限定し、他のレコードを削除
b)	個人情報に含まれる個人識別符号の全部を削除すること（当該個人識別符号を復元することのできる 規則性を有しない方法により他の記述等に置き換えることを含む）。 例）□健康保険証番号を削除する 　　□年金手帳番号を意味のない番号に置き換える。

230

c)	個人情報と当該個人情報に措置を講じて得られる情報とを連結する符号（現に個人情報取扱事業者において取り扱う情報を相互に連結する符号に限る）を削除すること（当該符号を復元することのできる規則性を有しない方法により当該個人情報と当該個人情報に措置を講じて得られる情報を連結することができない符号に置き換えることを含む）。 例）□会員番号を削除する 　　□管理用IDを意味のない番号に置き換える
d)	特異な記述等を削除すること（当該特異な記述等を復元することのできる規則性を有しない方法により他の記述等に置き換えることを含む）。 例）□症例の極めて少ない病歴を削除する。 　　□年齢が「116歳」という情報を「90歳以上」に置き換える。 　　□特異な車：1960年式クラウン、1966年式カローラなどは削除 　　□極めて高額な購入情報を削除する。 　　□特異な購入（仏壇など）を削除する。
e)	前各号に掲げる措置のほか、個人情報に含まれる記述等と当該個人情報を含む個人情報データベース等を構成する他の個人情報に含まれる記述等との差異その他の当該個人情報データベース等の性質を勘案し、その結果を踏まえて適切な措置を講ずること。 例）□購買店を店種に置き換える 　　□購買日を曜日に置き換える。 　　□購買時間を、１時間刻みに置き換える。 　　□購入金額を200円刻みに置き換える。 　　□同じ方向に進んでいる者が５人未満のデータを削除 　　□駅を中心として半径500mのデータのみを提供（住宅はない）

R.A.28.5.4　匿名加工情報作成時の安全管理措置

　法第43条（匿名加工情報の作成等）２項には、"匿名加工情報の作成に用いた個人情報から削除した記述等及び加工の方法について、安全管理のための措置を講じなければならない。"と定められ、規則第三十五条（加工方法等情報に係る安全管理措置の基準）が規定されています。これに基づき、R06221リスク分析表（兼監査CL）を用いてリスクアセスメント及びリスク対策の結果講じるとした対策をRA2800匿名加工情報取扱規程に規定します。

個人情報保護に関する管理策

RA2800匿名加工情報取扱規程　5.匿名加工情報データベース等の作成

5.4　匿名加工情報作成時の安全管理措置

1)	匿名加工情報作成区域は、入退室を匿名加工情報作成責任者及び匿名加工情報作成担当者のみに制限する。匿名加工情報作成区域が設置できない場合は、「匿名加工情報作成中」の標識等により、権限を有しない者の立ち入りを制限すること。
2)	匿名加工情報作成作業を実施する機器は、外部、内部からのネットワークから遮断した専用機とする。
3)	匿名加工情報作成専用機の使用は匿名加工情報作成担当者に限定する。
4)	匿名加工情報作成専用機を複数の匿名加工情報作成担当者が使用する場合は、個別のID、パスワードにより都度ログイン・ログアウトし、アクセスログを保存して匿名加工情報作成責任者が定期的に点検を実施する。
5)	匿名加工情報の作成時に個人情報から削除した記述等、及び加工の方法については、匿名加工情報作成責任者及び匿名加工情報作成担当者のみがアクセスできる状態で管理し、組織内部であっても他に漏らしてはならない。また、匿名加工情報の作成に用いた原本データベースについては、加工の方法と同じ場所に保管してはならない。
6)	匿名加工情報作成専用機に電子媒体を接続する際には、**RA1000安全管理規程**10.8.5(情報機器、媒体の社内への持ち込み) に従い、ウイルスチェックを実施する。
7)	本規程に定めの無い安全管理対策については、**RA1000安全管理規程**に従う。

5.5　匿名加工情報作成記録と点検

1)	匿名加工情報を作成した時は、**RA2804匿名加工情報取扱記録簿**によって個人情報から削除した記述及び個人識別符号が確実に削除されたことの確認、及び取り扱う者の権限並びに責任が確実に実施されたことを記録する。	
	a)	匿名加工情報の作成日・加工方法等情報の生成日
	b)	匿名加工情報作成についての公表日、匿名加工情報に含まれる個人に関する情報の項目
	c)	匿名加工情報の第三者提供時の公表日、匿名加工情報に含まれる個人に関する情報の項目、提供先、提供日、提供方法
	d)	匿名加工情報の第三者提供時の明示、提供先、明示日、明示方法
	e)	匿名加工情報等の削除・廃棄記録（委託した場合、これを証明する記録等も含む）
2)	**RA2804匿名加工情報取扱記録簿**は、定期的に点検、監査を実施して、改善のためのレビューを実施しなければならない。	

5.6　匿名加工情報作成時の委託

　匿名加工情報の作成の全部又は一部を委託する場合は、**R01000個人情報取扱規程**R.A.12（委託先の監督）の手順に従い委託先を選定、評価し、必要かつ適切な監督を行う。

232

なお2018年8月24日に、個人情報保護委員会から「個人情報の保護に関する法律に係るEU及び英国域内から十分性認定に基づき移転を受けた個人データの取扱いに関する保管ルール」が示され、2023年3月15日の改定版の(5)（匿名加工情報）では、以下のとおり記載されています。

EU及び英国域内から十分性認定に基づき提供を受けた個人情報については、個人情報取扱事業者が、加工方法等情報（匿名加工情報の作成に用いた個人情報から削除した記述等及び個人識別符号並びに法第43条1項の規定により行った加工の方法に関する情報（その情報を用いて当該個人情報を復元することができるものに限る。）をいう。）を削除することにより、匿名化された個人を再識別することを何人にとっても不可能とした場合に限り、法第2条6項に定める匿名加工情報とみなすこととする。

EU及び英国域内から取得した個人情報については、加工方法等情報を削除しなければ、匿名加工情報とならないことに注意が必要です。

R.A.28.5.7　匿名加工情報に関する公表

法第43条（匿名加工情報の作成等）3項、4項において、"公表するとともに、当該第三者に対して当該提供に係る情報が匿名加工情報である旨を明示しなければならない。"と定められています。

RA2800匿名加工情報取扱規程　5.匿名加工情報データベース等の作成

5.7　匿名加工情報の作成時の公表

　当社が匿名加工情報を作成した場合、及び匿名加工情報の作成を他社に委託した場合は、作成後遅滞なく、当該「匿名加工情報に含まれる個人に関する情報」の項目をホームページのRA0601個人情報の取扱いについてに公表する。

5.8　匿名加工情報の第三者提供時の公表

　当社は、作成した匿名加工情報を第三者に提供するときは、個人情報保護委員会規則第三十六条（個人情報取扱事業者による匿名加工情報の作成時における公表）及び第三十七条（個人情報取扱事業者による匿名加工情報の第三者提供時における公表等）に従い、あ

個人情報保護に関する管理策

らかじめ、第三者に提供される匿名加工情報に含まれる個人に関する情報の項目及びその提供の方法について、ホームページのRA0601個人情報の取扱いについてに公表する。
　公表の内容については、【参考5.8図　匿名加工情報の公表事項記載例①】を基に作成し、RA2803匿名加工情報取扱申請書の添付書類として、個人情報保護管理者に提出し、個人情報保護管理者の指示で公表する。ただし委託元が公表する場合は、委託元が作成した公表文書を添付書類として提出する。

【参考5.8図　匿名加工情報の公表事項記載例①】

■「匿名加工情報の作成について」

　当社は、個人情報の保護に関する法律の定めに従い、以下のとおり匿名加工を行いましたので公開します。当社では、引き続き同じ手法により反復・継続的に匿名加工情報を作成します。

作成日	加工前の個人情報	匿名加工情報	第三者提供の方法
2023年9月20日 「顧客購買履歴データ」	・氏名 ・性別 ・生年月日 ・購買履歴	・氏名：削除 ・性別：そのまま ・年齢区分：10歳単位 ・購買履歴：1,000円単位とし特異値等を削除	・DVD-Rに記録 ・書留郵便にて提供

a）匿名加工情報作成責任者：
　〒103-0025　東京都中央区日本橋茅場町2丁目16番7号　本間ビル201号室
　認定NPO法人　日本システム監査人協会　匿名加工情報取扱業務部長　○○○○子
　TEL：0xx-xxxx-xxx2　連絡先：gyomu@xxxx.jp

b）匿名加工情報作成時の安全管理措置
・当社は、匿名加工情報データベースを作成する時は、特定の個人を識別することができないようにするため、個人情報保護委員会規則で定める基準に従い、個人情報を加工します。
・当社は、「匿名加工情報取扱規程」及び「匿名加工情報取扱責任体制」に基づき匿名加工の手順を定め、「安全管理規程」に基づき、各種安全管理のための措置を講じます。

c）匿名加工情報及び個人情報の取扱いに関するお問合せ等
・認定NPO法人　日本システム監査人協会　事務局長　○○○○雄
　〒103-0025　東京都中央区日本橋茅場町2丁目16番7号　本間ビル201号室
　TEL：0xx-xxxx-xxx1　連絡先：jimu@xxxx.jp
※お問合わせの際に取得する個人情報は、お問合わせの回答のみに利用します。

匿名加工情報（法第43条） **R.A.28**

5.9　匿名加工情報の第三者提供時の明示
　匿名加工情報を第三者提供する場合は、第三者に対して、当該提供に係る情報が匿名加工情報である旨を、電子メールを送信する方法もしくはそれに代わる方法により明示する。

R.A.28.6　匿名加工情報等の提供を受ける場合の義務

　6項は、匿名加工情報を利用する組織の規程です。匿名加工情報は、個人情報ではありませんので、特定やリスク分析、安全管理の対象から除外されることになります。ただし、匿名加工情報の提供を受けるにあたっては、適正な手順で匿名加工されていることを確認し、個人情報保護管理者の承認を得る必要があります。

　一方、法第44条（匿名加工情報の提供）及び規則第三十八条（匿名加工情報取扱事業者による匿名加工情報の第三者提供時における公表等）では、"匿名加工情報取扱事業者は、取得した匿名加工情報を、さらに第三者に提供するときは、あらかじめ、第三者に提供される匿名加工情報に含まれる個人に関する情報の項目及びその提供の方法について公表するとともに、当該第三者に対して、当該提供に係る情報が匿名加工情報である旨を明示しなければならない。"としています。

　また、法第45条（識別行為の禁止）では匿名加工情報取扱事業者に、"識別行為の禁止"を課しています。特に匿名加工情報を作成し、自ら当該匿名加工情報を利用する事業者は、識別行為をしないことを規定するだけでなく、できないようにする対策と、日常の運用の確認が求められます。また、個人情報保護管理者が、匿名加工情報作成責任者になると、利用に関与することが不可能となるため、匿名加工情報作成責任者には別の者を指名する必要があります。

　なお、GDPRではさらに厳しく、"匿名加工方法等情報"が残存している場合、安全に分離保管されていても再識別の可能性があるとして、匿名加工情報とはみなされないとしています。EU域内から十分性認定に基づき提供を受けた個人情報の匿名加工については、GDPRの執行対象とならないよう

235

個人情報保護に関する管理策

注意が必要です。

RA2800匿名加工情報取扱規程　6.匿名加工情報等の提供を受ける場合の義務

6.1　匿名加工情報の提供を受ける場合の承認

　匿名加工情報の提供を受ける場合は、**RA2803匿名加工情報取扱申請書**に当該匿名加工情報の内容及び利用状況を記載して、個人情報保護管理者の承認を得ること。

6.2　匿名加工情報を第三者に提供する場合の承認

　匿名加工情報（自ら個人情報を加工・作成していないもの）を、第三者に提供するときは、**RA2803匿名加工情報取扱申請書**に当該匿名加工情報の内容及び提供先等を記載して、個人情報保護管理者の承認を得ること。

6.3　匿名加工情報を第三者に提供する場合の公表義務

　匿名加工情報（自ら個人情報を加工・作成していないもの）を、第三者に提供するときは、個人情報保護委員会規則第三十八条（匿名加工情報取扱事業者による匿名加工情報の第三者提供時における公表等）に従い、あらかじめ、第三者に提供される匿名加工情報に含まれる個人に関する情報の項目及びその提供の方法について、ホームページの**RA0601個人情報の取扱いについて**に公表する。

　公表の内容については、【参考6.3図　匿名加工情報の公表事項記載例②】を基に作成し、個人情報保護管理者に提出し、個人情報保護管理者の指示で公表する。

【参考6.3図　匿名加工情報の公表事項記載例②】

■「匿名加工情報の提供について」　　　　　　　　　　2023年9月20日

　当社は、個人情報の保護に関する法律の定めに従い、以下の匿名加工情報を提供致します。

提供する匿名加工情報	第三者提供の方法
「○○店ギフト販売動向データ」 ・性別：男もしくは女 ・地域：市区町村名のみ ・生年月日：年月のみ ・購買履歴：1,000円単位とし特異値等を削除	・DVD-Rに記録 ・書留郵便にて提供

a）匿名加工情報取扱責任者：

　〒103-0025　東京都中央区日本橋茅場町2丁目16番7号　本間ビル201号室

　認定NPO法人　日本システム監査人協会　MD推進部長　○○○○美

　TEL：0XX-XXXX-XXX3　連絡先：mdd@xxxx.jp

匿名加工情報（法第43条） **R.A.28**

> b）匿名加工情報及び個人情報の取扱いに関するお問合せ等
>
> ・認定NPO法人　日本システム監査人協会　個人情報保護管理者　○○○○吉
>
> 〒103-0025　東京都中央区日本橋茅場町2丁目16番7号　本間ビル201号室
>
> TEL：0XX-XXXX-XXX4　連絡先：pip@xxxx.jp
>
> ※お問合わせの際に取得する個人情報は、お問合わせの回答のみに利用します。

6.4　匿名加工情報の第三者提供時の明示

　匿名加工情報を第三者提供する場合は、第三者に対して、当該情報が匿名加工情報である旨を、電子メールを送信する方法もしくはそれに代わる方法により明示する。

6.5　識別行為の禁止

　匿名加工情報を取り扱うに当たっては、当該匿名加工情報の作成に用いられた個人情報に係る本人を識別するために、当該個人情報から削除された記述等若しくは個人識別符号若しくは匿名加工情報の作成において行われた加工の方法に関する情報を取得してはならない。又は当該匿名加工情報を他の情報と照合してはならない。

6.6　匿名加工情報を作成して、自ら当該匿名加工情報を利用する場合について

1）	当社が作成した匿名加工情報を、自ら利用する場合においては、匿名加工個人情報作成部門とは異なる事業部門でのみ取り扱うことができるものとする。
2）	匿名加工情報利用部門は、**RA2803匿名加工情報取扱申請書**により個人情報保護管理者の承認を得る。
3）	匿名加工情報作成部門と、匿名加工情報利用部門との間の匿名加工方法等情報の共有を厳禁とし、かつ匿名加工情報利用部門の識別行為についても厳禁とする。
4）	匿名加工情報は、個人情報保護管理者を経由して匿名加工情報作成部門との間で授受を行う。

R.A.28.7　匿名加工情報に関する苦情対応

　匿名加工情報を取り扱う業務に関する苦情処理や相談について規定します。

> **RA2800匿名加工情報取扱規程　7．苦情対応**
>
> 　当社は本人より匿名加工情報に関する苦情や相談を受けた際には、**R01000個人情報取扱規程**R.7.4.2（苦情及び相談への対応）に従う。

② 個人情報保護に関する管理策

R.A.29 例外的な処理手順

　例外処理とは、JIS Q 15001:2023規格の、ただし書きに対応する手順です。ほとんど発生することがなくても、規定する必要があります。

　ただし書きは、多くの場合通知や公表、同意を省略する場合です。法においても、ただし書きを適用する場合"本人の同意を得ることが困難である"などの条件がついており、安易にただし書きを適用することはできません。

　そのため、RA2901PMS例外処理申請書及びRA0101個人情報取得変更申請書によって、個人情報保護管理者の承認を得て、その記録を保管することとなります。

> R01000個人情報取扱規程　R.A.29例外的な処理手順
> 　個人情報の取得・利用・連絡又は接触・提供において、例外的な処理が発生した場合は、該当するか内容をRA2901PMS例外処理申請書に明記し、RA0101個人情報取得変更申請書に添付して、個人情報保護管理者の承認を得ること。

例外的な処理手順 **R.A.29**

図表R.A.29-1　RA2901PMS例外処理申請書（一部）

「RA0101個人情報取得・利用申請書」の番号：			部門コード-20xxmmdd-001		
業務名： 個人情報の内容			PMS管理者	部門長	部門担当者
			20 ／ ／	20 ／ ／	20 ／ ／
記入方法		申請時には、該当する項目行のみを残し、他は削除すること。			

↓該当する項目			↓該当する項目に■を記入すること
☐	R.A.2 本人からの同意を省略して、利用目的の範囲を超えて利用できるとき。		R.A.2の3のa）〜f）のいずれかに該当する場合
		☐ a）	法令（条例を含む）に基づく場合。
		☐ b）	人の生命、身体、又は財産の保護のために必要がある場合であって、本人の同意を得ることが困難である。
		☐ c）	公衆衛生の向上又は児童の健全な育成の推進のために特に必要がある場合であって、本人の同意を得ることが困難である。
		☐ d）	国の機関若しくは地方公共団体又はその委託を受けた者が法令の定める事務を遂行することに対して協力する必要がある場合であって、本人の同意を得ることによって当該事務の遂行に支障を及ぼすおそれがある。
		☐ e）	当該個人情報取扱事業者が学術研究機関等である場合であって、学術研究目的で取り扱う必要があるとき（当該個人情報を取り扱う目的の一部が学術研究目的である場合を含み、個人の権利利益を不当に侵害するおそれがある場合を除く。）
		☐ f）	学術研究機関等に個人データを提供する場合であって、当該学術研究機関等が当該個人データを学術研究目的で取り扱う必要があるとき（当該個人データを取り扱う目的の一部が学術研究目的である場合を含み、個人の権利利益を不当に侵害するおそれがある場合を除く。）

239

番号利用法対応

2013年5月31日「行政手続における特定の個人を識別するための番号の利用等に関する法律」(以下、番号利用法) が制定され、2017年4月1日から、全面施行されています。

本書では、「特定個人情報の適正な取扱いに関するガイドライン(事業者編)」(別添1) 特定個人情報に関する安全管理措置(事業者編)(以下、安全管理措置ガイドライン)」[2] B (取扱規程等の策定) の要請に対し、R01000個人情報取扱規程及び、RA1000安全管理規程の遵守により、「個人番号」のライフサイクルの適切な取り扱いと、安全管理措置を保つことができると考えています。

しかしながら、今後の「個人番号」の取扱いの拡大などにより、特に注意を払うべき事項を整理するためにR01050個人番号関係事務規程を独立させました。

1.1 「R01050個人番号関係事務規程」

R01050個人番号関係事務規程は、番号利用法に特有の部分について規定しています。番号利用法とともに、一般法である個人情報保護法の規定の適用を受けるため、R01000個人情報取扱規程及びRA1000安全管理規程と一体で順守することとなります。

R01050個人番号関係事務規程　第1条　本規程の目的

　本規程は、「行政手続における特定の個人を識別するための番号利用に関する法律」(2013年法律第27号、以下、番号利用法)、「特定個人情報の適正な取扱いに関するガイドライン(事業者編)」(以下、特定個人情報ガイドライン)、「特定個人情報ガイドライン(別添1) 特定個人情報に関する安全管理措置(事業者編)」(以下、安全管理措置ガイドライン)、及び「個人情報の保護に関する法律」(2013年法律第57号、以下、個人情報法保護法)に準拠し、当社の個人番号関係事務における特定個人情報の取扱いが安全かつ適正に行われるよう、具体的な手順を定める。

番号利用法対応　**1**

1.2　番号利用法関連用語の定義

　個人番号を利用するのは、行政機関等です。民間事業者は番号利用法第 6 条に基づき、行政機関に協力する努力義務があり、その業務を「個人番号関係事務」と呼びます。

R01050個人番号関係事務規程　第 2 条用語の定義

　本規程において使用する用語は、**R01000個人情報取扱規程** 2 （用語の定義）に従う。加えて、個人番号関連については、次のとおりとする。

2.1　個人番号

　　番号利用法第 7 条 1 項又は 2 項の規定により、住民票コードを変換して得られる番号であって、当該住民票コードが記載された住民票に係る者を識別するために指定されるものをいう。

2.2　個人番号カード

　　氏名、住所、生年月日、性別、個人番号が記載され、本人の写真が表示され、かつ、その他総務省令で定める「カード記録事項」が電磁的方法により記録されたカードのこと。

2.3　特定個人情報

　　個人番号をその内容に含む個人情報をいう。

2.4　特定個人情報ファイル

　　個人番号をその内容に含む個人情報ファイル。行政機関等に提出する申請書類を年度別にファイリングしたものなどをいう。媒体は問わない。

2.5　個人番号利用事務

　　行政機関、地方公共団体、独立行政法人等その他の行政事務を処理する者が、法律の定めに基づき個人情報を効率的に検索し、及び管理するために必要な限度で個人番号を利用して処理する事務をいう。

2.6　個人番号利用事務実施者

　　個人番号利用事務を処理する者（国の行政機関、地方公共団体、独立行政法人など）、及び、個人番号利用事務の全部又は一部の委託を受けた者（全国健康保険協会、健康保険組合、企業年金連合会など）を含む。

2.7　個人番号関係事務

　　他人の個人番号を必要な限度で利用して、個人番号利用事務実施者に提出するなどの作業を行う事務をいう。

2.8　個人番号関係事務実施者

　　個人番号利用事務実施者に、個人番号を記載した資料などを提出する民間事業者などをいう。

243

1.3 個人番号関係事務の範囲

番号利用法第9条（利用範囲）4項では、健康保険法、相続税法、厚生年金保険法、租税特別措置法、国税通則法、所得税法、雇用保険法、内国税の適正な課税の確保を図るための国外送金等に係る調書の提出等に関する法律、激甚災害に対処するための特別の財政援助等に関する法律等、各法律の定めに従うことと規定されています。

また、「特定個人情報ガイドライン」第1（はじめに）では、個人番号の利用対象として、以下の3分野を掲げています。

（1）社会保障
（2）税
（3）災害対策

「安全管理措置ガイドライン」[1] Bでは、"取り扱う特定個人情報の範囲の明確化"が求められています。

R01050個人番号関係事務規程　第3条個人番号関係事務の範囲

当社の、個人番号関係事務の範囲は以下のとおりとする。

対象者	識別	個人番号関係事務
従業者（扶養家族含む）に係るもの	A1	給与所得・退職所得の源泉徴収票作成事務
	A2	雇用保険届出事務
	A3	労働者災害補償保険法に基づく請求に関する事務
	A4	健康保険・厚生年金保険届出事務
従業者の配偶者に係るもの	B4	国民年金の第3号被保険者の届出事務
従業者以外の個人に係るもの	C1	報酬・料金等の支払調書作成事務
	C2	配当、剰余金の分配及び基金利息の支払調書作成事務
	C3	不動産の使用料等の支払調書作成事務
	C4	不動産等の譲受けの対価の支払調書作成事務

番号利用法対応　**1**

　なお、金融機関が行う金融業務、及び激甚災害が発生したとき等において金融機関が個人番号を利用して金銭を支払う事務（番号利用法第9条4項）については除外しています。金融機関の事業者の方は「特定個人情報ガイドライン」第3-2を参考にしてください。

■個人番号を利用してはならない事例：「特定個人情報ガイドライン」第4-1-⑴、第4-1-⑵より
・事業者は、社員の管理のために、個人番号を社員番号として利用してはならない。
・従業者等の個人番号を利用して営業成績等を管理する特定個人情報ファイルを作成してはならない。
■個人番号関係事務に当たる事例
・報酬、料金、契約金及び賞金の「支払調書」への個人番号記載
・従業者が扶養親族の個人番号を記載した「扶養控除等申告書」を、事業者が預かる

1.4　個人番号関係事務に係る組織体制

　「安全管理措置ガイドライン」［2］C（組織的安全管理措置）a（組織体制の整備）には、責任者、担当者等の組織体制を整備するよう求めています。

R01050個人番号関係事務規程　第4条個人番号関係事務に係る組織体制

　個人番号関係事務に係る組織体制は、R05320PMS役割責任一覧表に、権限と責任を定める。

（1）	個人番号関係事務責任者（個人情報保護管理者が兼務）
（2）	個人番号関係事務部門管理者
（3）	個人番号関係事務担当者

245

1.5 個人番号の適正取得

番号利用法第16条(本人確認の措置)では、本人確認の措置を個人番号利用事務等実施者の義務としており、民間事業者にはその義務は課せられていません。しかし、番号利用法第6条(事業者の努力)において、協力するよう努めることとされていますので、できる限りの本人確認をします。

R01050個人番号関係事務規程　第5条個人番号の適正取得

5.1　本人確認方法

番号利用法第16条(本人確認の措置)に基づく、本人確認の方法は以下のいずれかとする。

対象者	個人番号関係事務
従業者 扶養家族 配偶者	個人番号カードもしくは通知カードのコピー (退職後2年間保管)
従業者以外 右記のいずれかを翌年3月末まで保管	・個人番号カードのコピー ・通知カードと、顔写真のある書類(運転免許証、またはパスポート等)1通 ・個人番号が記載された住民票と、顔写真のある書類(運転免許証、またはパスポート等)1通 ・個人番号が記載された住民票と、公的書類(健康保険者証、または公的年金手帳等)1通、または、個人番号利用事務実施者(自治体等)が認める書類2通

2　もし、本人から書類の提出を拒否もしくは、最終的に提出されなかった場合は、行政機関に提出する書類に、その旨のメモを添付して行政機関に伝える。

なお、本人確認書類のコピーは、「提出文書の保管期間とあわせて、法定保存期間の間保管する」と規定しても構いません。

R01050個人番号関係事務規程　第5条個人番号の適正取得

5.2　従業者等からの個人番号取得

(1)　従業者からは、あらかじめRA0702個人情報取扱明示・同意書(従業者)によって個人番号の利用目的を通知し、署名同意を得る。また実際に取得する際に、RA0602マイナンバーの取扱いについて(通達)によって通知する。

番号利用法対応　**1**

（2）従業者の扶養家族（以下従業者等）の個人番号を取得する場合は、従業者を代理人に
　　　あたるとして、本人からの同意を得たものとみなし、あらためて書面による同意は省略
　　　する。

（3）従業者は、扶養家族の変動があった場合速やかに、「給与所得者の扶養控除等（異動）
　　　申告書」を個人番号関係事務担当者に提出すること。また、扶養家族が増えた場合は、
　　　増えた家族の個人番号カードもしくは通知カードのコピーを提出すること。

（4）**RA0601個人情報の取扱いについて**に、従業者等から取得する個人番号の利用目的に
　　　ついて公表する。

5.3　入社する者からの個人番号取得

　入社する者から個人番号を取得する際には、個人番号の取扱いについて記載した
RA0702個人情報取扱明示・同意書（従業者）によって、個人番号の利用目的を通知し、
署名同意を得る。

5.4　従業者以外からの個人番号取得

　セミナー講師等、従業者以外から個人番号を取得する際には、個人番号の取扱いについ
て記載した**RA0755講師料お支払に関する件**によって、個人番号の利用目的を通知する。
本人確認の書類が指定した期限までに到着しない場合であっても支払を優先する。

5.5　本人確認書類の提出について

　もし、本人から書類の提出を拒否もしくは、年度末までに到着しない場合は、個人番号
利用事務実施者に支払調書を提出する際に、本人確認の取得について努力したが提出され
なかった旨、書面で報告する。

1.6　特定個人情報の取扱いに関する記録

　特定個人情報に関しては、扶養控除申告書、個人番号カード等の取得、保
管、年金・健康保険関連書類の作成、法定調書の作成、委託先への移送、行
政機関への提出、退職後の保存期間経過後の廃棄など、取得から廃棄に至る
までに発生する書類についてもれなく特定する必要があります。

　特定の手順は、**R01000個人情報取扱規程**R.6.1（個人情報の特定）の手順
に従ってください。

R01050個人番号関係事務規程　第6条特定個人情報の取扱いに関する記録

6.1「R06101個人情報管理台帳」への特定とリスクアセスメント

247

個人番号関係事務担当者は、特定個人情報について、**RA0101個人情報取得変更申請書**に必要事項を記載し、**R06103業務フロー**及び**R06101個人情報管理台帳**を用いて特定し、**R06221リスク分析表（兼監査ＣＬ）**によってリスク分析を実施し、個人番号関係事務責任者（個人情報保護管理者が兼務）の承認を得る。

6.2 「RA0405個人番号取扱記録簿」への記録

　個人番号関係事務担当者は、特定個人情報等について、以下の取扱い状況を**RA0405個人番号取扱記録簿**に記録する。

(1)	特定個人情報等の入手日
(2)	個人番号関係事務の取扱日
(3)	特定個人情報等の廃棄日

1.7　個人番号関係事務に関する教育及び監督

　「安全管理措置ガイドライン」［2］D（人的安全管理措置）b（事務取扱担当者の教育）と、a（事務取扱担当者の監督）を規定しています。また、秘密保持についても言及しています。

R01050個人番号関係事務規程　第7条個人番号関係事務に関する教育及び監督

個人番号関係事務に関する教育は、以下のとおり実施する。

(1)	全社教育	R06000PMS年間計画書（兼運用確認記録）に定めた時期に実施する定期教育の内容に、R01050個人番号関係事務規程を含める。
(2)	個人番号関係事務担当者への教育	R06000PMS年間計画書（兼運用確認記録）に定めた時期に、個人番号関係事務部門管理者が、R01050個人番号関係事務規程及び第1条に記述する「特定個人情報ガイドライン」、「安全管理措置ガイドライン」をテキストとして教育・研修を行う。
(3)	個人番号関係事務に関する監督	個人番号関係事務部門管理者は、RA0405個人番号取扱記録簿について、毎月点検を実施する。
(4)	秘密保持契約	個人番号関係事務に関する秘密保持については、**R01000個人情報取扱規程**R.A.11従業者の監督（法第24条）に従う。
(5)	罰則	本規程の違反については、R01000個人情報取扱規程R.A.40罰則に従う。

番号利用法対応　**1**

1.8　個人番号関係事務の委託

　委託する個人情報の安全管理の責任は、委託元にあります。番号利用法第10条（再委託）では、再委託の場合は委託者の許諾が必須とされ、個人番号関係事務もその対象となるため、知らないうちに再委託が発生しないよう、契約書によって取り決めるとともに、**R01000個人情報取扱規程**R.A.12委託先の監督（法第25条）の手順に従い、定期的な評価をする必要があります。

R01050個人番号関係事務規程　第8条個人番号関係事務の委託

8.1　個人番号関係事務の業務委託先は、以下に限定する。

（1）	会計士または税理士
（2）	社会保険労務士
（3）	弁護士
（4）	データセンター（ASPサービスを含む）
（5）	配送事業者

8.2　個人番号関係事務の再委託について

　個人番号関係事務の業務委託先について再委託先がある場合は、**RA1201委託先管理台帳**に記載し管理すること。

8.3　上記の他、**R01000個人情報取扱規程**R.A.12（委託先の監督）の手順に従う。

1.9　特定個人情報の安全管理措置

　「安全管理措置ガイドライン」には、E（物理的安全管理措置）、F（技術的安全管理措置）の事例が記載されています。アクセス制御、ファイヤーウォール設置、ウイルス対策ソフト、移送時のパスワードによる保護、施錠できる搬送容器の使用、追跡可能な移送手段、復元不可能な手段で削除又は廃棄など、一般の個人情報と同等の措置ですが、確実な適用が求められます。

　そのうち特に、措置を講じるとされているのが、「取扱区域」の明確化です。本書では、**RA1000安全管理規程**10.3.執務室の整理整頓、取扱区域で、"特定個人情報を取扱う区域については、**RA1032フロアマップ（セキュリティ区域）** に明記し、個人番号関係事務を行う場合には、部外者が立ち入らない

249

よう「個人番号関係事務作業中」の札を設置する。"と規定しています。

> **R01050個人番号関係事務規程　第9条安全管理措置**
> 　本規程6.1の手順に従って実施したリスクアセスメントの結果、新たに講じるとした安全管理措置については、個人番号関係事務部門管理者及び、個人番号関係事務責任者（個人情報保護管理者が兼務）の承認を得て **A1000安全管理規程**に規定し実施する。
> 　その他個人番号関係事務における安全管理措置については、**R01000個人情報取扱規程** 3.4.3.2、及び**A1000安全管理規程**の手順に従う。

1.10　特定個人情報の緊急事態への対応

　特定個人情報の漏えい事故等については、個人情報保護委員会規則第5号「特定個人情報の漏えい等に関する報告に関する規則」に、手順が規定され、第2条4項には、重大な事態とは、100人を超える特定個人情報が、漏えいし滅失し毀損した事態、規定の範囲外利用、範囲外提供された場合、と規定しています。

> **R01050個人番号関係事務規程　第10条　緊急事態への対応**
> 　個人番号関係事務における緊急事態が発生した場合は、**R01000個人情報取扱規程** R.7.4.3（緊急事態への準備）、及びR.A.13（漏えい等の報告等）の手順に従う。

Pマーク認定後の維持・運用のポイント **2**

2 Pマーク認定後の維持・運用のポイント

　Pマークの認証を受けたことで、個人情報保護マネジメントシステム（PMS）が完成しました。しかし、PMSの維持・運用に関しては、付与を受けてからが本当のスタートです。

2.1　PMSの維持・運用
　構築したPMSを維持・運用するポイントは以下のとおりです。

2.1.1　個人情報保護体制の維持
　個人情報保護管理者、監査責任者、教育責任者、苦情対応窓口責任者、情報システム管理者、個人番号関係事務責任者が不在にならないよう、組織変更、人事異動、退職等が予定されている場合は、速やかに後任者を任命し、引き継ぎを行います。

2.1.2　PMS年間計画書に基づいた運用
　個人情報管理台帳の見直し、リスク分析表の見直し、法令等の改廃確認、委託先の再評価、定期教育の実施、運用の確認、定期監査の実施、マネジメントレビューなど、R06000PMS年間計画書（兼運用確認記録）に基づいて実施してください。2年後のPマーク更新審査では、PMS運用が計画どおり実施されているかが、審査の対象となります。
　各種記録には、実施日や報告日、承認日などの日付とともに、実施者、承認者などの承認印やサインなどの証跡が必要です。

2.1.3　内部規程の見直し
　PMSの運用の積み重ねを行い、是正処置の結果を内部規程に着実に反映

251

して、PMSの継続的改善を図ることが重要です。

2.2 付与機関、指定機関による更新審査等

付与機関、指定機関により、2年毎に更新審査として、PMSの運用状況を確認されることになります。

2.2.1 指定機関による更新審査

Pマーク認証取得以降、2年毎の更新審査においてPMSの運用状況が確認されます。

2.2.2 付与機関、指定機関による実態調査

JIPDECなどの付与機関や指定機関は、Pマーク制度に対する社会からの信頼を維持するために、付与事業者に対して立ち入り調査を求めることがあります。

2.2.3 改善の勧告及びPマークの認定取消し

Pマーク制度の運用に問題があった付与事業者に対し、Pマーク制度委員会における審議に基づいて、改善の勧告・要請がなされ、それに従わない事業者に対しては、Pマーク付与の取り消しとなる場合があります。

日々の着実な積み重ねによって、PMSを維持・運用していきましょう。

索　引

〔英数〕

GDPR……………………………………2
EU一般データ保護規則（GDPR）………………2
JIS Q 15001:2023………………………18,19
OECD理事会勧告…………………………2
PDCA……………………………………12
PMS…………………………………12,65
PMS規程…………………………………16
PMS教育計画書（兼報告書）………………95
PMS記録台帳………………………………111
PMS内部監査計画書（兼報告書）…………118
PMS文書体系………………………………52
PMS例外処理申請書……………………238,239
Pマーク取得計画………………………36,37
Pマーク取得体制…………………………36
Pマーク制度………………………………18
Pマーク認定後の維持・運用のポイント…251
Pマーク付与適格性審査…………………18

〔あ〕

アクセス権限の設定………………………171
アクセスログの取得と点検………………174
安全管理措置………………………………155

委託先管理台帳…………………………44,181
委託先調査票………………………………44

委託先との契約締結………………………183
委託先との個人情報の授受記録……………185
委託先の選定………………………………182
委託先の定期的な再評価……………………184

運用…………………………………………112
運用監査……………………………………122
運用の確認と内部監査の違い………………45
運用の計画及び管理………………………16

オプトアウト………………………………195

〔か〕

外国にある第三者から提供を受ける場合…199
外国にある第三者への提供の制限…………196
開示…………………………………………211
開示等の請求等に応じる手続………………215
改善…………………………………………17
外部のサーバーを利用する場合の管理……176
学術研究機関………………………………139
「確報」の報告……………………………191
仮名加工情報………………………………223
監査チェックリスト………………………119
監査における評価の方法……………………123
監視、測定、分析及び評価………………44,113
管理策………………………………………19

規格本体……………………………………19

253

機密書庫の入退室管理……………………161
機密保持誓約書……………………………180
教育テキスト…………………………………96
共同利用…………………………………151,198
業務フロー…………………………14,41,42,77
規律移行法人…………………………………19
緊急事態………………………………………97
緊急事態の特定……………………………101
緊急事態発生………………………………186
緊急事態への準備…………………………100
緊急時連絡網………………………………102

苦情及び相談への対応………………………99
苦情相談報告書……………………………220
国が定める指針………………………………61

計画策定………………………………………72
継続的改善…………………………………127
携帯端末（携帯電話、スマートフォン、タ
　ブレット等）の使用………………………170
現地審査………………………………………48

構築運用指針…………………………………13
個人関連情報の第三者提供の制限等………204
個人情報開示等請求書兼回答書……………216
個人情報管理台帳………………………74,79
個人情報取得変更申請書……………………144
個人情報とは…………………………………14
個人情報取扱規程……………………………58
個人情報取扱事業者による苦情の処理……219
個人情報の移送、送受信時の管理…………177
個人情報の特定………………………12,14,42,74
個人情報の取扱いについて…………………210
個人情報の取扱区域…………………………157
個人情報の取扱いについての公表……39,142

個人情報の返却・廃棄・消去………………166
個人情報の利用及び、利用期限並びに保管
　期限…………………………………………164
個人情報保護委員会及び審査機関への「速
　報」の報告…………………………………189
個人情報保護体制…………………………37,40
個人情報保護に関する管理策………………19
個人情報保護方針…………………………39,67
個人情報保護マネジメントシステム（PMS）
　とは………………………………………12,65
個人情報保護リスクアセスメント…………87
個人情報保護リスク対応…………………15,90
個人情報を取得した場合の措置……………140
個人番号関係事務規程………………………242
個人番号関係事務に係る組織体制…………245
個人番号関係事務に関する教育及び監督…248
個人番号関係事務の委託……………………249
個人番号関係事務の範囲……………………244
個人番号の適正取得…………………………246
この規格が要求する記録……………………107
コミュニケーション……………………98,99

〔さ〕

サーバー管理………………………………172
サーバー室の入退室管理……………………161
再発防止措置………………………………191
残留リスク……………………………………91

支援……………………………………………93
資源……………………………………………93
事故報告書の作成………………………103,187
自社が運営するWebサイトの管理…………176
執務室の整理整頓…………………………157
指定審査機関…………………………………46

索　引

指摘対応⋯⋯⋯⋯⋯⋯⋯⋯⋯⋯⋯49
社内公開文書の周知⋯⋯⋯⋯⋯⋯166
情報機器、体制の冗長性⋯⋯⋯⋯175
情報機器・媒体の社外への持出し⋯⋯⋯169
情報機器・媒体の社内への持込み⋯⋯⋯169
情報機器の安全管理⋯⋯⋯⋯⋯167
情報機器の設置⋯⋯⋯⋯⋯⋯⋯168
情報漏えい事故⋯⋯⋯⋯⋯⋯⋯25

是正処置⋯⋯⋯⋯⋯⋯⋯⋯⋯17,45
是正処置報告書⋯⋯⋯⋯⋯⋯⋯128

「速報」対象事故でなかった場合の報告⋯191
組織の状況⋯⋯⋯⋯⋯⋯⋯⋯⋯61

〔た〕

第三者提供の制限⋯⋯⋯⋯⋯⋯193
第三者提供を受ける際の確認等⋯⋯⋯202
第三者提供に係る記録の作成等⋯⋯⋯200

訂正等⋯⋯⋯⋯⋯⋯⋯⋯⋯⋯⋯212
データ内容の正確性の確保等⋯⋯⋯153
適合性監査⋯⋯⋯⋯⋯⋯⋯120,122
適正な取得⋯⋯⋯⋯⋯⋯⋯⋯⋯136
適用範囲⋯⋯⋯⋯⋯⋯⋯⋯⋯13,64
手数料⋯⋯⋯⋯⋯⋯⋯⋯⋯⋯⋯218
テレワーク作業許可申請書⋯⋯⋯170
電子媒体の使用⋯⋯⋯⋯⋯⋯⋯169

特定個人情報⋯⋯⋯⋯⋯⋯⋯⋯77
特定個人情報の取扱いに関する記録⋯247
特定電子メール⋯⋯⋯⋯⋯⋯⋯149
匿名加工情報⋯⋯⋯⋯⋯⋯⋯⋯226
匿名加工情報作業業務の責任体制⋯⋯⋯229

匿名加工情報作成時の安全管理措置⋯⋯⋯231
匿名加工情報データベース等の作成⋯⋯⋯230
匿名加工情報等の提供を受ける場合の義務
　235
匿名加工情報取扱規程⋯⋯⋯⋯⋯227
匿名加工情報取扱指針⋯⋯⋯⋯⋯228
匿名加工情報に関する公表⋯⋯⋯233
トップマネジメント⋯⋯⋯⋯66,68,115

〔な〕

内部監査⋯⋯⋯⋯⋯⋯⋯16,44,115
内部規程⋯⋯⋯⋯⋯⋯⋯⋯15,106

入退室制限⋯⋯⋯⋯⋯⋯⋯⋯⋯159
認識⋯⋯⋯⋯⋯⋯⋯⋯⋯13,44,94
認証申請⋯⋯⋯⋯⋯⋯⋯⋯⋯⋯45
認定個人情報保護団体⋯⋯⋯⋯⋯221

ネットワーク・セキュリティ設定⋯⋯⋯173
ネットワーク管理⋯⋯⋯⋯⋯⋯171
年間計画書の作成⋯⋯⋯⋯⋯⋯72

〔は〕

バックアップ⋯⋯⋯⋯⋯⋯⋯⋯175
罰則⋯⋯⋯⋯⋯⋯⋯⋯⋯⋯⋯180
パフォーマンス評価⋯⋯⋯⋯44,113
番号利用法対応⋯⋯⋯⋯⋯⋯⋯242

ファイリング⋯⋯⋯⋯⋯⋯⋯⋯163
不適合及び是正処置⋯⋯⋯⋯⋯127
不適正な利用の禁止⋯⋯⋯⋯⋯134
プライバシーマーク→Ｐマーク
文書化した情報⋯⋯⋯⋯⋯⋯105, 109

255

文書審査……………………………48
文書の作成及び更新…………………163

法令、国が定める指針その他の規範……13,61
他の組織が同居する場合について…………162
他のマネジメントシステム………………23
保管場所……………………………165
保有個人データ等に関する事項の公表…39,207
本人・代理人の確認について………………217
本人から直接書面によって取得する場合の
　措置…………………………144
本人からの同意を取得することが困難な場
　合…………………………147
本人に連絡又は接触する場合の措置………148
本人への連絡……………………………188

〔ま〕

マネジメントレビュー………………17,45,124
マネジメントレビュー議事録………………126
マネジメントレビューへのインプット……125

明示して同意を得るための書面………144,145
メールの利用……………………………177

〔や〕

役割、責任及び権限…………………68

要配慮個人情報などの取得…………………137

〔ら〕

ライフサイクル………………14,15,41,42
来訪者の入退管理…………………160
ランサムウェア……………………25,26

リーダーシップ……………………66
利害関係者のニーズ及び期待の理解………64
理解度確認…………………………96
力量…………………………93
リスクアセスメント………………15,42
リスク及び機会への取組……………80
リスク分析表（兼監査CL）………88,89,92
理由の説明…………………………214
利用停止等…………………………213
利用目的による制限…………………131
利用目的の特定……………………130

例外的な処理手順…………………238

漏えい等発生時の措置………………18

256

【編集担当・執筆者代表】

斎藤由紀子（さいとう　ゆきこ）

　NPO法人日本システム監査人協会副会長、個人情報保護監査研究会主査、公認システム監査人（CSA）、プライバシーマーク主任審査員、三菱事務機械株式会社、株式会社日本ケアサプライを経て、現在「グループ・オフィス・マネジメント」代表

【執筆者】50音順

岡田和也（おかだ　かずや）

　NPO法人日本システム監査人協会会員。

小川京子（おがわ　きょうこ）

　NPO法人日本システム監査人協会会員、プライバシーマーク審査員、おがわ行政書士事務所代表、Office Ogawa 合同会社代表。

五味巻二（ごみ　まきじ）

　NPO法人日本システム監査人協会会員、株式会社アルゴ21を経て、ISMS、ITSMS、QMS、PMSの各マネジメントシステムの審査を実施。現在「MSコンサルタント事務所」代表。

斉藤茂雄（さいとう　しげお）

　NPO法人日本システム監査人協会副会長、公認システム監査人（CSA）、システム監査技術者、公認情報システム監査人（CISA）、ISMS主任審査員、プライバシーマーク審査員補、株式会社日立システムズを経て、現在に至る。

坂本　誠（さかもと　まこと）

　NPO法人日本システム監査人協会理事、公認システム監査人（CSA）、システム監査技術者。

田口喜久（たぐち　よしひさ）

　NPO法人日本システム監査人協会会員、プライバシーマーク審査員。

永井孝一（ながいこういち）

　NPO法人日本システム監査人協会理事、公認システム監査人（CSA）、システム監査技術者、プライバシーマーク主任審査員、中小企業診断士。

成田佳應（なりた　よしまさ）

　NPO法人日本システム監査人協会会員、プライバシーマーク審査員、技術士（情報工学部門）、情報処理安全確保支援士、ITストラテジスト、システムアーキテクト、プロジェクトマネージャ、システム監査技術者、エンベデッドシステムスペシャリスト、他、「有限会社情報技研」代表取締役。

林　昭夫（はやし　あきお）

　NPO法人日本システム監査人協会会員、プライバシーマーク審査員、株式会社日立システムズを経て、現在に至る。

村上進司（むらかみ　しんじ）

　NPO法人日本システム監査人協会会員、ITコーディネータ、ISMS審査員補。富士通株式会社カスタマーサポート部門、JIPDECプライバシーマーク7期審査員を経て現在中小企業の経営課題支援に従事。

吉谷尚雄（よしがい　ひさお）

　NPO法人日本システム監査人協会会員、公認システム監査人（CSA）、プライバシーマーク主任審査員、QMS主任審査員（JRCA）、EMS主任審査員（JRCA）、ISMS審査員（JRCA）、日平産業株式会社、三菱マテリアル株式会社を経て、現在「有限会社吉谷コンサルティング事務所」代表。

【監修者】

特定非営利活動法人　日本システム監査人協会

　当協会は、システム監査を社会一般に普及させるとともに、システム監査人の育成、認定、監査技法の維持・向上をはかり、よって健全な情報化社会の発展に寄与することを目的としている。1987年12月にシステム監査技術者試験合格者及びシステム監査企業台帳を中心として、任意団体として発足。2002年、東京都より特定非営利活動法人として認証を得る。併せて、産業構造審議会情報化人材対策小委員会で、システム監査人認定制度の創設の方策が提起され、当協会が公認システム監査人（CSA）の認定制度の実施機関となった。2015年、東京都より認定NPO法人として認証を得る。会長は松枝憲司（2022年3月就任）、会員数は法人、個人を併せて約600名（2024年2月現在）。7支部を持つ。

事務局：103-0025　東京都中央区日本橋茅場町16番7号
　　　　本間ビル201号室

TEL：03-3666-6341

ホームページ：https://www.saaj.or.jp/

2014年12月10日	初　版　発　行	
2016年1月25日	初版2刷発行	
2019年7月20日	第2版発行	
2021年1月15日	第2版2刷発行	《検印省略》
2024年5月10日	第3版発行	略称：PMSハンドブック(3)

6ヶ月で構築する
個人情報保護マネジメントシステム
実施ハンドブック（第3版）

監修者　Ⓒ　NPO法人日本システム監査人協会

発行者　　中　島　豊　彦

発行所　同文舘出版株式会社

東京都千代田区神田神保町1-41　　　　　〒101-0051
電話　営業(03)3294-1801　　　　　編集(03)3294-1803
振替 00100-8-42935　　　　https://www.dobunkan.co.jp

Printed in Japan 2024　　　　　　製版：一企画
　　　　　　　　　　　　　　　　印刷・製本：萩原印刷

ISBN 978-4-495-20123-4

JCOPY 〈出版者著作権管理機構 委託出版物〉
本書の無断複製は著作権法上での例外を除き禁じられています。複製される場合は、そのつど事前に、出版者著作権管理機構（電話 03-5244-5088, FAX 03-5244-5089, e-mail：info@jcopy.or.jp）の許諾を得てください。

認定NPO法人日本システム監査人協会の本

発注者のプロジェクトマネジメントと監査
―システム開発トラブル未然防止の神髄に迫る―

A5判・240頁

税込3,520円（本体3,200円）

失敗しないシステム開発のためのプロジェクト監査
―プロジェクトマネジメントと監査のガイドライン―

A5判・240頁

税込3,740円（本体3,400円）